Français

PLUS

Français PLUS

MICHEL DAVID

*Cahier d'activités
de récupération
et d'enrichissement*

DEUXIÈME ANNÉE DU SECONDAIRE

guérin Montréal
Toronto
4501, rue Drolet
Montréal (Québec) H2T 2G2 Canada
(514) 842-3481

8e édition, Guérin éditeur ltée, 1995

Tous droits réservés.
Il est
interdit de
reproduire,
d'enregistrer ou
de diffuser, en tout
ou en partie, le
présent ouvrage par
quelque procédé que ce soit,
électronique, mécanique,
photographique, sonore, magnétique
ou autre, sans avoir obtenu au
préalable l'autorisation écrite de l'éditeur.
Dépôt légal, 4e trimestre 1988
ISBN-2-7601-2030-9
Bibliothèque nationale du Québec
Bibliothèque nationale du Canada
IMPRIMÉ AU CANADA

Illustrations: Danielle Latendresse
Maquette de la couverture: France Lavoie
Révision linguistique: Madeleine Bourdon

Table des matières

Introduction

Ce nouveau cahier d'activités s'adresse à l'élève de 2e année du secondaire qui veut profiter au maximum de l'enseignement de son professeur de français.

FRANÇAIS PLUS est original à plus d'un titre. Il vise d'abord à développer l'autonomie de l'élève et à lui permettre de devenir l'agent de sa propre formation en lui présentant 106 activités de même qu'un **CORRIGÉ**. Ces activités portent sur les objectifs définis par le ministère de l'Éducation dans son nouveau programme et elles couvrent aussi bien les habiletés à développer que la grammaire, la syntaxe et le lexique. De plus, puisque cet ouvrage ne se rattache à aucun manuel en particulier, il peut être utilisé comme complément au matériel didactique déjà existant. Enfin, la principale originalité de ce cahier réside probablement dans le fait qu'il offre à l'élève en situation d'échec, comme à l'élève qui désire améliorer ses habiletés, la possibilité de vivre des activités à la maison et de les corriger sans l'aide de son professeur.

Un cahier de récupération

Pourquoi **FRANÇAIS PLUS** peut-il être considéré comme un très bon cahier d'activités de récupération?

Les professeurs de français soucieux de respecter l'esprit du nouveau programme doivent donner à l'élève qui échoue au test formatif la possibilité de connaître le succès au test sommatif (pédagogie de la maîtrise). Pour ce faire, ils doivent lui proposer des activités de récupération. Or, ils sont souvent débordés par la multiplicité de leurs tâches et ne parviennent pas toujours à offrir à l'élève tout ce à quoi il (elle) a droit. **FRANÇAIS PLUS** a été écrit pour répondre à ce besoin. Pour chacun des objectifs de l'année, l'élève trouvera: 1) les connaissances expliquées et 2) des activités graduées. Le **CORRIGÉ** donnera les réponses complètes.

L'ouvrage est conçu de manière que l'élève qui a échoué au test formatif puisse vivre un certain nombre d'activités en classe ou à la maison et les corriger en consultant le **CORRIGÉ**. Si une difficulté survient, l'élève peut toujours avoir recours à son professeur.

Un cahier d'enrichissement

Comment un cahier de récupération peut-il en même temps offrir de l'enrichissement à l'élève?

La réponse à cette question passe nécessairement par une définition de l'enrichissement. Comme tous les objectifs terminaux visent d'abord et avant tout le développement optimal d'une habileté, il semble logique de considérer comme enrichissement à donner à l'élève qui réussit son test, non pas nécessairement des activités plus difficiles, mais un surplus d'activités. De cette manière, il est raisonnable de croire qu'il parviendra à une meilleure maîtrise de cette habileté.

Par ailleurs, si un professeur n'admet pas notre définition de l'enrichissement et tient absolument à suggérer des activités plus difficiles à ses élèves doués, **FRANÇAIS PLUS** a été conçu de manière que les dernières activités de chaque chapitre soient plus difficiles que les premières. Ainsi, il sera toujours possible de considérer ces activités comme de l'enrichissement plutôt que de la récupération. Cependant, il n'en reste pas moins que nous croyons que l'enrichissement d'une habileté provient beaucoup plus du nombre et de la variété des activités offertes que de leur complexité.

Mode d'utilisation

Chacun des chapitres de ce cahier a été construit de façon identique et ne vise qu'un ou deux objectifs à la fois. L'élève trouvera toujours l'objectif poursuivi ainsi qu'un tableau des connaissances nécessaires pour vivre les activités suggérées dès le début du chapitre.

Pour toutes les activités de **COMPRÉHENSION**, nous proposons que l'élève lise la présentation du texte avant de lire ou d'écouter le texte. De plus, il serait souhaitable qu'il (elle) s'accorde quelques minutes de réflexion en cherchant à répondre aux **QUESTIONS À TE POSER** (objectif général relatif aux valeurs). Ensuite, l'élève peut répondre au questionnaire et vérifier, lorsque son travail est complété, la validité de ses réponses en consultant le corrigé.

Pour toutes les activités de **PRODUCTION ORALE** et de **PRODUCTION ÉCRITE**, il est fortement recommandé que l'élève respecte toutes les étapes qui lui sont suggérées: elles sont nécessaires pour connaître le succès. Les grilles à remplir lors de ces productions sont essentielles: elles représentent souvent un retour nécessaire sur ce qui a été fait et permettent à l'élève de prendre conscience de ses faiblesses.

Premier chapitre

RENSEIGNE-TOI...
RENSEIGNE-NOUS

Renseigne-toi... Renseigne-nous

Présentation

As-tu déjà remarqué à quel point le titre d'un article de journal peut nous accrocher et nous pousser à lire l'article? Il nous rend tout simplement désireux d'en apprendre plus sur le sujet. Or, très souvent, cet article porte sur un événement de peu d'importance, un fait divers. Comprendre ce genre d'article est une habileté que tu peux développer assez facilement si tu y mets le temps et le soin nécessaires.

Dans ce chapitre, nous te proposons de t'informer en lisant plusieurs faits divers tels que tu pourrais en retrouver dans n'importe quel quotidien. Si tu te donnes la peine de répondre aux **QUESTIONS À TE POSER** qui accompagnent chaque texte, nous sommes persuadés que tu amélioreras ta capacité à comprendre ce que tu lis et ta connaissance du fonctionnement de la langue. Cependant, ce n'est pas tout de se renseigner; il faut aussi être capable de communiquer ces renseignements aux autres. C'est pourquoi on t'offrira aussi dans ce chapitre l'occasion de donner des informations en préparant quelques exposés oraux.

Liste des activités

Lire un fait divers

Activité 1:	Acquittée d'avoir conduit une tondeuse en état d'ivresse
Activité 2:	Les «cageux» sont de retour!
Activité 3:	Un enfant de deux ans devient lama dans un monastère indien
Activité 4:	Whitworth condamné à 365 ans de prison
Activité 5:	Le balcon se décroche: 6 blessés!
Activité 6:	Policiers désarmés puis «coffrés»
Activité 7:	Audacieux vol raté dans un train postal
Activité 8:	James Bond cambriolé
Activité 9:	Neuf fois condamné pour ivresse au volant, Robert Perry est frappé par un conducteur... ivre
Activité 10:	Les réfugiés palestiniens de Bourj Barajneh sont réduits à manger des chiens, des chats et des rats

Faire un compte rendu oral d'un événement

Activité 1:	L'accident
Activité 2:	Les nouvelles
Activité 3:	Ce mois-ci, à mon école...

Ton objectif

Lire un fait divers en tenant compte de la situation de communication et du fonctionnement de la langue.

TON INTENTION: t'informer sur un sujet donné.

Après chaque activité, vérifie soigneusement tes réponses en consultant le corrigé. Si tu as des problèmes, demande des explications à ton professeur.

Connaissances

Fait divers

Un fait divers est habituellement un événement de peu d'importance que l'émetteur rapporte dans l'intention d'informer le lecteur.

Le titre de ce genre d'article est très important parce qu'il annonce le sujet tout en poussant le lecteur à lire l'article.

Tu remarqueras que le premier paragraphe te communique le sujet du texte tout en te disant qui est concerné, où et quand le fait divers s'est passé.

Les qualités du fait divers

Les trois grandes qualités qu'on recherche dans un fait divers sont:

1. La précision

Le fait divers est un texte assez court qui exige beaucoup de précision de la part de l'émetteur. Il évite les mots inutiles et essaie de s'en tenir à l'essentiel. Pour arriver à la précision, il emploie:

a) les compléments du nom et les subordonnées relatives;
b) les adjectifs qualificatifs;
c) les adverbes;
d) les bons déterminants (adjectifs possessif, numéral et démonstratif);
e) la phrase nominale (surtout pour le titre);
f) la mise en évidence: nombre, prix, nombre de morts, ...

2. L'exactitude

On demande surtout à l'émetteur d'être exact dans son article en répondant aux questions QUI?, OÙ?, QUAND?, COMMENT? et POURQUOI?.

3. Un style vivant

On demande aussi à l'émetteur d'avoir un style vivant. C'est pourquoi il emploie souvent des inversions, des exemples ou encore des témoignages.

À REMARQUER

Remarque bien la manière dont les signes de ponctuation sont utilisés, en particulier:

a) les deux points: avant une citation, une conséquence, une longue énumération ou une explication.
b) les guillemets: pour encadrer une citation ou un mot étranger.
c) la virgule: après une inversion ou après chaque partie d'une énumération.

Activité 1

ACQUITTÉE D'AVOIR CONDUIT UNE TONDEUSE EN ÉTAT D'IVRESSE

Présentation

En Angleterre, l'alcootest est imposé même aux conducteurs de... tondeuse!

ACQUITTÉE D'AVOIR CONDUIT UNE TONDEUSE EN ÉTAT D'IVRESSE

LONDRES (AFP) Une femme de 35 ans, inculpée de conduite en état d'ivresse, sans permis de conduire, d'un véhicule non assuré, a été blanchie de toute accusation, hier, par un tribunal britannique, le véhicule au volant duquel elle avait été appréhendée étant une... tondeuse à gazon.

Mme Lorna Dowson, professeur d'équitation à Alhampton, Somerset (ouest de l'Angleterre), a été acquittée de tous les chefs d'accusation parce que le tribunal de Glastonbury a estimé qu'une tondeuse à gazon ne pouvait être considérée comme un véhicule automobile.

La mésaventure de Mme Dowson avait eu lieu le jour de son anniversaire: au terme d'un dîner bien arrosé entre amis, elle avait décidé, vers minuit, de se rendre chez un parent, près de chez elle, en voyageant sur une tondeuse. Mais elle avait perdu la maîtrise de l'engin, ne parvenant pas à couper le moteur après un trajet d'un kilomètre, et avait suscité la colère d'un voisin, M. Gordon Slade, policier de son état, qui s'apprêtait à se coucher et que le bruit importunait.

L'alcootest que le policier avait fait subir à Mme Dowson devait suffire pour la faire comparaître devant le tribunal qui, après une discussion approfondie, a donc acquitté la conductrice éméchée.

La Presse
20 août 1986

Questions à te poser

Que penses-tu du comportement de Mme Dowson? Ce policier avait-il raison de l'arrêter? Pourquoi? Un policier québécois se serait-il conduit de la même manière? Pourquoi?

Lis cet article, réponds aux questions et vérifie tes réponses en consultant le corrigé.

Questionnaire

1. Quelle est l'intention du journaliste en écrivant cet article? _____
   _____

2. Qu'y a-t-il d'insolite dans ce fait divers? _____
   _____

3. Après la lecture de cet article, peux-tu répondre aux questions suivantes?
   Qui? _____
   Quand? _____
   Où? _____
   Pourquoi? _____

4. Quels mots de l'article t'indiquent quand ce fait s'est passé? _____
   _____

5. Quels sont les trois renseignements que le titre donne? _____
   _____

6. Quel sens l'émetteur donne-t-il aux expressions suivantes?
   A été blanchie: _____
   Dîner bien arrosé: _____
   Couper le moteur: _____

7. Dans le dernier paragraphe, identifie les deux adjectifs qualificatifs et les mots qu'ils qualifient.
   _____
   _____

8. Quelles étaient les trois accusations portées contre Mme Dowson? _____
   _____
   _____

9. Dans le troisième paragraphe, par quel(s) nom(s) le journaliste complète-t-il chacun des mots suivants?

- Mésaventure: _____
- Jour: _____
- Terme: _____

10. Pourquoi M. Slade était-il en colère? _____
_____

Activité 2

LES «CAGEUX» SONT DE RETOUR!

Présentation

Pendant très longtemps, les routes du Québec étaient si rares et si mal entretenues qu'il était plus rentable de faire le transport en empruntant les cours d'eau. Les «cageux» sont les ancêtres de nos camionneurs modernes. Ils transportaient sur leurs radeaux des quantités impressionnantes de marchandises sur de très longues distances.

LES «CAGEUX» SONT DE RETOUR!

Les Québécois auront bientôt l'occasion de revivre une phase de leur histoire, à l'occasion du festival des «cageux».

Il s'agit de ces hommes qui descendaient les cours d'eau et affrontaient les rapides les plus tumultueux, à bord d'immenses radeaux appelés cages.

Construites à l'aide de troncs d'arbres équarris à la hache, ces cages d'une vingtaine de pieds carrés* comprenaient une petite tente en forme de «V» au milieu, servant d'abri, de cuisine et de chambre à coucher.

Ce moyen de locomotion rudimentaire, mais efficace à l'époque, a joué un rôle important sur le plan socio-économique au début de la colonie.

On doit l'idée de ce festival à M. Marcel Richard, directeur général de Héritage Saint-Laurent, un organisme voué à la promotion du tourisme et de la culture dans les comtés riverains du Haut-Saint-Laurent.

Le 29 juin, quatre «cageux» accosteront à Saint-Anicet, municipalité située presque à l'embouchure du lac Saint-François, afin de prendre une cargaison de potasse et de rhum, comme il y a quelque 200 ans.

Et afin de respecter la tradition, une fête populaire accueillera ces hommes qui aimaient bien manger et bien boire lorsqu'ils mettaient pied à terre.

Différentes manifestations populaires sont prévues durant trois jours, dans le cadre des Fêtes du Canada qui entend consacrer un minimum de 10 000 $ à la tenue de ce festival qui pourrait devenir un événement annuel.

Défi Canada et la MRC du Haut-Saint-Laurent ont aussi versé des montants respectifs de 3 600 $ et de 3 000 $.

Les cageux descendront le Saint-Laurent pour faire escale à Coteau-Landing avant de se rendre dans la baie Saint-François de Valleyfield, les 5-6-7 juillet, à l'occasion des régates annuelles.

Ils emprunteront la voie maritime le lundi matin 8 juillet, et une escale est prévue à Lachine avant de terminer le périple dans la marina de La Ronde.

Partout où ils mettront pied à terre, les cageux se chargeront d'animer une fête populaire.

Comme autrefois, ils jurent que leur présence ne passera pas inaperçue!

Projet: LES CAGEUX «RAFT-BOAT»

Héritage Saint-Laurent

Jean-Denis Girouard
Le Journal de Montréal
11 juin 1985

* 1,85 m².

Questions à te poser

Que penses-tu du genre de vie que menaient les «cageux»? Aurais-tu aimé vivre ainsi? Pourquoi? En quoi, selon toi, rendaient-ils un grand service à la société?

Lis cet article et réponds aux questions. Vérifie tes réponses en consultant le corrigé.

Questionnaire

1. Qui est l'émetteur? _____

2. Dans quelle intention a-t-il écrit ce texte? _____
_____

3. Qu'est-ce qu'un «cageux»? _____
_____

4. Qu'est-ce qu'une cage? _____
_____

5. Qui a eu l'idée de faire un festival semblable? _____

6. Où iront les «cageux»...
   • le 29 juin? _____
   • les 5, 6 et 7 juillet? _____

7. Quelle réputation les «cageux» avaient-ils? _____
_____

8. Quelle cargaison les quatre «cageux» transporteront-ils? _____
_____

9. De quelle somme d'argent a-t-on eu besoin pour faire ce festival? _____
_____

10. Que représente le dessin? Pourquoi accompagne-t-il l'article? _____
_____

11. Quel(s) mot(s) du titre t'aurait(aient) incité(e) à lire l'article? _____
_____

12. De quoi l'émetteur parle-t-il...
   • dans le premier paragraphe? _____
   • dans le second paragraphe? _____

13. Avec quels adjectifs qualificatifs l'émetteur précise-t-il sa pensée dans le troisième paragraphe?

_____

14. Dans la phrase du cinquième paragraphe, avec quels mots l'émetteur apporte-t-il des précisions...

   • sur le lieu? _____

   • sur le temps? _____

   • sur le but? _____

   • sur la manière? _____

15. Quel est le sens de...

   • périple? _____

   • faire escale? _____

   • voué à? _____

16. Dans le septième paragraphe, relève les déterminants et les mots qu'ils précisent. _____

_____

_____

_____

Activité 3

UN ENFANT DE DEUX ANS DEVIENT LAMA DANS UN MONASTÈRE INDIEN

Présentation

Le bouddhisme est une religion qui compte des millions de fervents à travers le monde. Les plus grands monastères bouddhistes sont au Tibet. Ils sont dirigés par des lamas que l'on considère comme de saints hommes. Les bouddhistes croient à la réincarnation de l'âme d'un défunt dans un nouveau corps...et c'est cette croyance qui est le point de départ de l'extraordinaire aventure d'un enfant de deux ans.

UN ENFANT DE 2 ANS DEVIENT LAMA DANS UN MONASTÈRE INDIEN

NEW DELHI (AP) L'aventure survenue au cinquième enfant de Paco et Maria Torres n'est pas banale: le petit garçon, âgé de deux ans, est en effet considéré comme la réincarnation d'un lama particulièrement vénéré du Tibet et est à son tour devenu lama lors d'une cérémonie d'intronisation célébrée au monastère de Dharamsala, dans les contreforts de l'Himâlaya.

Usel Iza Torres est désormais le chef du monastère de Kapan, près de Katmandou, où vécut le lama Thubten Yeshe, décédé en 1984 aux États-Unis et dont le bambin est, pour les lamaïstes, la réincarnation.

Le dalaï-lama, ce «dieu-roi» qui est le chef suprême des lamaïstes et qui vit en exil au monastère de Dharamsala, en Inde, n'a pas assisté à la cérémonie. Cette absence a conduit certains à penser que le dalaï-lama désapprouvait l'intronisation d'un enfant occidental, mais son porte-parole a démenti, à New Delhi, cette interprétation, soulignant qu'il était impossible au dalaï-lama d'assister à toutes les cérémonies de ce genre.

Plusieurs centaines de moines, de nonnes et de lamas ont assisté à la cérémonie colorée d'intronisation. Le petit garçon, assis sur un trône recouvert de soie installé à l'intérieur d'une gompa (temple), a eu beaucoup de mal à rester tranquille: comme tous les enfants de son âge, il voulait jouer.

La maman du petit garçon, Mme Maria Torres, a rêvé un jour que le lama Yeshe lui donnait sa bénédiction dans une cathédrale. Au matin, en se réveillant, elle se rendit compte qu'elle était enceinte. Neuf mois plus tard, Usel Iza venait au monde. Mais pour être sûr que le petit garçon était bien la réincarnation du lama Yeshe, il a dû subir une série d'examens rituels, qu'il a tous réussis. Il a notamment pu désigner le chapelet de prière ayant appartenu au lama Yeshe parmi un assortiment d'autres chapelets et il a de la même manière désigné une de ses ceintures.

Les cérémonies de ce genre sont très courantes au Tibet et en Inde; celle-ci retient l'attention car le nouveau lama est un Occidental, a fait remarquer un religieux. «Ce que ce petit garçon fera plus tard pour l'humanité est beaucoup plus important», a-t-il ajouté.

Le Journal de Montréal
23 mars 1987

Questions à te poser

Que penses-tu de la réincarnation? Y crois-tu? Pourquoi? Que connais-tu du Tibet et de l'Inde? Lis cet article et réponds aux questions. Vérifie tes réponses en consultant le corrigé.

Questionnaire

1. De quelle ville provient cette information? _____

2. Quel est le sujet de cet article? _____
_____

3. Quelle est l'intention de l'émetteur? _____
_____

4. Après avoir lu l'article, peux-tu répondre aux questions suivantes?
   Qui? _____
   Où? _____
   Quand? _____
   Pourquoi? _____

5. Selon toi, qu'est-ce qui est supposé, dans le texte, te pousser à lire l'article? _____
_____

6. Qu'est-ce que le dalaï-lama? _____
_____

7. Quels sont les examens auxquels cet enfant a été soumis?_____
_____

8. Qu'est-ce qui te semble insolite ou peu sérieux dans cet article?_____
_____

9. L'émetteur a cherché à être plus vivant en rapportant un témoignage. Quel est-il? _____
_____
_____

10. Identifie les mots ou groupes de mots de l'introduction utilisés pour préciser les informations...
    • sur le lieu: _____
    • sur la personne: _____

11. Relève les noms propres désignant des lieux géographiques._____
_____
_____

12. Identifie les adjectifs qualificatifs utilisés pour préciser, pour caractériser les noms suivants.

L'aventure: _____

L'enfant: _____

La cérémonie: _____

13. Relève différents mots ou groupes de mots employés par l'émetteur pour désigner Usel Iza Torres.

_____

14. Tente d'expliquer pourquoi on a utilisé des guillemets pour...

- «dieu-roi»: _____

- «Ce que ce petit garçon...»: _____

15. Prends ton dictionnaire et tente d'expliquer dans tes mots le sens des mots suivants.

Intronisation: _____

Nonnes: _____

Contreforts: _____

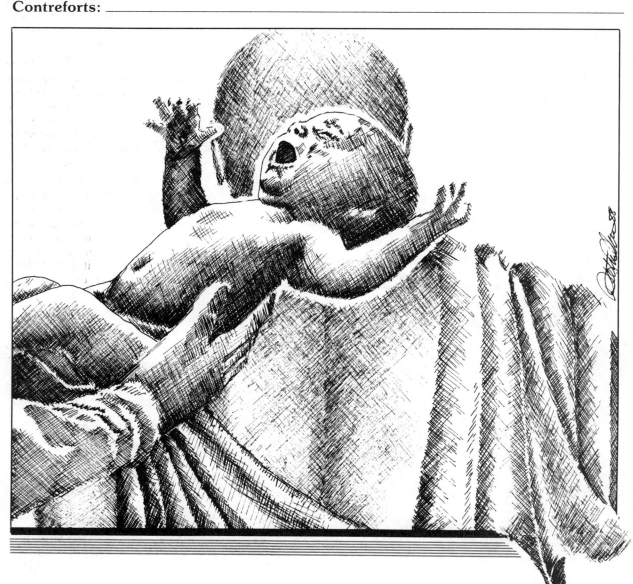

Activité 4

WHITWORTH CONDAMNÉ À 365 ANS DE PRISON

Présentation

Comme tous les gouvernements, le gouvernement américain se doit de punir très sévèrement tout citoyen qui se rend coupable du crime d'espionnage au profit d'une nation étrangère. C'est une question de sécurité et de survie.

WHITWORTH CONDAMNÉ À 365 ANS DE PRISON

SAN FRANCISCO (AFP)

M. Jerry Whitworth, ancien opérateur radio de la marine de guerre américaine reconnu coupable d'espionnage au profit de l'URSS, a été condamné hier à San Francisco à 365 ans de prison et à 410 000 $ d'amende.

M. Whitworth, 47 ans, avait été reconnu coupable le 24 juillet dernier d'avoir transmis à la famille Walker, espions travaillant pour l'URSS, des documents secrets sur les moyens de communication de l'US Navy.

Le juge John Vusakin, qui a prononcé la sentence, a affirmé que M. Whitworth a représenté «l'un des cas d'espionnage les plus spectaculaires de ce siècle», en fournissant à l'URSS «le véritable modèle de nos communications les plus convoitées et les mieux gardées».

Les experts américains en matière d'espionnage ont estimé que les dommages infligés par M. Whitworth à la marine de guerre américaine avaient été considérables et qu'il faudrait plusieurs années pour réparer ce préjudice.

Selon les procureurs américains, Jerry Whitworth était le principal membre du réseau d'espionnage démantelé avec l'arrestation de trois membres de la famille Walker, tous anciens employés de l'US Navy.

John Walker, reconnu coupable d'espionnage au profit de l'URSS en 1985, attend de connaître sa sentence, qui doit être annoncée le 3 octobre prochain.

Témoin à charge au procès de San Francisco, il a confirmé que Jerry Whitworth lui avait fourni des documents sur des équipements de décodage, des codes secrets et des systèmes de communication de la marine américaine, notamment ceux de la flotte du Pacifique. Mais M. Walker a précisé qu'il n'avait jamais dit qu'il travaillait pour l'URSS à son informateur, qui croyait espionner au profit d'Israël.

Deux autres membres de la famille Walker ont également été reconnus coupables d'espionnage. Arthur, frère de John, a été condamné trois fois à la prison à vie. La sentence à l'encontre de Michael Walker, fils de John, doit être prononcée le 3 octobre.

M. Whitworth, qui devra purger au moins 60 ans de sa peine avant de pouvoir demander à être libéré sur parole, a été également condamné pour fraude fiscale, pour ne pas avoir déclaré les 332 000 $ qu'il avait reçus de John Walker en échange des documents secrets.

La Presse
29 août 1986

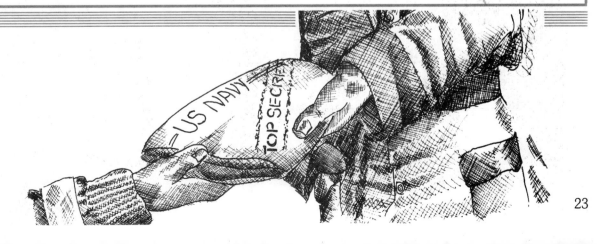

Questions à te poser

Es-tu d'accord avec la sentence imposée à Whitworth? Pourquoi? Que penses-tu du comportement de cet homme? Quels sont les devoirs d'un citoyen envers son pays?

Lis cet article et réponds aux questions. Vérifie tes réponses en consultant le corrigé.

Questionnaire

1. En quoi le titre de cet article est-il incomplet? _____
_____

2. Qu'est-ce qui t'a frappé(e) dans le titre? _____

3. Après avoir lu l'article, peux-tu répondre aux questions suivantes au sujet de Whitworth et de son affaire?

   Qui est-il? _____
   _____

   Quand cela s'est-il passé? _____

   Comment cela s'est-il passé? _____
   _____

   Que s'est-il mérité comme sentence? _____
   _____

   Pourquoi a-t-il fait cela? _____
   _____

4. Qui étaient ses complices? _____
   _____

5. Quelle autre accusation pesait sur Whitworth? _____
   _____

6. Que retrouves-tu entre guillemets dans le texte? _____
   _____

7. Trouve un autre titre à ce texte. _____

8. Que signifient les expressions suivantes?

   Témoin à charge: _____
   Purger 60 ans: _____
   Réseau d'espionnage: _____
   Préjudice: _____

9. Quel adjectif qualificatif l'émetteur emploie-t-il pour préciser les mots suivants?

Le cas d'espionnage: _____

Le modèle: _____

Les dommages: _____

Les codes: _____

10. Dans le septième paragraphe, avec quels compléments du nom l'émetteur précise-t-il les noms suivants?

Témoin: _____

Procès: _____

Équipements: _____

Systèmes: _____

11. Dans cet article, les mots en apposition apportent beaucoup de précision. Relève deux mots en apposition dans les deux premiers paragraphes. _____

_____

_____

12. Quelle sorte de déterminants l'auteur utilise-t-il pour donner plus de précision dans l'avant-dernier paragraphe? Donne un exemple. _____

_____

_____

13. Donne les noms propres de deux pays mentionnés dans l'article. _____

_____

_____

14. Pourquoi le mot «américain» est-il écrit avec une minuscule? _____

_____

15. Relève trois adverbes du dernier paragraphe et dis quels mots ils servent à préciser. _____

_____

_____

Activité 5

LE BALCON SE DÉCROCHE
6 BLESSÉS!

Présentation

Quand on dit qu'un fait divers est un événement peu important, il faut bien comprendre qu'il n'a de l'importance que pour un certain nombre de personnes et non pour tout le monde. Tu dois reconnaître qu'un fait divers est très souvent une tragédie qui frappe sans prévenir un nombre limité de gens... La preuve: ce balcon qui se décroche par un bel après-midi ensoleillé.

LE BALCON SE DÉCROCHE
6 BLESSÉS!

Six personnes ont été grièvement blessées, hier après-midi, lorsque le balcon du troisième étage d'un triplex s'est effondré, s'écrasant dix mètres plus bas.

L'accident s'est produit vers 12 h 30, au 1419, rue Bourbonnière, dans l'est de Montréal.

Profitant du beau temps, les occupants du troisième étage avaient décidé de prendre un peu de soleil sur leur balcon.

Tout à coup, le balcon a cédé.

«J'étais assis sur mon balcon, à environ cinq mètres d'eux. J'ai entendu un craquement et j'ai vu leur balcon s'effondrer sur l'escalier du deuxième étage pour ensuite tomber en fracas sur le gazon et le trottoir», a raconté un voisin.

Une jeune femme, qui se trouvait dans l'escalier du deuxième étage, a été écrasée sous le balcon.

«Nous sommes arrivés à toute vitesse pour la sortir de là. Il a fallu qu'on soulève le balcon pour la dégager. Ce n'était pas beau à voir», ont déclaré Roger Guimond et Jean Perreault.

Plusieurs équipes d'Urgence Santé ont été dépêchées sur les lieux pour prodiguer les premiers soins aux blessés.

Les agents du poste 52 de la police de la CUM ont ouvert une enquête sur cet accident.

Le Journal de Montréal
23 mars 1987

Questions à te poser

L'accident rapporté te rappelle-t-il un événement vécu? Lequel? Que penses-tu du comportement des témoins de cette affaire? As-tu déjà constaté un comportement semblable lors d'un accident?

Lis cet article et réponds aux questions. Vérifie tes réponses en consultant le corrigé.

Questionnaire

1. Quelle est l'intention de l'émetteur en racontant ce fait divers? _____
   _____

2. Quels sont les deux procédés utilisés dans le titre pour attirer l'attention? _____
   _____

3. Quel est le signe de ponctuation qu'on aurait dû employer dans le titre et qui n'y est pas? _____
   _____

4. Encercle les questions auxquelles on répond dans l'introduction de l'article.

   Où?   Qui?   Quand?   Combien?   Comment?   Pourquoi?

5. Dans quel paragraphe trouves-tu une réponse aux points suivants?

   L'heure de l'accident: _____

   Qui a porté secours: _____

6. Que faisaient ces gens sur le balcon? _____

7. Quel est le nom des témoins de l'accident? _____
   _____

8. Qui a ouvert une enquête pour éclaircir l'affaire? _____
   _____

9. Où était la jeune femme écrasée par le balcon? _____

10. Qui a prononcé les paroles suivantes?

    «J'étais assis...»: _____

    «Nous sommes arrivés à toute vitesse...»: _____

11. Relève les pronoms du quatrième paragraphe et les mots qu'ils remplacent. _____
    _____
    _____

12. Trouve un synonyme aux mots suivants.

Ont été dépêchées: _____

Pour prodiguer: _____

Occupants: _____

A cédé: _____

À toute vitesse: _____

13. Dans le quatrième paragraphe, trouve les précisions données sur...

• le lieu: _____

• la manière: _____

14. Identifie les trois premiers adverbes de l'article et les mots qu'ils précisent. _____

_____

_____

15. Pourquoi retrouve-t-on une virgule après «Profitant du beau temps,...»? _____

_____

16. Quel(s) temps du verbe utilise-t-on...

• dans la narration de l'accident? _____

• dans les témoignages? _____

28

Activité 6

POLICIERS DÉSARMÉS PUIS «COFFRÉS»

Présentation

Le rôle des policiers est souvent ingrat et périlleux. Non seulement doivent-ils poursuivre des gens dangereux, mais encore, il leur faut parfois faire face à de bien curieuses situations qui risquent de les ridiculiser. Deux policiers de la CUM l'ont récemment appris...

POLICIERS DÉSARMÉS PUIS «COFFRÉS»

Deux jeunes policiers montréalais ont décidé de camoufler leur confusion sous l'anonymat après avoir très mal paru au cours d'un incident vaudevillesque, en début d'après-midi, hier.

Les agents, appartenant à la force constabulaire montréalaise depuis quelque 18 mois, patrouillaient à bord de l'auto-patrouille 22-14 dans le parc Angrignon lorsqu'ils aperçurent trois jeunes hommes qui semblaient vouloir se défiler derrière un immense rocher.

Intrigués, ils se sont approchés pour s'apercevoir que deux d'entre eux semblaient désireux de vendre au troisième un magnétoscope qu'ils tentaient de cacher dans un sac en plastique.

Il appert que les policiers auraient dû être plus méfiants puisque, arrivés à proximité des suspects, l'un d'eux prit ses jambes à son cou tandis que les deux autres dégainèrent des revolvers qu'ils virent «gros comme ça» puisqu'ils les décrivent comme étant des Magnum .357.

Les deux malandrins désarmèrent les agents à qui ils intimèrent l'ordre de prendre place sur la banquette arrière de leur auto-patrouille. Tandis que l'un des ravisseurs prenait le volant, le second les tenait en joue. Ils firent ainsi route jusqu'à l'intersection des rues Jean-Brillon et Shevchenko, à Ville LaSalle, où ils ouvrirent gentiment une portière aux deux agents avant de les «coffrer» dans le… coffre arrière de l'auto-patrouille.

Un automobiliste qui assista à l'incident par mégarde, Yvan LaSalle (de la ville du même nom), fut à son tour abordé par les deux rigolos. Ils montèrent cette fois à bord de l'Oldsmobile Calais 86 de M. LaSalle et roulèrent jusqu'à l'intersection Saint-Antoine et Atwater, où ils abandonnèrent leur troisième victime.

Pendant ce temps, des passants étaient alertés par les coups qu'ils perçurent en provenance du coffre arrière d'une auto-patrouille laissée à l'abandon... Des policiers délivrèrent leurs collègues piteux qui étaient demeurés quelque 30 minutes enfermés dans leur réduit chauffé à blanc par un soleil de plomb.

La Presse
21 août 1986

Questions à te poser

Que penses-tu du comportement de ces deux jeunes policiers lors de leur aventure? Pouvaient-ils agir autrement? Comment? Que ressens-tu envers eux? Que penses-tu en général du métier de policier?

Lis cet article et réponds aux questions. Vérifie tes réponses en consultant le corrigé.

Questionnaire

1. Dans son article, le journaliste a voulu nous informer. Mais quelle autre intention avait-il? _____
   _____
   _____

2. Pourquoi l'auteur met-il le mot «coffrés» entre guillemets? _____
   _____
   _____

3. À qui l'aventure est-elle arrivée? _____
   _____

4. Où est-ce arrivé? _____

5. Pourquoi est-ce arrivé? _____

6. Qu'y a-t-il de drôle dans cette aventure? _____
   _____
   _____

7. Quel est le sens des mots suivants?
   Vaudevillesque: _____
   Camoufler leur confusion: _____
   Force constabulaire: _____
   À proximité: _____
   Prit ses jambes à son cou: _____

8. Après cette aventure, quelle a été la réaction des deux policiers? _____
   _____

9. Retrouve trois synonymes utilisés dans le texte pour désigner les trois jeunes hommes. _____
   _____

10. Que veut-on dire dans la phrase: «30 minutes enfermés dans leur réduit chauffé à blanc par un soleil de plomb.»? _____
    _____

11. Quels sont les deux mots précisés par les deux subordonnées relatives dans l'avant-dernier paragraphe?_____
    _____

12. Avec quels adjectifs qualificatifs l'émetteur précise-t-il sa pensée dans le deuxième paragraphe?

_____

_____

13. Par quels mots l'émetteur complète-t-il ces noms du cinquième paragraphe?

Ordre: _____

Banquette: _____

Intersection: _____

14. Quels mots de l'avant-dernier paragraphe apportent des précisions sur la manière? _____

_____

15. Dans le deuxième paragraphe, pourquoi le mot «montréalaise» prend-il une minuscule alors qu'«Angrignon» prend une majuscule? _____

_____

_____

Activité 7

AUDACIEUX VOL RATÉ DANS UN TRAIN POSTAL

Présentation

Aucune difficulté ne peut faire reculer certains malfaiteurs qui n'hésitent pas à s'attaquer à un train postal. Cependant, comme il arrive souvent avec les meilleurs plans, il suffit d'un simple imprévu pour transformer un triomphe en une fuite honteuse.

AUDACIEUX VOL RATÉ DANS UN TRAIN POSTAL

MARSEILLE, France (AFP)

Une attaque d'une rare audace lancée dans la nuit de mercredi à jeudi contre un train postal dans le sud-est de la France — qui a fait trois blessés — s'est achevée par la fuite des bandits qui ont dû abandonner leur butin.

Stoppé à proximité de la ville d'Arles par un signal saboté, le train a été attaqué par une dizaine d'hommes, armés de mitraillettes et de pistolets de gros calibre et portant des cagoules, qui ont notamment blessé légèrement deux convoyeurs pour tenter de s'emparer des sacs de valeurs que transportaient les huit wagons postaux du train.

PROJET DÉJOUÉ

Bien organisés, communiquant entre eux par radio, les bandits avaient prévu de s'enfuir avec leur butin, une vingtaine de sacs, dans trois véhicules garés sur un che-min parallèle à la voie ferrée, mais l'arrivée de la police, prévenue par un témoin, a déjoué ce projet.

Tandis que certains se sont enfuis à pied, d'autres n'ont pas hésité à ouvrir le feu sur le véhicule des forces de l'ordre, qui a été atteint de 11 impacts, sans cependant toucher un seul des gendarmes qui s'y trouvaient.

Gagnant la route proche, les agresseurs en fuite ont alors arrêté plusieurs voitures, ouvrant même le feu sur un véhicule qui refusait de s'arrêter, dont le conducteur, blessé à la mâchoire, a dû subir une opération. Ils ont pu s'enfuir à bord de quatre voitures ainsi volées — parmi lesquelles celle de touristes italiens — après en avoir fait descendre les passagers.

Malgré un important dispositif mis en place dans la région, les bandits n'avaient pas été retrouvés hier en fin de matinée.

Cette affaire, qui n'est pas sans rappeler la célèbre attaque du train postal Glasgow-Londres, est la cinquième opération de ce genre menée dans cette région depuis le début de l'année 1985.

Au cours de la plus spectaculaire, le 29 mai 1985, six ou sept malfaiteurs armés et portant des cagoules avaient attaqué le train circulant entre Nantes (ouest de la France) et Vintimille (frontière franco-italienne). Après être montés dans la locomotive, deux d'entre eux avaient ordonné au conducteur d'immobiliser le train en rase campagne, à un endroit où des complices les attendaient. Là, les bandits — qui n'ont jamais été retrouvés — avaient dérobé de nombreux sacs postaux dans le fourgon postal situé en queue du train.

La Presse
22 août 1986

Questions à te poser

Selon toi, à quoi un train postal sert-il? Pourquoi s'y attaquer? Que penses-tu de ces gens qui n'hésitent pas à blesser des innocents pour échapper à la justice? Selon toi, quel traitement faudrait-il réserver aux voleurs? Pourquoi?

Lis cet article et réponds aux questions. Vérifie tes réponses en consultant le corrigé.

Questionnaire

1. De quelle ville cette nouvelle provient-elle? _____

2. Dans le premier paragraphe, quelles informations te donne-t-on sur...
   - le lieu? _____
   - le résultat? _____
   - le sujet? _____
   - le moment où cela s'est passé? _____

3. Qui a attaqué le train? _____

4. Que voulaient-ils? _____

5. Qu'est-ce qui a fait échouer le projet? _____
   _____

6. Comment ont-ils pu fuir? _____

7. Combien d'opérations du même genre a-t-on tentées depuis quelques années dans cette région?
   _____

8. De quoi l'émetteur parle-t-il dans...
   - le troisième paragraphe? _____
   - le quatrième paragraphe? _____
   - le sixième paragraphe? _____

9. Quel est le sens des expressions suivantes?
   Ouvrir le feu: _____
   En rase campagne: _____
   En queue de train: _____
   Gagnant la route: _____

10. Comment l'émetteur qualifie-t-il...
    - l'affaire du train Glasgow-Londres? _____
    - les touristes volés? _____
    - l'attaque du train? _____

11. Donne un synonyme aux mots suivants.

  - Impacts: _____

  - Forces de l'ordre: _____

  - Garés: _____

12. Dans les deux premiers paragraphes, quels mots les subordonnées relatives précisent-elles?

_____

_____

13. Ce sont les adjectifs qualificatifs qui rendent le titre frappant. Identifie-les. _____

_____

14. Pourquoi l'émetteur emploie-t-il à plusieurs reprises des tirets et des parenthèses dans son article?

_____

15. Encercle les numéros des paragraphes que le journaliste a commencé par une inversion.

1   2   3   4   5   6   7   8

Activité 8

JAMES BOND CAMBRIOLÉ

Présentation

Tu as certainement déjà lu l'un des romans de Ian Fleming, le créateur du héros James Bond. Peut-être connais-tu mieux les films tirés de ces romans? À l'écran, le célèbre agent secret a été incarné tantôt par Sean Connery, tantôt par Roger Moore. Or, ce dernier a vécu dernièrement une aventure assez déplaisante...

JAMES BOND CAMBRIOLÉ

CAGNES-SUR-MER, France (AFP) James Bond 007 s'est fait dévaliser par de simples monte-en-l'air: la villa de l'acteur britannique Roger Moore, située à La Colle-sur-Loup, près de Saint-Paul-de-Vence (sud-est de la France), a été cambriolée en son absence et 200 000 FF (40 000 $) de bijoux ont disparu.

James Bond avait cette fois négligé l'utilisation de ses célèbres gadgets, se reposant bien imprudemment sur un système d'alarme classique qui paraît avoir présenté des défaillances.

Le ou les cambrioleurs se sont introduits à l'intérieur de la villa en fracturant une fenêtre, mais l'alarme ne se serait pas déclenchée à ce moment précis, leur laissant quelques minutes pour faire main basse sur quelques colliers, bagues et bracelets, puis disparaître sans laisser de traces.

La Presse
22 août 1986

Questions à te poser

Connais-tu personnellement des gens qui ont été cambriolés? Qu'as-tu retenu de leur aventure? Selon toi, quelles précautions convient-il de prendre pour éviter les vols? Quel sentiment ressens-tu face aux voleurs? Pourquoi?

Lis attentivement cet article et réponds aux questions. Vérifie tes réponses en consultant le corrigé.

Questionnaire

1. Selon toi, quelle est l'intention du journaliste en écrivant cet article? _____
   _____
   _____

2. Raconte dans tes propres mots ce que contient l'article. Cherche à être très précis(e). _____
   _____
   _____
   _____
   _____

3. Quelles précisions l'émetteur apporte-t-il sur...
   - le temps? _____
   - le lieu? _____
   - la personne? _____
   - le comment? _____
   - le combien? _____
   - ce qui a été volé? _____

4. Quelle est l'idée principale...
   - du second paragraphe? _____
   - du troisième paragraphe? _____

5. En quoi le titre est-il original, insolite ou comique? _____
   _____

6. Quels sont les deux synonymes utilisés dans le texte pour désigner les voleurs? _____
   _____

7. Relève les adjectifs qualificatifs et les adverbes du deuxième paragraphe. Indique quels mots ils
   précisent. _____ _____
   _____
   _____

8. Par quel(s) mot(s) l'émetteur dit-il...

   • l'origine de l'acteur? _____

   • qu'il y avait un ou plusieurs voleurs? _____

9. Quel mot la subordonnée relative du deuxième paragraphe complète-t-elle? _____

10. Donne deux autres titres à cet article qui, tout en étant exacts, exploiteraient l'aspect comique de l'information donnée. _____

   _____

Activité 9

NEUF FOIS CONDAMNÉ POUR IVRESSE AU VOLANT, ROBERT PERRY EST FRAPPÉ PAR UN CONDUCTEUR... IVRE

Présentation

Conduire en état d'ivresse est dangereux, pour soi et pour les autres, mais il arrive parfois que la vie réserve au coupable une leçon qu'il n'oubliera pas facilement. C'est du moins ce qui est arrivé à Robert Perry.

NEUF FOIS CONDAMNÉ POUR IVRESSE AU VOLANT, ROBERT PERRY EST FRAPPÉ PAR UN CONDUCTEUR... IVRE

VICTORIA (La Presse Canadienne)

Deux semaines après sa neuvième accusation pour conduite en état d'ébriété, Robert Perry était frappé par une automobile, dont le conducteur était... ivre.

Cette ironie du sort l'a convaincu de cesser de boire, a-t-il affirmé hier en Cour provinciale. Le juge l'a félicité pour sa sobriété, mais, jugeant qu'une peine de prison était indiquée, l'a quand même condamné à six mois d'incarcération pour conduite sous l'effet de l'alcool, possession d'une plaque d'immatriculation volée et conduite d'un véhicule sans assurances.

De plus, l'accusé, qui est âgé de 44 ans, ne pourra pas reprendre le volant avant deux ans. Robert Perry a eu une jambe brisée dans l'accident.

La Presse
27 février 1987

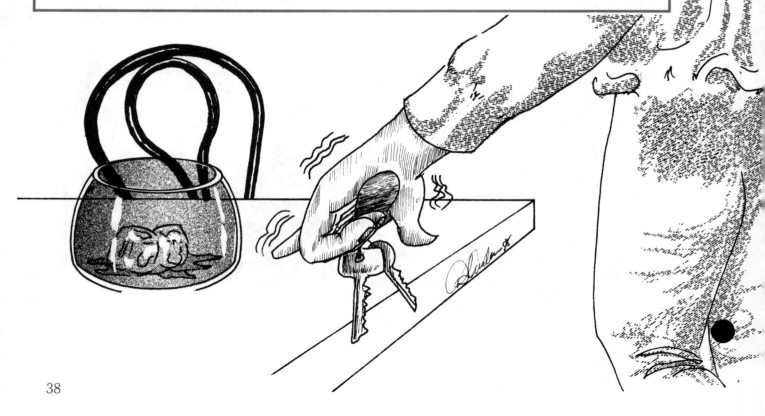

Questions à te poser

Que penses-tu de ceux qui conduisent en état d'ébriété? Pourquoi? Crois-tu en l'utilité de la campagne «L'alcool au volant, c'est criminel!»? Pourquoi?

Lis cet article avec soin et réponds aux questions. Vérifie tes réponses en consultant le corrigé.

Questionnaire

1. En quoi le titre est-il insolite? _____
_____

2. D'où la nouvelle vient-elle? _____

3. Quand l'accident a-t-il eu lieu? _____

4. Où cela s'est-il passé? _____

5. Quelles ont été les deux conséquences de cet accident pour Robert Perry? _____
_____

6. Quelles étaient les trois accusations qui pesaient sur Perry? _____
_____

7. À quelle peine a-t-il été condamné? _____
_____

8. Pourquoi a-t-on mis des points de suspension dans le titre? _____
_____

9. Quels sont les deux adjectifs numéraux du premier paragraphe qui apportent d'importantes précisions? _____
_____

10. Quels mots les noms suivants précisent-ils dans le deuxième paragraphe?
    Sort: _____
    Prison: _____
    Incarcération: _____
    Alcool: _____

11. Réécris en style direct la première phrase du deuxième paragraphe. _____
_____

12. Que signifient les expressions suivantes?
    Reprendre le volant: _____
    Six mois d'incarcération: _____
    État d'ébriété: _____

13. Dans la première phrase du deuxième paragraphe, quelles précisions l'auteur donne-t-il sur...
    - le temps? _____
    - le lieu? _____

14. Quel est le temps des verbes le plus utilisé dans le texte? Pourquoi? _____
    _____

15. Pourquoi l'émetteur a-t-il employé une subordonnée relative dans le troisième paragraphe?
    _____

Activité 10

LES RÉFUGIÉS PALESTINIENS DE BOURJ BARAJNEH SONT RÉDUITS À MANGER DES CHIENS, DES CHATS ET DES RATS

Présentation

Depuis plusieurs années, le Liban défraie les manchettes presque quotidiennement. On ne parle que de luttes armées, d'actions terroristes, de prises d'otages et de combats meurtriers. On a l'impression que l'horreur et la souffrance n'ont pas de limite. Les camps de réfugiés palestiniens situés près de Beyrouth en sont un bel exemple.

LES RÉFUGIÉS PALESTINIENS DE BOURJ BARAJNEH SONT RÉDUITS À MANGER DES CHIENS, DES CHATS ET DES RATS

BEYROUTH (Reuter) Les réfugiés palestiniens du camp beyrouthin de Bourj Barajneh, assiégé par les chi'ites d'Amal depuis 15 semaines, en sont réduits à se nourrir de chiens, de chats et même de rats, mais un religieux libanais en vue a dit ne pas croire qu'ils en étaient au point de manger de la chair humaine.

«J'ai moi-même mangé du chien (...) et j'ai vu beaucoup, beaucoup de gens manger des chats et des chiens», a témoigné le médecin britannique Pauline Cutting, 35 ans, qui fait partie d'une équipe médicale étrangère de quatre membres travaillant dans l'hôpital Haïfa du camp.

«Un infirmier néerlandais a vu cinq enfants faire cuire un rat et se jeter dessus», a-t-elle rapporté par radio.

«Un de mes collègues s'est récemment évanoui dans la salle d'opération parce qu'il n'avait pas mangé depuis un moment.»

Les miliciens d'Amal assiègent Bourj Barajneh et le camp voisin de Chatila depuis le 29 octobre. Dans le sud, un blocus similaire isole le camp de Rachidieh depuis le 30 septembre, mais des vivres ont pu y être acheminés par mer.

«Chaque jour, des dizaines d'enfants et de gens âgés viennent à l'hôpital chercher à manger. L'autre jour, j'ai pleuré quand ils sont venus, mais ils m'ont consolée en disant que c'était leur vie et qu'ils y étaient habitués.»

Bourj Barajneh, aujourd'hui largement détruit, abrite environ 30 000 réfugiés. Quelque 3 000 autres habitent Chatila, également dévasté par les bombardements d'Amal.

«La situation est devenue très difficile depuis 15 semaines puisqu'il n'y a plus aucune rentrée de nourriture. Depuis deux semaines, les gens mangent le peu qu'ils trouvent.»

Hier cependant, la milice Amal a annoncé qu'elle autorisera l'acheminement de vivres et de médicaments dans le camp aujourd'hui. «Les mesures seront prises en considération de la situa-

tion humanitaire des habitants du camp», a dit la milice.

La «guerre des camps», relancée en septembre pour le contrôle de cinq camps du Liban, a brutalement refait surface dans l'actualité la semaine dernière quand les affamés de Bourj Barajneh ont demandé à leurs autorités religieuses l'autorisation de manger de la chair humaine.

«Les gens n'en sont pas encore arrivés là, mais ils sont de plus en plus désespérés», a dit Cutting. «Beaucoup sont sous-alimentés. Beaucoup de maladies liées à la malnutrition se déclarent. Deux bébés sont morts lundi parce qu'ils étaient des prématurés nés de mères sous-alimentées.»

Mais cheik Mohamed Hussein Fadlallah, guide spirituel chi'ite du hezbollah (parti de Dieu) pro-iranien, a dit ne pas croire que la situation était aussi grave.

«Nous sommes sûrs que la situation humanitaire dans le camp est très difficile», a-t-il déclaré. «Mais je ne crois pas que les gens aient atteint le stade de manger de la chair humaine, ce qui est proscrit par l'islam, au moins jusqu'à ce que tous les autres moyens soient épuisés.»

Le chef de l'Office de secours et de travaux des Nations unies pour les réfugiés de Palestine au Proche-Orient (UNWRA), Giorgio Giacomelli, avait d'ailleurs lancé un appel hier aux milices musulmanes pour qu'elles autorisent les organismes humanitaires à approvisionner les camps.

Dans un communiqué publié à Vienne, Giacomelli s'est dit préoccupé «par la santé et la sécurité de milliers de femmes, d'enfants et de non-combattants» dans les camps assiégés.

Cutting a expliqué que le «facteur malnutrition» était venu se greffer aux souffrances des

bombardements. «Beaucoup de gens souffrent de vomissements, de diarrhées, de maladies de la peau, d'infections et d'autres complications liées à ce qu'ils mangent.»

Elle a ajouté que l'hôpital du camp était confronté à une pénurie croissante de médicaments.

«Nous n'avons plus d'analgésiques et le carburant utilisé pour le générateur de la salle d'opération sera épuisé d'ici deux à trois jours», a-t-elle dit.

«Sans nourriture et avec peu de chauffage, les gens n'ont plus, ou peu, de défenses contre la maladie.»

Dans le petit camp de Mar Élias, également dans Beyrouth-ouest mais qui n'est pas assiégé, un garçonnet palestinien évacué de

Bourj Barajneh a raconté ses souffrances.

«Nous mangions des chats et des mules. On les faisait bouillir avant de les manger», a dit Mohamed Kassab, 9 ans.

Le Front populaire pour la libération de la Palestine a annoncé qu'un autre garçon de 9 ans, Mahmoud Bassani, a été abattu hier par un franc-tireur alors qu'il cueillait de la végétation à la limite de Bourj Barajneh.

«Nous avons l'impression que le monde extérieur ne se rend pas vraiment compte de la dureté de la situation», a jugé Cutting, venue au Liban pour la première fois il y a 14 mois.

La Presse
11 février 1987

Questions à te poser

Que sais-tu du Liban et des combats entre factions rivales de ce pays? Que connais-tu des réfugiés palestiniens? Que penses-tu du sort des innocents pris dans cet enfer? Existe-t-il des moyens à ta disposition pour leur venir en aide?

Lis cet article et réponds aux questions. Vérifie tes réponses en consultant le corrigé.

Questionnaire

1. D'où cette nouvelle provient-elle? _____

2. Qu'est-ce qui a attiré ton attention dans le titre? _____
_____

3. Selon toi, quelle est l'intention de l'émetteur en écrivant cet article? _____
_____
_____

4. Dans le premier paragraphe, te donne-t-on des informations sur les points suivants?
   Qui: _____
   Quand: _____
   Où: _____
   Pourquoi ils sont réduits à cela: _____
   Comment ils survivent: _____

5. Pour ajouter de la vie à son article, l'émetteur a apporté des témoignages. Identifie la personne qui a prononcé les paroles suivantes.
   «Nous mangions des chats et des mules.»: _____
   «Nous avons l'impression que le monde...»: _____
   «Par la santé et la sécurité de milliers de femmes...»: _____
   «Nous sommes sûrs que la situation humanitaire...»: _____
   «Chaque jour, des dizaines d'enfants...»: _____

6. Identifie les camps de réfugiés nommés dans le texte. _____
_____

7. Depuis quand la «guerre des camps» a-t-elle repris? _____

8. Quelles sont les souffrances des réfugiés à Bourj Barajneh? _____
_____

9. Quelles informations l'émetteur donne-t-il sur Cutting? _____
_____

10. Combien de personnes vivent à Bourj Barajneh? _____

11. Combien d'exemples Mme Cutting donne-t-elle et pourquoi, selon toi? _____
_____

12. Pourquoi l'émetteur utilise-t-il tant de guillemets dans son article? _____
_____

13. Par quels mots en apposition précise-t-on les mots suivants?

    Mohamed Kassab: _____

    Hussein Fadlallah: _____

    Pauline Cutting: _____

14. Dans le premier paragraphe, relève trois adjectifs qualificatifs précisant un lieu et trouve les noms à partir desquels ils ont été formés. _____
_____
_____

15. Identifie trois adverbes du septième paragraphe et les mots qu'ils précisent. _____
_____

16. Quels mots ces pronoms des deuxième et troisième paragraphes remplacent-ils?

    J': _____

    Qui: _____

    Se: _____

17. Par quels noms l'émetteur précise-t-il ces mots du neuvième paragraphe?

    Acheminement: _____

    Situation: _____

    Habitants: _____

18. La subordonnée relative précise un nom et la subordonnée complétive précise le verbe principal. Donne les premiers mots de chacune des subordonnées de l'avant-dernier paragraphe et dis quel mot elle complète. _____
_____
_____

19. Donne le sens des mots suivants en utilisant, si c'est nécessaire, le dictionnaire.

    Milice: _____

    Cheik (h): _____

    Assiégé: _____

    Être réduit: _____

20. Relève cinq verbes différents employés par l'émetteur et qui signifient **DIRE**. _____
_____

Renseigne-nous

Présentation

Tu sais maintenant comment te renseigner par la lecture de faits divers et comment classer les différents types d'informations qu'ils t'offrent. Tu es en mesure d'apprécier le degré de précision et d'exactitude de ce genre de texte de même que les procédés utilisés par l'émetteur pour y parvenir. Mais es-tu capable de renseigner oralement tes camarades avec cette exactitude et cette précision en employant quelques-uns de ces procédés? Nous croyons que tu y parviendras avec une bonne préparation et quelques activités.

Liste des activités

Activité 1:   L'accident
Activité 2:   Les nouvelles
Activité 3:   Ce mois-ci, à mon école

Ton objectif

Faire un compte rendu oral sur un événement.

TON INTENTION: informer quelqu'un sur un sujet.

Connaissances

En préparant tes comptes rendus oraux, tu te rappelleras les points suivants:

1. La clarté est nécessaire; elle vient de la construction de tes phrases et des liens logiques qui les unissent.

2. La précision des faits rapportés est facile à atteindre si tu prends la peine de répondre aux questions OÙ?, QUAND?, QUI?, COMMENT? et POURQUOI?.

3. L'exactitude des faits racontés est essentielle. Tu n'as pas à donner ton opinion. Il faut que tu vérifies d'abord si tout ce que tu raconteras est exact et conforme à la réalité.

4. Un style **vivant** qui fait varier la forme des phrases et qui rapporte des témoignages est une bonne recette pour être intéressant(e), donc écouté(e).

Tout en étant précis(e), exact(e), clair(e) et vivant(e), tu devras faire des efforts pour améliorer...

1. ta prononciation en articulant clairement les mots et en évitant le bafouillage.

2. la force de ta voix: ni trop basse, ni trop élevée.

3. tes intonations pour mettre de la vie.

4. la rapidité de ton débit. Ne parle pas trop rapidement.

Activité 1

L'ACCIDENT

Présentation

Dans cette première activité, nous t'offrons de faire un compte rendu oral sur l'un des quatre sujets illustrés par les photos. Il s'agira pour toi de choisir la photo qui t'inspire le plus et d'imaginer tous les détails de l'accident dont il est question. Nous te laissons comme indice le titre qui coiffait cette photo dans le journal.

Directives

1. Choisis la photo et prends quelques minutes pour imaginer ce qui a bien pu se passer.
2. Note sur une feuille tous les détails imaginés en prenant soin de ne pas contredire le titre. N'oublie pas d'être précis(e), exact(e), vivant(e) et clair(e).
3. Quand ton compte rendu sera prêt, rédige quelques mots qui te serviront d'aide-mémoire durant ton exposé.
4. Rejoins tes camarades qui ont choisi la même photo, fais-leur ton exposé et tiens compte des critiques constructives qu'ils te feront. Ils te remettront une **Fiche des corrections à faire**.
5. Fais les corrections qui s'imposent.
6. Quand tu seras prêt(e), fais ton exposé devant tout le groupe en te souvenant que tu es capable de contrôler ton trac, la force de ta voix, ton débit, ta prononciation et tes intonations. Tente surtout d'être intéressant(e) et clair(e).
7. Quand ton exposé sera terminé, remplis avec honnêteté ta **Fiche de performance**.

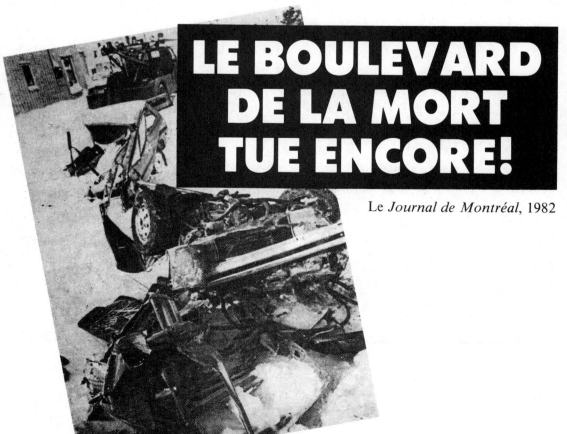

LE BOULEVARD DE LA MORT TUE ENCORE!

Le *Journal de Montréal*, 1982

Un tigre du Bengale lui arrache un bras

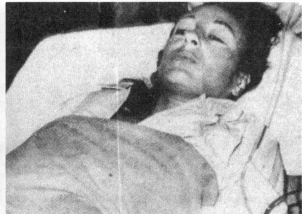

DEUX POMPIERS FONT UNE CHUTE

Le Journal de Montréal, 1982

Pendant que la mère danse, ses 11 enfants périssent dans un incendie!

FICHE DES CORRECTIONS À FAIRE

Contenu

a) Précisions à apporter sur: _____

b) Manque d'exactitude sur: _____

c) Clarifier: _____

Voix

a) Le trac est mal contrôlé: _____

b) La voix est trop basse: _____ trop forte: _____

c) Les intonations: _____

d) La prononciation est molle: _____ bafouillage: _____ hésitations: _____

e) Le débit est trop rapide: _____ trop lent: _____

f) L'exposé manque de vie: _____

FICHE DE PERFORMANCE

1. Es-tu satisfait(e) de ta performance? _____ Pourquoi? _____
   _____

Contenu

2. Encercle la note que tu te donnerais sur 10 points: 1 2 3 4 5 6 7 8 9 10
   Quel point du contenu aurais-tu pu améliorer? _____ Comment?
   _____

Voix

3. Quel a été le point le plus faible de ton exposé? Souligne-le.

   voix trop rapide   prononciation molle   voix trop forte

   voix trop lente   intonations   trous de mémoire

   bafouillage   trac mal contrôlé   incapable d'intéresser
                                                          l'auditoire
   hésitations   voix trop faible

   Que feras-tu lors du prochain exposé pour améliorer ta performance?
   _____

Activité 2

LES NOUVELLES

Présentation

Il t'arrive parfois d'écouter les informations à la radio ou de les regarder à la télévision. Dans cette seconde activité, nous te suggérons de devenir rédacteur(trice) et lecteur(trice) d'un bulletin de nouvelles. Pour ce faire, il te faudra apprendre à être précis(e), clair(e) et détaché(e) de ton texte.

Directives

1. Écoute d'abord un ou des bulletins d'informations à la radio ou à la télévision en prenant des notes. Si tu fais ce travail en classe, ton professeur te donnera la chance de les écouter au début du cours.

2. Prends des notes durant ton écoute sur deux nouvelles internationales, trois nouvelles nationales et trois nouvelles régionales.

3. Rédige un court texte précis et exact pour chacune des nouvelles.

4. Tente de mémoriser le texte de manière à pouvoir t'en détacher durant ton compte rendu.

5. Rejoins trois ou quatre de tes camarades et fais-leur ton compte rendu. Ils te remettront une fiche de correction.

6. Fais les corrections qui te semblent nécessaires.

7. Lorsque tu passeras devant ton groupe, essaie de corriger les points faibles que tu avais relevés lors de ton dernier exposé et fais de ton mieux.

8. Remplis honnêtement ta fiche de performance après ton compte rendu.

FICHE DES CORRECTIONS À FAIRE

Contenu

a) Certaines nouvelles sont imprécises: _____

b) Certaines nouvelles sont obscures: _____

c) Certaines nouvelles sont inexactes: _____

d) Certaines nouvelles sont incomplètes: _____

e) Le (la) lecteur (trice) ne se détache pas assez du texte: _____

Voix

a) Le trac est mal contrôlé: _____

b) La voix est trop basse: _____ trop forte: _____

c) Les intonations: _____

d) La prononciation est molle: _____ bafouillage: _____ hésitations: _____

e) Le débit est trop rapide: _____ trop lent: _____

f) L'exposé manque de vie: _____

FICHE DE PERFORMANCE

1. Es-tu satisfait(e) de ta performance? _____ Pourquoi? _____
   _____

Contenu

2. Encercle la note que tu te donnerais sur dix points: 1   2   3   4   5   6   7   8   9   10
   Quel point du contenu aurais-tu pu améliorer? _____ Comment?
   _____

Voix

3. Quel a été le point le plus faible de ton exposé? Souligne-le.

voix trop rapide	prononciation molle	voix trop forte
voix trop lente	intonations	trous de mémoire
bafouillage	trac mal contrôlé	incapable d'intéresser l'auditoire
hésitations	voix trop faible	

   Que feras-tu lors du prochain exposé pour améliorer ta performance?
   _____

FAIRE UN COMPTE RENDU ORAL

Activité 3

CE MOIS-CI, À MON ÉCOLE...

Présentation

Que tu fréquentes une petite ou une grande école, cela a peu d'importance. En effet, quel que soit le nombre d'élèves, il y a beaucoup de vie. Les activités sportives et culturelles se succèdent rapidement. Les incidents et les faits imprévus sont nombreux... Bref, tu as participé ou assisté à une foule d'événements et tu es capable d'en parler à tes camarades de groupe.

Directives

1. Prends quelques minutes pour te souvenir de tout ce qui s'est passé à l'école durant le dernier mois. Classe les événements par ordre d'importance.

   - Accidents
   - Soirées de danse
   - Parution du journal
   - Incidents comiques
   - Nouveautés

   - Sorties
   - Rencontres sportives
   - Journées spéciales
   - Congés, fêtes, etc.
   - Autres événements

2. Rejoins quatre ou cinq de tes camarades. Faites le relevé de tous les événements dont vous vous souvenez et partagez-les également entre vous. Ensemble, tentez d'apporter le plus de précision possible aux événements choisis.

3. Seul(e), rédige un aide-mémoire que tu pourras consulter durant ton exposé.

4. Revois tes camarades du début et fais-leur ton exposé en te servant le moins possible de ton aide-mémoire. Tiens compte des remarques qu'ils feront sur ta fiche de correction.

5. Fais les corrections qui s'imposent.

6. Quand tu feras ton exposé devant la classe, essaie d'améliorer les points faibles de tes deux premiers comptes rendus.

7. Remplis avec honnêteté ta fiche de performance.

FICHE DES CORRECTIONS À FAIRE

Contenu

a) Les événements rapportés sont trop vagues: _____

b) Les événements rapportés sont inexacts: _____

c) Les événements rapportés manquent d'intérêt: _____

Voix

a) Le trac est mal contrôlé: _____

b) Le (la) lecteur (trice) a trop souvent recours à son aide-mémoire: _____

c) La voix est trop basse: _____ trop forte: _____

d) Les intonations:_____

e) La prononciation est molle: _____ bafouillage:_____ hésitations: _____

f) Le débit est trop rapide: _____ trop lent:_____

g) L'exposé manque de vie: _____

FICHE DE PERFORMANCE

1. Es-tu satisfait(e) de ta performance? _____ Pourquoi? _____
   _____

Contenu

2. Encercle la note que tu te donnerais sur dix points: 1   2   3   4   5   6   7   8   9   10
   Quel point du contenu aurais-tu pu améliorer? _____ Comment?
   _____

Voix

3. Quel a été le point le plus faible de ton exposé? Souligne-le.

   voix trop rapide   prononciation molle   voix trop forte

   voix trop lente   intonations   trous de mémoire

   bafouillage   trac mal contrôlé   incapable d'intéresser
                                                          l'auditoire
   hésitations   voix trop faible

   Si tu considères tous les exposés que tu viens de faire, quel point as-tu le plus amélioré?
   _____

Deuxième chapitre

À TOI DE JOUER

À toi de jouer

Présentation

Il existe de très nombreux jeux de société. Leurs règles sont plus ou moins compliquées. Le plaisir que nous tirons de ces jeux dépend d'abord et avant tout de notre bonne compréhension des directives données par les concepteurs. Tu ne le savais peut-être pas, mais bien interpréter les règles d'un jeu est une habileté qui peut s'acquérir assez facilement.

Dans ce chapitre, nous t'offrons la possibilité d'améliorer cette habileté en étudiant les directives de huit jeux différents. L'analyse de ces règles te permettra non seulement de connaître une gamme de jeux plus étendue et d'en profiter durant tes loisirs, mais encore de prendre conscience qu'une bonne utilisation des ressources de ta langue est le gage d'une communication claire et précise.

Liste des activités

Activité 1:   Le jacquet

Activité 2:   Le perquackey

Activité 3:   Le yum

Activité 4:   Le scrabble

Activité 5:   Le «quiz» des jeunes

Activité 6:   La canasta

Activité 7:   Le «Master Mind» des mots

Activité 8:   Le jeu de cartes-lettres Probe

Ton objectif

Lire des règles de jeux en tenant compte de la situation de communication et du fonctionnement de la langue.

TON INTENTION: t'informer pour apprendre un jeu.

Connaissances

Un jeu est un divertissement soumis à des règles. Ces règles ont pour but de fournir des informations sur la façon de jouer.

Habituellement, les règles énoncent:

1. des défenses: des gestes à ne pas faire;
2. des obligations: des gestes à faire.

Il faut bien distinguer les règles des stratégies qui sont des méthodes suggérées pour jouer d'une manière ou d'une autre.

Utilisation de la langue

Les directives peuvent être formulées de trois façons différentes:

1. à l'infinitif (impersonnel);
2. à l'impératif (assez vague);
3. à l'indicatif (personnel et précis).

La précision dans les règles exige souvent:

1. l'emploi de l'adjectif qualificatif et de l'adverbe pour insister;
   Ex.: Le joueur doit **d'abord** brasser les dés.
   Il faut placer les dames **blanches**...

2. l'emploi du complément du nom et de la proposition relative pour compléter un nom;
   Ex.: Le joueur prend une lettre de la même **valeur**.
   Le joueur **qui est à votre droite** répond...

3. l'emploi du complément circonstanciel pour préciser la manière, le temps ou le lieu de l'action.
   Ex.: Au premier coup (temps), placez votre pion **sur le premier échelon** (lieu).

À REMARQUER

On utilise parfois le soulignement et les caractères gras pour attirer ton attention sur un mot. Il arrive même que le concepteur te donne des informations supplémentaires en les mettant entre parenthèses.

Activité 1

LE JACQUET

Présentation

Le jacquet est un jeu de société vieux de plusieurs siècles. Des spécialistes disent qu'il est dérivé du trictrac, un jeu qui remonte au Moyen Âge.

LE JACQUET

Le jacquet se joue à deux. Chaque joueur possède 15 dames qu'il doit faire pénétrer dans sa section **sortie** avant de pouvoir les sortir du jeu. Le premier joueur qui parvient à sortir toutes ses dames est le gagnant.

POUR COMMENCER

Les joueurs prennent place de chaque côté de la table de jacquet et placent leurs dames de la manière suivante sur les 24 pointes de la table:

1-BB				AA-24
2-				-23
3-	**sortie**	**sortie**		-22
4-	**A**	**B**		-21
5-				-20
6-AAAAA				BBBBB-19
7-				-18
8-AAA				BBB-17
9-				-16
10-				-15
11-				-14
12-BBBBB				AAAAA-13

Le joueur A devra amener toutes ses dames dans la section (1 à 6) **sortie A** et le joueur B devra faire de même dans la **sortie B** (19 à 24) avant de sortir les dames du jeu.

RÈGLES

1. Pour déterminer qui jouera le premier, les joueurs n'utilisent qu'un dé. Par la suite, tous les coups seront joués avec deux dés.

2. Après avoir lancé ses deux dés, le joueur peut choisir de jouer le total sur la même dame ou d'utiliser le chiffre d'un dé pour avancer une dame et le chiffre de l'autre pour avancer une autre dame.

3. Un joueur ne peut avancer une dame si son point d'arrêt le conduit sur une pointe déjà occupée par deux ou plusieurs dames de son adversaire.

4. Si le joueur s'arrête sur une pointe qui n'est occupée que par une dame adverse, cette dernière sera exclue du jeu et l'adversaire devra obligatoirement la remettre en jeu dans la section **sortie** de l'adversaire, sur une pointe qui n'est pas occupée par deux ou plusieurs dames adverses.

5. Un joueur qui a une dame à remettre en jeu ne pourra avancer aucune autre dame tant que sa dame n'aura pas été remise au jeu. Si l'adversaire occupe toutes les pointes de sa section **sortie**, il devra attendre qu'une pointe se libère ou qu'elle ne soit occupée que par une dame de l'adversaire.

6. Quand un joueur obtient deux chiffres identiques avec ses dés, il joue deux fois le total indiqué.

7. Un joueur peut mettre autant de dames qu'il le désire sur une pointe. Cependant, s'il laisse une dame seule sur une pointe, il affaiblira sa position parce que l'adversaire pourra l'exclure du jeu.

8. Un joueur doit toujours jouer, même s'il se rend vulnérable en jouant. S'il ne peut jouer les chiffres indiqués par ses deux dés, il devra jouer le chiffre d'un dé, si cela est possible.

9. Le joueur peut toujours passer sur une pointe occupée par une ou des dames de l'adversaire; par contre, il ne peut s'arrêter sur une pointe occupée par deux dames adverses ou plus.

10. Si un dé roule hors de la table, les deux dés devront être lancés de nouveau.

11. Il est évident qu'un joueur a tout intérêt à arriver le plus tôt possible dans sa section **sortie**, sans pour autant se rendre vulnérable en laissant une dame seule sur une pointe. Plus tôt il occupera cette zone, plus il nuira à son adversaire qui essaie d'en sortir ou qui tente de mettre en jeu une ou des dames qui ont été exclues durant la partie.

POUR FINIR

12. Lorsque le joueur a conduit toutes ses dames dans sa section **sortie**, il peut commencer à exclure ses dames selon les chiffres des dés. Le joueur est toujours libre d'utiliser comme il l'entend les chiffres de ses dés. S'il tourne, par exemple, un 6 et un 2, il pourra sortir une dame de la pointe 6 (ou 19, s'il s'agit de l'autre joueur) et utiliser le 2 pour avancer une dame de deux pointes ou exclure une dame sur la pointe 2 (ou 23, s'il s'agit de l'autre joueur). Autre exemple: si un joueur tourne un 5 et un 4 et que toutes ses dames sont sur les pointes 1, 2 et 3 (ou 24, 23 et 22 pour l'autre joueur), il pourra exclure les deux dames les plus éloignées, c'est-à-dire deux dames de la pointe 3 (ou 22).

Sais-tu jouer?

1. Si tu étais le joueur A (voir le graphique), sur quelles pointes devraient se retrouver tes dames à la fin de la partie? _____

2. Que dois-tu faire quand tes deux dés indiquent le même chiffre? _____
_____

3. Que dois-tu faire si...
   a) un coup te conduit sur une pointe qui n'est occupée que par une dame de l'adversaire?
   _____

   b) un coup te conduit sur une pointe occupée par deux dames de l'adversaire?
   _____

   c) une de tes dames est exclue du jeu? _____
   _____

4. Que dois-tu faire pour remettre en jeu une de tes dames si toutes les pointes de la section **sortie** de l'adversaire sont occupées par deux de ses dames ou plus? _____
_____
_____

5. Détermine s'il s'agit d'un bon ou d'un mauvais coup.

	Bon	Mauvais
• Occuper le plus de pointes possible.	_____	_____
• Laisser une pointe occupée par une dame.	_____	_____
• Exclure une dame de l'adversaire.	_____	_____
• Retarder le plus possible l'avance de l'adversaire.	_____	_____

6. Quelles règles contiennent des obligations? _____

7. Quelles règles contiennent des défenses? _____

8. Quelles règles contiennent plutôt des stratégies? _____

9. Quels sont les deux verbes les plus utilisés dans les règles? _____

10. À quel mode et à quel temps sont-ils surtout employés?_____

11. Dans la section **Pour commencer**, l'émetteur utilise différents compléments pour préciser sa pensée. Lesquels?

Compléments circonstanciels de lieu: _____

Compléments circonstanciels de manière: _____

Complément circonstanciel de temps: _____

12. Dans la règle n° 4, relève les adjectifs qualificatifs et les adverbes qui apportent des précisions et indique quels mots ils précisent.

- Les adjectifs:_____

- Les adverbes:_____

13. Les phrases sont-elles affirmatives ou négatives dans les règles suivantes?

Règle 2: _____

Règle 3: _____

14. Dans les règles 3, 4, 5 et 6, relève les mots qui indiquent...

- une défense: _____

- une obligation: _____

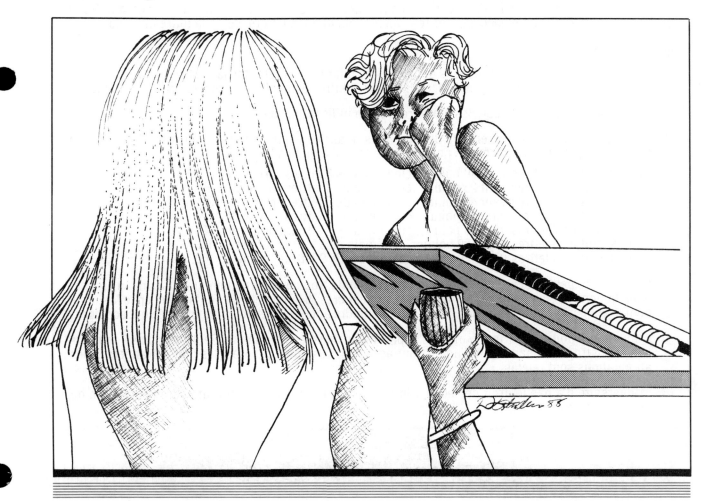

Activité 2

LE PERQUACKEY

Présentation

Si tu désires améliorer ton habileté à former des mots tout en t'amusant, nous te suggérons d'essayer de jouer au perquackey.

LE PERQUACKEY

Ce jeu se joue à deux ou à plusieurs personnes. Il consiste à utiliser dix dés noirs et trois dés rouges portant sur chacune de leurs six faces une lettre pour former le plus de mots possible en trois minutes. La personne qui gagne est celle qui atteint 5 000 points le plus rapidement.

POUR COMMENCER

Chaque joueur doit d'abord préparer une feuille partagée en 7 colonnes. Il écrit en tête de chacune des colonnes le nombre de lettres des mots qu'il y inscrira (de 3 lettres jusqu'à 9 lettres).

Pour déterminer le joueur qui débutera, les joueurs font rouler un dé. Celui qui obtient la lettre la plus rapprochée de A commence. Les autres joueurs jouent dans l'ordre, selon la lettre obtenue.

DURANT LA PARTIE

1. Le joueur place les dés noirs dans le gobelet et les fait rouler. Il retourne le sablier. Il a trois minutes pour créer au plus cinq mots de 3, 4, 5, 6, 7, 8 ou 9 lettres en déplaçant les dés sans les retourner.

2. Le joueur doit former chacun des mots trouvés en utilisant les dés.

3. Le joueur ne peut pas former plus de cinq mots ayant le même nombre de lettres. S'il parvient à trouver cinq mots ayant le même nombre de lettres, il a droit à la prime.

   Chaque mot de 3 lettres vaut 10 points...cinq mots de 3 lettres: prime de 50.
   Chaque mot de 4 lettres vaut 25 points...cinq mots de 4 lettres: prime de 100.
   Chaque mot de 5 lettres vaut 40 points...cinq mots de 5 lettres: prime de 100.
   Chaque mot de 6 lettres vaut 60 points...cinq mots de 6 lettres: prime de 100.
   Chaque mot de 7 lettres vaut 80 points...cinq mots de 7 lettres: prime de 100.
   Chaque mot de 8 lettres vaut 100 points...cinq mots de 8 lettres: prime de 100.
   Chaque mot de 9 lettres vaut 120 points...cinq mots de 9 lettres: prime de 100.

4. L'adversaire peut choisir de ne pas noter tous les mots trouvés et se contenter d'inscrire un crochet dans la bonne colonne à chaque fois qu'un mot est créé. Il (elle) peut se limiter à inscrire les mots dont il (elle) doute pour les vérifier dans le dictionnaire après que les trois minutes se sont écoulées.

5. L'adversaire doit refuser tout mot qui n'apparaît pas dans le dictionnaire. Seuls les noms communs sans apostrophe et sans trait d'union sont acceptés. Les noms propres, les mots étrangers et les abréviations sont rejetés.

6. L'adversaire n'a pas le droit de secouer le sablier durant la partie. Il doit attendre l'expiration du temps alloué au joueur.

7. À la fin de la période de jeu, un joueur peut exiger la vérification d'un mot dans le dictionnaire. S'il y a erreur, le mot est rejeté et le joueur perd sa prime si le mot l'a aidé à toucher une prime.

8. Quand un joueur atteint 2 000 points, il ajoute aux dés noirs les trois dés rouges. Cependant, il ne pourra plus former des mots de trois lettres et il devra obligatoirement faire au moins 1 000 points à chacun de ses tours. S'il ne parvient pas à ce total, il perdra non seulement les points amassés durant son tour, mais aussi 500 autres points.

9. Un joueur n'a jamais le droit de changer la face d'un dé durant la partie. Il doit former des mots avec les lettres que le sort lui a données.

10. Tous les joueurs ont droit au même nombre de tours durant la partie. Si un joueur atteint 5 000 points en quatre tours, par exemple, il doit permettre aux autres de jouer leur quatrième tour.

11. Si des dés se chevauchent ou tombent par terre quand le cornet est renversé, le joueur doit rejouer tous les dés.

Sais-tu jouer?

1. Combien de mots dois-tu faire pour toucher la prime? _____

2. Quels mots de trois lettres pourrais-tu former avec les lettres suivantes?

   V E W E S S T L G A

   _____

3. Quels sont les mots les plus payants? _____

4. Quels mots de 4 lettres pourrais-tu former avec les lettres suivantes?

   A O T T L M A G Q U

   _____

5. Quelle condition faut-il remplir pour utiliser les dés rouges? _____
   _____

6. Quelles limites les dés rouges apportent-ils à ton jeu? _____
   _____

7. Que dois-tu faire quand tu doutes d'un mot de ton adversaire? _____
   _____

8. Combien d'informations l'introduction apporte-t-elle? _____

9. Les subordonnées relatives précisent des noms. Dans la partie **Pour commencer**, quels noms les relatives précisent-elles? _____
   _____

10. À quel mode et à quel temps sont la plupart des verbes utilisés dans les règlements?
    _____

11. Quels sont les deux verbes qui reviennent le plus souvent? _____

12. Relève dans le texte un mot signifiant une défense et trois mots signifiant une obligation.

    Défense: _____

    Obligation: _____

13. Que signifient les expressions suivantes?

L'expiration du temps alloué au joueur (6): _____

_____

Il (elle) peut se limiter à inscrire (4): _____

_____

Si des dés se chevauchent (11): _____

_____

14. Réécris la règle 2 à l'impératif. _____

_____

15. Quels numéros s'adressent au joueur et quels numéros s'adressent à celui (celle) qui note les réponses?

Le joueur: _____

L'adversaire: _____

16. Quelles sont les deux conditions citées dans la règle 7? _____

_____

69

Activité 3

LE YUM

Présentation

Si tu aimes les jeux de dés où seul le hasard a un rôle à jouer, nous te suggérons d'apprendre à jouer au yum.

LE YUM

Chaque joueur peut lancer les dés trois fois par tour. Au premier lancer, il décide quel arrangement il veut faire, laisse sur la table les dés qu'il pense utiliser pour l'arrangement désiré et lance les autres dés. (Les cinq dés peuvent être lancés à nouveau.) Si l'arrangement est complété au deuxième lancer, le joueur pourra compter et ne pas effectuer son troisième lancer. Son tour est donc fini. Si le joueur ne peut compléter un arrangement après le troisième lancer, il pourra utiliser les chiffres de quelque autre façon, en comptant le plus grand nombre de points possible. Par exemple, en essayant de compléter une **main pleine**, un joueur termine son tour avec trois 6, un 2 et un 3. Il peut utiliser les trois 6 pour un total de 18 dans sa sixième rangée ou le total complet de 23 pour son **bas**.

Un joueur ne peut faire qu'un arrangement de chaque sorte par partie. Donc, s'il lance une **main pleine** et qu'elle a déjà été inscrite sur sa feuille de pointage, il devra utiliser les chiffres d'une autre façon, à son avantage. Par exemple, trois 6 et deux 5 peuvent être utilisés pour former soit un total de 28 pour un **haut**, soit un total de 18 dans la sixième rangée avec les trois 6, soit un total de 10 dans la cinquième rangée avec les deux 5. Si ces possibilités ont déjà été comptées, le joueur devra alors inscrire un zéro dans un carré de son choix.

Tous les joueurs ont droit au même nombre de tours par partie. Les points sont additionnés et le gagnant est le joueur qui a le pointage le plus élevé.

ACCESSOIRES

Les accessoires comprennent cinq dés, un gobelet et des tablettes de pointage.

BUT

Le but du jeu est de compter le plus grand nombre de points possible en lançant les dés pour faire des arrangements de chiffres comme suit:

Une quinte haute: 2-3-4-5-6 pour 20 points.
Une quinte basse: 1-2-3-4-5 pour 15 points.
Un haut: Tout arrangement de chiffres dont le total est supérieur à 22.
Un bas: Tout arrangement de chiffres dont le total est inférieur à 21.
Une main pleine: Trois d'une sorte, deux d'une autre pour 25 points.
Un yum: Cinq chiffres d'une sorte pour 30 points.
1 jusqu'à 6: Le total de tout chiffre de 1 à 6 obtenu en trois lancers. Ainsi, si après trois lancers, on obtient trois 1, on inscrira 3 dans la première rangée...Quatre 3 donneraient 12 dans la troisième rangée.

Un joueur qui obtient un total, dans la section **1 jusqu'à 6**, égal ou supérieur à 63, a droit à un boni de 25 points.

YUM

JEU DE DÉS	POINTS MAXIMUMS									
1	5									
2	10									
3	15									
4	20									
5	25									
6	30									
TOTAL PARTIEL	**POINTS**									
BONI si 63 ou plus	25									
SÉQUENCE BASSE	15									
SÉQUENCE HAUTE	20									
POINTS BAS	POINTS JETÉS									
POINTS HAUTS	POINTS JETÉS									
MAIN PLEINE	25									
YUM	30									
TOTAL	—									

Sais-tu jouer?

1. Que faire si, après trois lancers, tu obtiens trois 3 et deux 5? _____
   _____

2. Que faire si, après trois lancers, tu obtiens cinq 2? _____
   _____

3. Quelles sont les deux possibilités si tu obtiens quatre 6 et un 5? _____
   _____

4. Où inscriras-tu un chiffre si tu obtiens 1, 2, 3, 4 et 5? _____
   _____

5. Où inscriras-tu un chiffre si tu obtiens 2, 3, 4, 5 et 6? _____
   _____

6. À combien de points as-tu droit...
   a) si tu obtiens un total partiel de 69? _____
   b) si tu obtiens un total partiel de 62? _____

7. Il ne te reste que le carré des yum et celui des 4. Tu essaies de réussir le plus de 4 possible. Après trois lancers, tu n'as qu'un 4. Que feras-tu? _____
   _____

8. Quel est le but du jeu? _____
   _____

9. Explique dans tes propres mots la signification des expressions suivantes.
   a) **Une quinte basse:** _____
   _____

   b) **Un haut:** _____
   _____

   c) **Une main pleine:** _____
   _____

   d) **Un yum:** _____

10. Pourquoi l'émetteur utilise-t-il parfois des parenthèses? _____
    _____

11. Transforme en obligation les phrases suivantes.

    a) Chaque joueur peut lancer les dés. _____

    _____

    b) Au premier lancer, il décide quel arrangement il veut faire. _____

    _____

12. Transforme la phrase suivante en ordre.
    Il peut utiliser les chiffres de quelque autre façon. _____

    _____

13. Donne le sens des mots suivants.

    Possibilités: _____

    À son avantage: _____

14. Donne un synonyme des mots suivants.

    Être utilisés: _____

    Inscrire: _____

15. Dans la partie **but**, quelle sorte de déterminants apporte le plus de précisions? _____

    _____

16. Quelle est la plus grande différence entre le texte de cette activité et celui de l'activité précédente?

    _____

    _____

17. Quels sont les deux adjectifs qualificatifs utilisés dans le troisième paragraphe pour apporter plus de précision? _____

Activité 4

LE SCRABBLE

Présentation

Même si le scrabble est un jeu qui date de la fin des années 40, il ne se démode pas. Il offre aux joueurs la possibilité de développer leur vocabulaire et leur imagination tout en s'amusant. Ses ressources sont pratiquement inépuisables.

LE SCRABBLE

Le scrabble est un jeu qui se joue à 2, à 3 ou à 4 personnes. Il consiste à former des mots entrecroisés sur le tableau de jeu, à l'exemple des mots croisés, en employant les jetons lettres de différentes valeurs. Chaque joueur s'applique à obtenir le plus grand nombre de points en utilisant ses lettres et les carrés du tableau qui ont le plus de valeur. Le nombre total de points combinés pour une partie peut aller de 500 à 700 points, selon l'habileté des joueurs.

POUR COMMENCER

Tournez tous les jetons de façon à cacher les lettres ou placez-les dans un sac et mélangez-les. Tirez au sort pour décider qui jouera le premier. La personne qui sortira la lettre la plus proche du A sera la première à jouer. Replacez les lettres exposées et mélangez-les de nouveau. Les joueurs prennent alors sept jetons lettres et les placent sur leur chevalet.

COMMENT JOUER?

1. Le premier joueur forme un mot de deux lettres ou plus et le place sur le tableau. Ce mot doit se lire soit horizontalement, soit verticalement, et l'une des lettres doit être placée sur le carré central où l'on voit une étoile. Les mots en diagonale ne sont pas permis.

2. Un joueur termine son tour en comptant ses points et en annonçant son total. Il remplace ensuite les jetons qu'il a disposés sur le tableau, en en prenant au hasard parmi les lettres qui restent, de façon qu'il y ait toujours sept lettres sur son chevalet.

3. Le jeu continue avec la personne placée à la gauche du premier joueur. Le deuxième joueur, et ensuite chaque joueur à son tour, ajoute une ou plusieurs lettres aux lettres déjà placées sur le tableau pour former des mots nouveaux. Toutes les lettres jouées en un seul tour doivent être placées dans le même sens, soit horizontalement, soit verticalement. Les lettres doivent former un mot entier; si, en même temps, elles touchent les rangs des mots contigus, elles doivent aussi former des mots complets, comme dans les mots croisés. Le joueur bénéficie de tous les points résultant des mots qu'il a formés ou modifiés par ses placements.

4. Un mot nouveau est formé en...
   a) ajoutant une ou plusieurs lettres à un mot du tableau;
   b) plaçant un mot à angle droit avec un mot du tableau. Ce nouveau mot doit utiliser l'une des lettres du mot du tableau ou lui en ajouter une;
   c) plaçant un mot complet parallèlement à un mot déjà joué de telle sorte que les mots qui se touchent forment des mots complets.

5. On ne peut changer une lettre après l'avoir jouée.

6. On peut utiliser les jetons blancs pour n'importe quelle lettre voulue. Lorsqu'un joueur se sert d'un jeton blanc, il doit indiquer quelle lettre il remplace; après quoi, elle ne pourra pas être changée pour le reste de la partie.

7. Chaque joueur peut profiter de son tour pour changer une lettre ou toutes les lettres de son chevalet. Il le fait en les écartant et en pêchant le même nombre de lettres nouvelles; il mélange ensuite celles qu'il a écartées avec celles de la cagnotte. Il attend le prochain tour pour jouer.

---

8. Tous les mots de n'importe quel dictionnaire général sont permis, à l'exception des noms propres, des mots étrangers, des mots utilisant l'apostrophe et le trait d'union et des abréviations. Ne consultez le dictionnaire que pour vérifier l'orthographe d'un mot. On peut contester un mot à la condition de le faire avant le tour du joueur suivant. Si le mot ne peut être admis, le joueur reprend ses jetons et passe.

9. La partie continue jusqu'à ce que la cagnotte soit épuisée et que l'un des joueurs ait placé toutes les lettres de son chevalet, ou jusqu'à ce que toutes les combinaisons aient été faites.

COMPTAGE DES POINTS

10. Comptez le nombre de points de chaque joueur et inscrivez-le après chaque tour. La valeur de chaque lettre est indiquée par un numéro au bas du jeton. Les jetons non marqués comptent pour zéro.

11. La somme de chaque tour s'établit comme suit: les points de toutes les lettres de chaque mot, formé ou modifié par le placement, plus les points de tous les carrés de prime occupés par le mot.

12. Un carré bleu clair double le nombre de points de la lettre qui l'occupe; un carré bleu foncé triple le nombre de points.

13. Carrés de prime pour un mot. Le nombre de points d'un mot entier compte double quand une de ses lettres occupe un carré rose; il est triplé quand il s'agit d'un carré rouge. Avant de doubler ou de tripler les points des lettres pour ce mot, il faut ajouter (s'il y a lieu) les points de prime des carrés à points doubles ou triples. Si le mot occupe deux carrés de prime, le nombre des points se double puis se redouble (4 fois les points de chaque lettre), ou bien se triple et se retriple (9 fois les points de chaque lettre), suivant le cas. **À noter:** Le carré du centre est en rose; par conséquent, il double le nombre de points du premier mot formé.

14. Les primes des lettres et des mots indiquées plus haut comptent seulement pour leur placement au premier tour. Aux tours successifs, les points des lettres de ces mots retiennent seulement leur valeur nominale.

15. Lorsqu'un carré rose ou rouge est occupé par un jeton blanc, la somme des lettres qui forment le mot est doublée ou triplée, bien que le blanc n'ait aucune valeur.

16. Lorsque deux ou plusieurs mots sont formés en même temps, chaque mot est compté. La lettre commune est comptée (avec ses points de prime, s'il y a lieu) dans le total des points de chaque mot.

17. Si un joueur parvient à placer ses sept jetons en un seul tour, un total de cinquante points est compté en sa faveur en plus de son nombre de points normal.

18. À la fin du jeu, on déduit de la somme des points d'un joueur la valeur des lettres qu'il a encore sur son chevalet. Si l'un des joueurs a placé toutes ses lettres, le total de ses points est augmenté de la somme des lettres non placées par tous les autres joueurs.

Tiré et adapté de Selchow et Righter Cie

Sais-tu jouer?

1. Tu pêches les 7 lettres suivantes: M A N T O E S.   Quel mot horizontal peux-tu créer si le mot vertical est VIENT?

V
I
E
N
T

2. Quelle est la valeur de ton mot?

   Valeur des lettres
   E, O, L, R, A, T, I, N, S et U: 1 point
   G, M et D: 2 points
   B, C et P: 3 points
   F, V et H: 4 points
   J et Q: 8 points
   X, K, Y et W: 10 points

   _____

3. Que feras-tu si l'une de tes lettres est sur un carré rose? _____

   _____

4. Que feras-tu si l'une de tes lettres est sur un carré rouge? _____

   _____

5. Si tu fais un mot de quatre lettres, combien de lettres devras-tu pêcher après l'avoir fait? _____

   _____

6. Tu as les lettres P N B W Y O et Q. Quel mot vertical peux-tu créer si tu as le mot horizontal SUR?

S U R

7. Combien de points vaudra ton mot si tu utilises la lettre S de SUR et que cette lettre est placée sur un carré rouge? _____

   _____

8. Quand peux-tu arrêter la partie? _____

   _____

9. Quelles sont les sortes de mots que tu n'as pas le droit d'utiliser? _____

   _____

   _____

10. Que dois-tu faire si tu veux échanger une ou plusieurs lettres? _____

_____

_____

11. Mets un crochet à VRAI ou à FAUX.

	Vrai	Faux

a) Je peux toujours me contenter d'ajouter une ou deux lettres pour modifier un mot. _____ _____

b) Je peux remplacer la lettre que je veux par un jeton blanc, mais il garde toujours la même valeur: 1 point. _____ _____

c) Le premier mot de la partie ne peut compter double, même s'il part d'un carré rose. _____ _____

d) Quand une lettre d'un mot est sur un carré rouge, seule la lettre compte triple. _____ _____

e) Quand je joue, je peux reprendre un jeton que je viens de déposer sur le jeu tant que le mot n'est pas complètement écrit. _____ _____

f) On attend toujours la fin de la partie pour calculer les points. _____ _____

12. À quel temps et à quel mode l'émetteur écrit-il la plupart de ses verbes? _____

_____

13. Par quels mots l'introduction du texte commence-t-elle? _____

_____

14. Remplace les mots soulignés par un synonyme.

a) On peut utiliser (_____) ...lettre voulue (_____) ...

b) Un joueur termine (_____) son tour en comptant (_____) ses points et en annonçant (_____) son total.

c) ...de façon (_____) à cacher (_____) les lettres.

15. Réécris les règles 5 et 6 à l'impératif.

Règle 5: _____

_____

Règle 6: _____

_____

_____

_____

16. Relève les adverbes de la règle 1 et dis quels mots ils modifient ou complètent. _____

_____

_____

17. Relève les adjectifs qualificatifs de la règle 8 et dis quels mots ils qualifient. _____

_____

_____

18. Dans les trois premières phrases de la règle 3, l'auteur donne des précisions sur le lieu, la manière et le but en utilisant des compléments. Identifie-les.

Lieu: _____

Manière: _____

But: _____

19. Dans la partie **Pour commencer**, quels mots les pronoms personnels remplacent-ils?

Les: _____

Qui: _____

20. Quelles précisions supplémentaires donnerais-tu pour faciliter la compréhension de ce jeu? _____

_____

Activité 5

LE «QUIZ» DES JEUNES

Présentation

Si tu désires apprendre tout en t'amusant avec des amis, tu peux essayer le «quiz» des jeunes avec ses 2 880 questions et réponses.

LE «QUIZ» DES JEUNES

De 2 à 6 joueurs peuvent jouer à ce jeu éducatif dont les questions portent sur six séries différentes: l'histoire et la géographie, le fictif et le réel, le vocabulaire, l'orthographe, l'arithmétique et les sciences (pour les jeunes de 7 à 14 ans).

MATÉRIEL

Le matériel est composé...

1. d'un tableau numéroté de 1 à 100;
2. de six pions de couleur;
3. de deux dés: l'un numéroté de 1 à 3, l'autre portant une couleur différente sur chacune de ses six faces;
4. de trois boîtes de cartonnets sur lesquels sont inscrites les six séries déjà mentionnées:

- les cartons rouges: le réel et le fictif;
- les cartons orangés: l'orthographe;
- les cartons bruns: les sciences;
- les cartons jaunes: le vocabulaire;
- les cartons bleus: l'histoire et la géographie;
- les cartons verts: l'arithmétique.

Chaque carton porte sur chacune de ses deux faces trois questions. Les réponses sont écrites au bas du carton en caractères plus petits.

LES RÈGLES DU JEU

1. Le plus jeune joueur sera toujours le premier à jouer. Le joueur suivant sera celui qui est assis à sa gauche, et ainsi de suite.
2. On devra disposer sur la table les trois boîtes renfermant les questions et décider, dès le départ, si on utilisera la face A ou la face B des cartonnets.
3. Le joueur lance d'abord ses deux dés. Le dé numéroté de 1 à 3 lui indique sur quelle case il doit poser son pion et à quelle question il doit répondre. Le dé de couleur précise la série de questions à utiliser. Ainsi, s'il a obtenu un 2 et un dé bleu, il devra répondre à la question numéro 2 de la première carte tirée de la série histoire et géographie.
4. Lorsque le joueur ignore la réponse, on la lui donne, mais son pion reste au même endroit.
5. Si le joueur donne la bonne réponse, son pion avancera du double de la valeur indiquée par le dé déjà lancé. Il attendra le prochain tour pour tenter de faire avancer son pion plus loin sur le tableau.
6. Quand un joueur arrête son pion sur une case ornée par l'extrémité d'une banderole, il n'a pas à utiliser le dé de couleur. Il peut choisir la série de questions qu'il préfère. Le dé numéroté indique à quelle question de la série choisie il doit répondre. S'il donne la bonne réponse, le joueur avancera son pion à l'extrémité supérieure de la banderole. S'il ignore la réponse, son pion glissera à l'extrémité inférieure. C'est pourquoi il n'a pas à doubler la valeur du chiffre indiqué par son dé numéroté.

7. Quand le pion d'un joueur arrive sur une case occupée par un pion de l'adversaire, le pion déjà en place est exclu du jeu et son propriétaire doit recommencer à la case numéro 1.

8. Le joueur qui arrive à la case 94 abandonne obligatoirement le dé de couleur. Pour se rendre à la case 100, il doit répondre correctement à une question portant sur chaque série. Ainsi, dès le numéro 94, il lance son dé numéroté pour connaître la question de la série **réel ou fictif** à laquelle il devra répondre. Il restera à la case 94 tant qu'il n'aura pas donné une bonne réponse à une question de cette série. Il devra faire de même avec les cinq autres séries s'il veut gagner la partie.

9. Le vainqueur est le joueur qui atteint le premier la case 100.

Tiré et adapté de Waddingtons Game

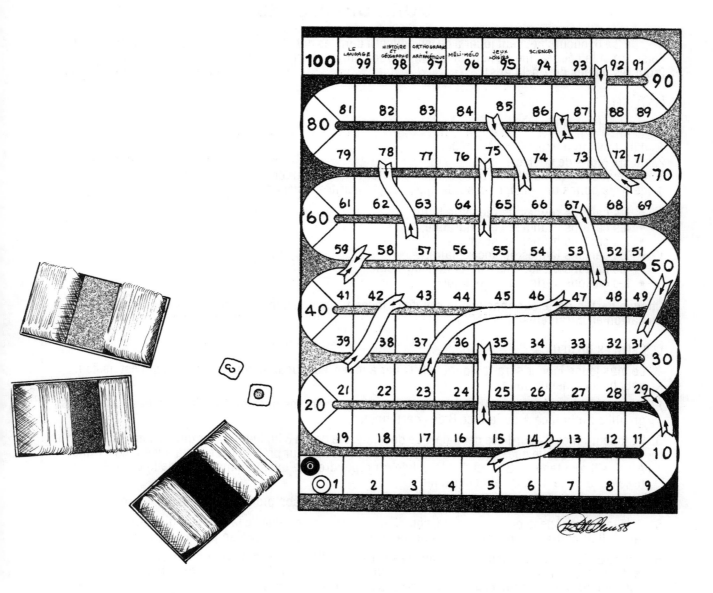

Sais-tu jouer?

1. Sur quelle couleur ton dé s'est-il arrêté si tu dois répondre aux questions suivantes?

   - 128 + 36 = _____
   - Quel nom peut-on faire avec l'adjectif FACILE? _____
   - Qui a inventé la pasteurisation? _____

2. À qui ce jeu s'adresse-t-il? _____

3. De quel dé dois-tu te servir si ton pion est sur une case ornée d'une pointe de banderole? _____
   _____
   _____

4. Quel dé dois-tu laisser de côté quand tu arrives à la case 94? _____

5. Si tu obtiens le chiffre 3 et que tu connais la réponse à la question qui t'est posée, de combien de cases avanceras-tu ton pion? _____

6. Durant la partie, pour quelle raison devrais-tu recommencer à la case 1? _____
   _____

7. À quel(s) jeu(x) le «Quiz» des jeunes te fait-il penser?_____
   _____

8. Quelles sont les deux utilités du dé numéroté? _____
   _____

9. Les informations et les règles te donnent-elles une bonne compréhension de ce jeu? Pourquoi?
   _____
   _____

10. Dans la partie **matériel**, quels mots ces déterminants précisent-ils?
   Deux: _____
   Trois: _____
   Six: _____
   Chaque: _____

11. Par quels noms l'émetteur précise-t-il ces noms de la règle 6?

Valeur: _____

Extrémité: _____

Dé: _____

12. Quels mots les pronoms suivants de la règle 3 remplacent-ils?

Lui: _____

Il: _____

13. Les propositions relatives servent à préciser un nom, comme le complément du nom. Quels noms ces propositions de la règle 8 précisent-elles?

Qui arrive à la case 94: _____

À laquelle il devra répondre: _____

14. À quel mode et à quel temps sont la plupart des verbes utilisés dans les règles? _____
_____

15. Par quels mots l'émetteur indique-t-il l'obligation dans ses règles?_____
_____

16. Quels mots l'émetteur emploie-t-il pour désigner les cartons sur lesquels sont les questions?
_____

Activité 6

LA CANASTA

Présentation

Ceux et celles qui préfèrent une bonne partie de cartes aimeront probablement beaucoup la canasta, un jeu simple mais excitant.

LA CANASTA

Ce jeu se joue avec deux équipes formées de deux joueurs. Il nécessite l'emploi de deux jeux de cartes et de quatre jokers. Il consiste à faire le plus de séries possible avant l'équipe adverse.

Durant une partie de canasta, il faut porter une attention spéciale à la valeur des cartes:

le joker : 50 points   l'as : 25 points
les 2 : 20 points   les 3 : 15 points
le roi, la dame, le valet, le 10, le 9 et le 8: 10 points   les 4, 5, 6 et 7: 5 points

1. Après avoir fait couper le paquet de cartes, le brasseur passe 13 cartes à chacun des joueurs.

2. Le paquet qui reste est placé à l'envers, au centre de la table, et le brasseur retourne la dernière carte.

3. À tour de rôle, en commençant par la gauche, chaque joueur pige une carte et en rejette une venant de sa main. La carte rejetée est posée à l'endroit sur celle que le brasseur a retournée.

4. Chaque joueur cherche à se constituer des séries de plus de trois cartes identiques (3 rois, 3 dames, etc.).

5. Un joueur peut toujours prendre une carte ou s'approprier tout le paquet de cartes retournées. Cependant, il ne pourra prendre ce paquet que s'il peut montrer aux autres joueurs deux cartes semblables à celle qui est retournée sur le paquet. De plus, si son équipe n'a pas encore étalé une série durant cette manche, il devra prouver qu'il peut étaler la valeur d'ouverture demandée.

6. À la canasta, la valeur d'ouverture varie tout au long de la partie. Au début, le premier étalement d'un joueur doit être d'au moins 50 points (une ou des séries d'une valeur de 50 points). Quand l'équipe atteint 1250 points, son ouverture passe à 90 points. Enfin, lorsque l'équipe a accumulé 2500 points, elle ne peut ouvrir qu'à 120 points.

7. Le joueur qui décide d'ouvrir le jeu pour son équipe, au début de la partie, doit étaler une série d'une valeur de 50 points. S'il a pris le paquet de cartes retournées, il ne peut inclure la valeur des cartes du paquet dans ces 50 points.

8. À la canasta, on peut toujours inclure dans une série un ou plusieurs 2 (20 points) et un joker (50 points). Ainsi, un joueur peut ouvrir une série de 6, par exemple, avec un 2 ou un joker et deux 6.

9. Un joueur essaie toujours de faire des séries complètes, c'est-à-dire des séries de sept cartes (des canastas). Il peut faire une série de sept cartes identiques (une canasta pure), une série de sept cartes comprenant quatre, cinq ou six cartes identiques accompagnées d'un 2 ou d'un joker (canasta non pure) et, s'il a la chance avec lui, une canasta spéciale formée de cartes «frimées» comme les 2 et les jokers.

10. Un joueur peut ouvrir une série avec le nombre de cartes qu'il désire, du moment qu'elle contient au moins trois cartes. Il pourra tenter de compléter ses séries tout au long de la manche.

11. Un joueur n'est pas limité dans le nombre de séries qu'il peut ouvrir. Il peut en étaler autant qu'il le veut. Son coéquipier pourra lui venir en aide pour compléter une canasta quand son tour de jouer viendra.

12. Il est important qu'un joueur remarque les cartes que ses adversaires rejettent de manière à ne pas leur donner le paquet de cartes retournées. Quand l'adversaire prend possession de ce paquet, il peut compléter ses séries avec les cartes qu'il contient.

13. Un joueur peut étaler des cartes sur la table aussi longtemps qu'il n'a pas rejeté sa carte sur le paquet de cartes retournées.

14. Si un joueur rejette un 3 de pique ou de trèfle, il empêche le joueur suivant de prendre possession du paquet de cartes retournées.

15. Une manche se termine quand l'un des joueurs n'a plus aucune carte en main. Il peut toujours rejeter la dernière sur le paquet. Elle s'arrête aussi quand il ne reste plus de cartes dans le paquet.

16. On ne peut mettre fin à une manche sans avoir complété au moins une canasta.

17. L'équipe qui choisit de tenter une canasta spéciale ne peut revenir sur sa décision durant une manche. Elle devra utiliser tous les 2 et tous les jokers que la chance lui attribuera pour finir cette canasta.

18. À la fin d'une manche, chaque équipe calcule ses points de la manière suivante:

   - 300 points pour une canasta non pure;
   - 500 points pour une canasta pure;
   - 2 000 points pour une canasta spéciale;
   - 100 points pour avoir mis fin à la manche;
   - 100 points pour avoir étalé un 3 de coeur ou de carreau (400 points pour la possession des quatre 3 de coeur et de carreau).

   De plus, on ajoute au total la valeur de chacune des cartes étalées sur la table au moment où la manche prend fin, qu'il s'agisse de cartes faisant partie de canastas complétées ou non. (Le joker: 50; l'as: 25; le 2: 20; du roi au 8: 10; du 7 au 4: 5.)

19. Par ailleurs, l'équipe qui n'a pas mis fin à la manche devra déduire de son total la valeur de chacune des cartes que les deux partenaires avaient en main quand la partie s'est arrêtée; si aucune des deux équipes n'a donné le signal de la fin de la manche (il n'y avait plus de cartes), les deux équipes feront de même.

20. L'équipe gagnante sera celle qui atteindra la première les 5 000 points.

Sais-tu jouer?

1. Que faut-il pour jouer à la canasta? _____
   _____

2. Quelle partie du texte considères-tu comme l'introduction? (Donne le premier et le dernier mot.)
   _____

3. Quel titre donnerais-tu aux quelques lignes qui suivent l'introduction? _____
   _____

4. Quels sont les numéros qu'on pourrait titrer **Comment calculer ses points**? _____
   _____

5. Au début d'une partie, à quelle condition peut-on étaler une première série? _____
   _____

6. Combien de séries de cartes peux-tu étaler dans une manche?_____
   _____

7. Que faut-il que tu fasses pour former une canasta pure?_____
   _____

8. À quelle condition peux-tu constituer une canasta spéciale? _____
   _____

9. Quel est le minimum de cartes que tu peux étaler à la fois? _____

10. Combien de points ces séries te rapporteraient-elles à la fin de la manche?
    Une série de 7 as: _____
    Une série de quatre 8, un joker et deux 2: _____
    Une série incomplète de cinq valets: _____

11. Tes adversaires ont mis fin à la manche. Combien de points devras-tu déduire de ton total s'il te reste dans la main trois 5, deux rois, un as et un 2? _____

12. Combien te faudra-t-il de points pour étaler une première série dans la manche suivante si tu as terminé la première manche avec 2 625 points? _____

13. À l'aide des informations du texte, crois-tu être en mesure de jouer à la canasta? Pourquoi?

_____

_____

_____

14. Qu'est-ce qui aurait facilité la compréhension? _____

_____

15. Tente de remplacer ces mots de la règle 5 par des synonymes.

S'approprier: _____

Semblables: _____

Montrer: _____

16. Relève les adverbes de la règle 13 et indique quels mots ils complètent ou modifient. _____

_____

17. Relève quatre adjectifs qualificatifs de la règle 9 et indique quels mots ils précisent en les qualifiant.

_____

_____

18. À quoi les parenthèses utilisées dans la règle 8 servent-elles? _____

_____

19. Par quels mots l'émetteur indique-t-il une défense dans les règles 6 et 7? _____

_____

20. Que veulent dire les mots suivants dans le contexte des règles?

Étalement: _____

Valeur d'ouverture: _____

«Frimée»: _____

Activité 7

LE «MASTER MIND» DES MOTS

Présentation

Les jeunes qui aiment les jeux de concentration joueront avec plaisir au «Master Mind». C'est un jeu qui exige d'un joueur qu'il déduise un mot caché par l'adversaire en moins de temps que ce dernier.

LE «MASTER MIND» DES MOTS

LISTE DES DIFFÉRENTS ÉLÉMENTS

1. Une cache dont l'auteur du mot se sert pour dissimuler un mot secret de trois ou quatre lettres.
2. Une planche de décodage que le chercheur utilise pour découvrir le mot secret et dont l'auteur se sert pour guider le chercheur en lui donnant des indications.
3. Deux séries de lettres dont on se sert pour former le mot secret.
4. Un casier à lettres pour ranger toutes les lettres.
5. Une série de fiches-réponses, environ 20 fiches noires et vingt fiches blanches, que l'auteur utilise au cours du jeu pour donner des indications au chercheur.
6. Une liste internationale de mots comprenant des mots de trois ou quatre lettres, une sorte de guide simplifié pour les deux joueurs.

RÈGLES DU JEU

Les joueurs décident d'utiliser des mots de trois ou quatre lettres choisis soit dans la liste de mots fournie, soit dans un dictionnaire précis. L'auteur place son mot secrètement dans la cache afin que le chercheur ne le voie pas. Le chercheur essaie de donner une réplique exacte du mot secret en plaçant des rangées de tablettes de lettres sur la planche de décodage en commençant par la rangée numéro 1. Au bout de chaque rangée, l'auteur du mot donne des indications en utilisant les fiches-réponses noires et blanches. Il est possible, si on le veut, de déterminer pour chaque rangée une limite de temps.

Une fiche-réponse noire est déposée dans n'importe lequel des quatre trous de fiches-réponses chaque fois que le chercheur place une lettre du mot secret au bon endroit.

Une fiche-réponse blanche est déposée dans n'importe lequel des quatre trous de fiches-réponses si le chercheur a trouvé l'une des lettres cachées, mais l'a placée au mauvais endroit. Par exemple, une fiche-réponse blanche est déposée si un E est caché et si le chercheur a placé deux ou plusieurs lettres E.

Un trou de fiche-réponse est laissé libre chaque fois que le chercheur place une lettre incorrecte.

C'est un des jeux passionnants de la série «Master Mind».

Tiré et adapté de Parker Brothers

Sais-tu jouer?

1. En quoi consiste exactement le jeu de «Master Mind»? _____

_____

_____

2. Relis les cinq premières phrases des règles du jeu. Récris dans tes propres mots cinq règles précises en mettant des obligations et des défenses.

1. _____

_____

_____

_____

2. _____

_____

_____

_____

3. _____

_____

_____

_____

4. _____

_____

_____

_____

5. _____

_____

3. Comment l'émetteur appelle-t-il le joueur qui crée le mot? _____

4. Comment l'émetteur appelle-t-il le joueur qui doit découvrir le mot caché? _____

5. Combien de lettres doit avoir le mot caché?_____

6. Tu es le chercheur et tu as écrit le mot MAIS. Ton adversaire répond en mettant un espace libre, deux fiches-réponses noires et un espace libre. Qu'en déduis-tu? _____

_____

_____

7. Tu écris PRIS, et ton adversaire répond en te donnant trois espaces libres et une fiche-réponse blanche. Qu'en déduis-tu? _____

_____

_____

8. Dans la partie **Liste des différents éléments**, avec quelle proposition relative l'émetteur précise-t-il les mots suivants?

Cache: _____

Fiches-réponses: _____

Lettres: _____

9. Dans la partie **Règles du jeu**, quels noms les adjectifs qualificatifs suivants précisent-ils?

Exacte: _____

Secret: _____

Noires: _____

Mauvais: _____

10. Dans la partie **Règles du jeu**, par quels mots l'émetteur précise-t-il les noms suivants?

Liste: _____

Rangées: _____

Bout: _____

11. Dans les troisième et quatrième phrases de la partie **Règles du jeu**, trouve deux précisions portant sur la manière et sur le lieu.

Manière: _____

Lieu: _____

12. Trouve un synonyme pour chacun des mots suivants.

Choisis: _____

Déterminer: _____

Indications: _____

Cachées: _____

13. Mets la phrase suivante à la forme impérative: Au bout de chaque rangée, l'auteur du mot donne des indications. _____

_____

14. Dans la partie **Liste des différents éléments**, quel mot remplace chacun des pronoms suivants?

    Dont (nº 1): _____

    Se (nº 1): _____

    Se (nº 2): _____

    Lui (nº 2): _____

15. Dans les **Règles du jeu**, utilise-t-on l'impératif, l'indicatif présent ou l'infinitif? _____

_____

16. Quelle(s) partie(s) du texte pourrait-on supprimer sans nuire à la compréhension du jeu? _____

_____

_____

17. Dans le numéro 1 de la section **Liste des différents éléments**, relève les déterminants et les mots qu'ils précisent. _____

_____

_____

Activité 8

LE JEU DE CARTES-LETTRES PROBE

Présentation

Voici un autre jeu qui te permettra de t'amuser avec des amis tout en mettant à contribution tes capacités de déduire correctement. Il n'est pas compliqué. Comme tous les autres jeux que nous t'avons présentés, il n'exige de toi qu'une lecture très attentive des règles.

LE JEU DE CARTES-LETTRES PROBE

Voici le jeu de cartes-lettres le plus intéressant depuis l'invention de l'alphabet moderne. C'est un jeu amusant pour tous les âges, à partir de 10 ans et plus. Deux, trois ou quatre personnes peuvent y jouer.

Chaque joueur choisit un mot qu'il garde secret. Les autres joueurs essaient de le deviner lettre par lettre. Tous les mots sont acceptables — noms, adjectifs, adverbes ou toute autre partie du discours — sauf les mots épelés avec des apostrophes ou des traits d'union, les noms propres, les abréviations et les mots de plus de 12 lettres.

Les 384 cartes de ce jeu donnent plus de combinaisons de lettres que tout autre jeu de cartes-lettres. Ainsi, des milliers de mots sont disponibles.

L'ÉQUIPEMENT

L'équipement comprend 4 supports plats et quatre jeux de 96 cartes-lettres, chacun d'une couleur différente; quatre supports verticaux pour les cartes-lettres; un jeu d'activités de 48 cartes; un plateau pour un jeu d'activités.

LE SUPPORT DE CARTES

Chaque joueur prend un support de cartes, l'ouvre et le place à plat sur la table en face de lui. Le numéro 1 sur le support d'un joueur devrait être à sa droite afin que les numéros qui apparaissent sur son support puissent être lus par tous les autres joueurs.

LE JEU DE CARTES-LETTRES

Chaque joueur choisit une couleur et prend le support qui contient les deux paquets de cartes de cette couleur, ce qui fait un jeu complet de 96 cartes-lettres. Chaque jeu complet de cartes-lettres comprend 5 cartes sur lesquelles un seul point apparaît. Ces cartes sont appelées les «blancs».

LE JEU D'ACTIVITÉS

Le jeu d'activités comprend 48 cartes qui influent sur l'action du jeu. Après l'avoir mêlé, placez-le à l'envers sur un côté du plateau du jeu d'activités.

COMMENT COMMENCER

Chaque joueur pense à un mot qu'il utilisera sans le dire aux autres joueurs. Il choisit ensuite dans son jeu les lettres nécessaires pour épeler son mot. Si son mot a moins de 12 lettres, il pourra duper ses adversaires en ajoutant des blancs. Il peut employer, à sa guise, un blanc, tous les blancs ou ne pas en employer. Les blancs peuvent être utilisés avant ou après le mot, ou les deux, mais ils ne peuvent pas être substitués à des lettres ou insérés entre des lettres.

Chaque joueur place les cartes qu'il a choisies à l'envers dans son support de cartes, dans la bonne séquence d'épellation, en commençant avec un blanc ou avec la première lettre de son mot sur l'espace numéroté 1.

Un des joueurs est choisi pour inscrire les points.

COMMENT JOUER

Le joueur choisi pour commencer prend la carte du dessus du jeu d'activités et la lit à voix haute. Tous les joueurs devront suivre les instructions.

Le premier joueur commence à rechercher les lettres qui forment les mots de ses adversaires. Sans préciser où, il demande simplement à un adversaire s'il a caché une lettre en particulier ou un blanc. Si la réponse est affirmative, l'adversaire expose la lettre demandée en la retournant.

Si le joueur a deviné juste, il continue en interrogeant le même joueur ou un autre. Son tour se termine quand il n'a pas deviné correctement. Le premier joueur à sa gauche prend une carte d'activités et questionne ses adversaires.

Les joueurs ne peuvent pas faire une liste des lettres que leurs adversaires ou eux-mêmes ont nommées. Ils doivent se fier entièrement à leur mémoire pour éviter de demander des lettres déjà nommées.

SIGNIFICATION DES CARTES D'ACTIVITÉS

«Prenez votre tour normal.» «Prenez un tour additionnel.» Si un adversaire a répondu «Non» à votre question, prenez une autre carte d'activités et continuez de deviner. Ces cartes d'activités peuvent vous demander d'exposer un blanc de votre jeu, de faire exposer à votre voisin de gauche ou de droite une carte ou encore de quintupler, de quadrupler ou de tripler la valeur de votre première devinette.

POINTAGE

Si un joueur devine correctement une carte, il gagne les points (5, 10 ou 15) indiqués sur le support de son adversaire. Lorsqu'un joueur devine la dernière carte cachée de l'adversaire, il gagne 50 points additionnels.

Si un joueur prend une carte d'activités qui le force à exposer une carte, aucun joueur ne compte.

Si un joueur prend une carte qui oblige un adversaire à exposer une carte, il a droit à la valeur en points de la carte exposée.

Si un joueur demande un blanc à un adversaire qui n'en a pas, il perd 50 points.

Si un joueur n'épelle pas correctement son mot ou le dispose mal sur le support, il perd 100 points.

Si un joueur omet d'exposer une carte devinée, il perd 100 points.

Aucun joueur n'est laissé en dehors de la partie. Si son mot est deviné, il continue à jouer et peut gagner des points jusqu'à la fin de la partie.

Un moment viendra où un seul joueur aura encore des lettres cachées. Les autres joueurs auront deux tours pour les deviner, tout en continuant à prendre des cartes d'activités. Si, après ces deux tours, il y a encore des lettres cachées, le joueur aura droit à un boni de 50 points et aux points que valent les cartes non retournées. Si le jeu se termine alors que 5 cartes ou plus sont encore cachées, il a droit à un boni de 100 points.

RÈGLEMENT INTERRUPTEUR

Tout joueur peut interrompre la partie à n'importe quel moment pour deviner le mot d'un adversaire qui a 5 cartes ou plus de cachées. S'il a bien deviné, il a un boni de 100 points plus la valeur de chacune des cartes retournées. S'il a fait une erreur, il est pénalisé de 50 points.

EXCEPTIONS POUR DEUX JOUEURS

Chaque joueur a deux supports et un jeu de cartes pour chaque support. Un joueur ne spécifie pas auquel des deux mots de son adversaire il réfère lorsqu'il demande une lettre. Si les deux mots contiennent la lettre demandée, l'adversaire choisit le mot qu'il désire.

Tiré et adapté de Parker Brothers Games Limited

Sais-tu jouer?

1. Combien de lettres le mot choisi peut-il contenir? _____

2. Que peux-tu faire avec tes cartes blanches? _____
_____

3. Auquel de tes adversaires dois-tu adresser tes questions? _____

4. À combien de points auras-tu droit si tu devines correctement une lettre? _____
_____

5. Quel droit te donne le règlement interrupteur? _____
_____

6. Qu'arrivera-t-il si tu demandes à un adversaire qui n'a pas de blanc d'en retourner un? _____
_____

7. Que se passera-t-il si tes adversaires se rendent compte que tu as fait une erreur orthographique
dans le mot que tu as choisi? _____
_____
_____

8. As-tu le droit de noter les lettres que toi et tes adversaires avez demandées? _____
_____

9. Si ton mot est le premier à être deviné, que feras-tu? _____
_____

10. Quelle partie du texte sert d'introduction? (Donne le premier et le dernier mot.) _____
_____

11. Dans cette introduction, relève ce qui te semble être une exagération. _____
_____

12. Quel est l'équipement de chacun des joueurs au début de la partie? _____
_____

13. Réécris la partie **Le jeu de cartes-lettres** en la *simplifiant*. _____
_____
_____

14. À quel jeu ce jeu de cartes-lettres te fait-il penser? _____

_____

15. L'ordre dans lequel les parties de ce texte sont présentées est-il logique? Pourquoi? _____

_____

_____

_____

16. Dans le deuxième paragraphe de la partie **Comment commencer**, relève toutes les précisions que l'émetteur donne sur la manière. _____

_____

_____

17. Dans la partie **Le support de cartes**, quels mots les pronoms suivants remplacent-ils?

L' (ouvre): _____

Le (place): _____

Lui: _____

Qui: _____

18. Dans la partie **Le jeu de cartes-lettres**, quels noms complètent les noms suivants?

Paquets: _____

Cartes: _____

Jeu: _____

19. Dans l'introduction, quels adjectifs qualificatifs l'émetteur utilise-t-il pour vanter le jeu? _____

_____

20. Dans la partie **Pointage**, quels mots ces propositions relatives précisent-elles?

Qui n'en a pas: _____

Qui le force à exposer: _____

Que valent les cartes non retournées: _____

21. Identifie une *défense* dans la partie **Comment jouer**. _____

_____

22. Dans quelle partie du texte retrouve-t-on l'impératif? _____

_____

23. Dans la partie **L'équipement**, par quelle sorte de mots les précisions sont-elles surtout apportées?

_____

24. Remplace les mots suivants par un synonyme.

Instructions: _____

Inscrire: _____

Qui le force: _____

Troisième chapitre

À LA DÉCOUVERTE DES GOÛTS ET DES SENTIMENTS

À la découverte des goûts et des sentiments

Présentation

En écoutant attentivement une personne qui exprime ses goûts et ses sentiments, nous apprenons généralement à mieux la connaître. Nous parvenons ainsi à connaître ses défauts, ses qualités et ses tendances. En parlant, elle livre son vrai visage, et nous en retirons un réel enrichissement parce qu'elle nous invite, volontairement ou non, à partager son monde et ses émotions.

Dans ce chapitre, nous te proposons de vivre une douzaine d'activités dans le but de développer tes habiletés à écouter des exposés expressifs (6), à écrire des textes expressifs (3) et à produire toi-même des exposés oraux expressifs (3). Nous sommes convaincus que ces activités te permettront non seulement de mieux percevoir et exprimer des goûts et des sentiments, mais encore d'enrichir tes connaissances de la langue française. Si tu travailles sérieusement, la qualité de tes communications orales et écrites s'en trouvera grandie.

Liste des activités

Écouter des exposés expressifs

Activité 1:	La noble mission d'un «Grand Frère»	G. Gauthier
Activité 2:	La leçon de vie d'une centenaire	G. Gauthier
Activité 3:	Des préjugés qu'il faut combattre	H. Ravinel
Activité 4:	Les plus grands espoirs d'un nain	G. Gauthier
Activité 5:	Gabrielle Mathieu, comédienne	J. Taurignan
Activité 6:	Les premiers pas d'une jeune amputée	G. Gauthier

Écrire un texte expressif

Activité 1:	Mon adolescence, telle que je la veux
Activité 2:	Jeu et travail
Activité 3:	Mon avenir

Faire un exposé oral expressif

Activité 1:	La mode
Activité 2:	Un(e) ami(e)
Activité 3:	Le fonctionnement de mon école

Tes objectifs

Écouter un exposé expressif en tenant compte de la situation de communication et du fonctionnement de la langue.

TON INTENTION: t'informer sur les goûts et les sentiments de quelqu'un.

Écrire des textes à caractère expressif en tenant compte de la situation de communication et du fonctionnement de la langue.

TON INTENTION: exprimer tes goûts et tes sentiments.

Faire un exposé oral à caractère expressif.

TON INTENTION: exprimer tes goûts et tes sentiments.

Connaissances

L'exposé expressif

L'exposé expressif, qu'il soit écrit ou oral, a pour but d'exprimer des sentiments et des goûts.

Les parties de l'exposé

L'exposé est habituellement formé d'une introduction, d'un développement et d'une conclusion.
1. L'introduction est une partie très importante, car elle doit susciter l'intérêt de l'auditeur ou du lecteur tout en présentant le sujet.
2. Le développement sert à présenter les idées principales (une par paragraphe) accompagnées d'exemples. C'est la partie la plus longue de l'exposé.
3. La conclusion est utilisée pour rappeler les grandes idées du texte.

Les intentions de l'émetteur

L'émetteur peut avoir une ou plusieurs des intentions suivantes:
1. informer;
2. convaincre (plutôt rare);
3. divertir;
4. surtout exprimer ce qu'il ressent.

Les moyens pour intéresser

Il existe évidemment plusieurs moyens de susciter l'intérêt de l'auditeur ou du lecteur:
1. des exemples nombreux;
2. les raisons;
3. des interjections;
4. des exclamations;
5. un vocabulaire à sa portée.

L'exposé écrit

Quand tu écris un exposé expressif, tu dois franchir certaines étapes et rechercher certaines qualités.

Les étapes

1. Choix du sujet;
2. Réflexion sur ce que tu ressens;
3. Rédaction d'un brouillon (une idée par paragraphe);
4. Correction du brouillon;
5. Rédaction de la version finale.

Les qualités

1. Être clair(e) en expliquant chaque idée et en utilisant des phrases courtes et bien construites.
2. Chercher à être vivant(e) en faisant varier ton style.
3. Avoir une orthographe correcte.
4. Exprimer de manière nuancée tes sentiments et tes goûts.

L'exposé oral

Quand tu prépares ton exposé oral, tu dois chercher à maîtriser ton sujet sans pour autant mémoriser un texte, ce qui nuirait à la qualité de la communication que tu dois établir avec tes auditeurs. Tu dois surveiller les aspects suivants:

1. ton maintien (une bonne tenue plaît au spectateur);
2. la rapidité de ton débit (ni trop lent, ni trop rapide);
3. le volume de ta voix (parler trop haut ou trop bas agace l'auditeur);
4. les intonations et la prononciation (pour intéresser);
5. le trac (tu es capable de bien faire...);
6. être clair(e) et vivant(e).

Activité 1

LA NOBLE MISSION D'UN «GRAND FRÈRE»

Présentation

Le taux élevé des divorces a laissé un grand nombre d'adolescents sans le soutien et la compréhension d'un père. C'est pour remédier à cette situation que l'organisme des «Grands Frères» a été créé. Le «Grand Frère» noue avec l'adolescent des liens d'amitié et lui apporte le réconfort et l'aide dont il a besoin.

Demande à un(e) ami(e) de te lire le texte et réponds à la première moitié du questionnaire durant et après l'écoute. Vérifie tes réponses en consultant le corrigé.

LA NOBLE MISSION D'UN «GRAND FRÈRE»

Le concept de trouver un ami à des garçons provenant de familles désunies fit naître les Grands Frères, il y a plus de quatre-vingts ans, aux États-Unis. Le mouvement s'est étendu au Canada et, en 1975, la région montréalaise était prête à répondre aux besoins de ces enfants dont le goût commun est d'échanger et de discuter. Nous en avons rencontré un, «jumelé» depuis deux ans, le jeune Francis Pelletier.

LA CONFIANCE

À 14 ans, Francis n'est plus un gamin et son Grand Frère, Daniel Charbonneau, 28 ans, s'avère maintenant un de ses meilleurs copains:
— Quand on nous a présentés, explique l'aîné, nous étions deux étrangers qui ont dû s'apprivoiser. Après vingt-sept mois, une sincère camaraderie nous unit mais il a fallu bâtir la confiance mutuelle, découvrir les intérêts de l'autre, les respecter, avant d'en arriver à cette complicité.

● **Pourquoi souhaitiez-vous avoir un Petit Frère?**
— Premièrement, je suis fils unique et célibataire; deuxièmement, j'avais soif de connaître la nouvelle génération et je me suis dit que cette forme de bénévolat était donc pour moi.

● **Et toi, Francis, qu'est-ce qui t'a conduit à cette association?**
— Je vivais le choc du divorce récent de mes parents, et ma mère a songé que ça me ferait le plus grand bien. Ça m'a tenté, j'ai accepté!

● **Quels sont les critères pour en faire partie?**
— Un Grand Frère doit avoir au moins 18 ans, poursuit madame Dion-Vadeboncoeur (directrice générale), et un Petit Frère, entre 8 et 14 ans.

L'engagement entre eux est au minimum d'un an; la sélection des adultes est très rigoureuse, car ils doivent être pour les garçons, en plus des confidents, des modèles d'identification. En onze ans, nous avons procédé au jumelage de 1 600 enfants et, actuellement, 500 le sont.

LES SORTIES

Pour un préadolescent qui n'a pas d'homme dans son entourage immédiat à qui se confier ou s'associer, quels enrichissants moments un Grand Frère peut lui faire partager! Voyons comment Francis et Daniel ont commencé:

— Au début, lancent-ils en choeur, on «s'analysait». On aimait tous les deux les arcades, les sports, alors on y allait. Ce soir par semaine était important pour nous, mais c'était à peu près tout. Puis, le «trip» des machines à boules fini, quand nous nous sommes davantage compris, nous sommes allés au cinéma, au base-ball, faire de la motoneige et, ajoute Francis, Daniel venait me regarder jouer au hockey. Maintenant, on se voit comme deux vieux amis, bien plus souvent!

- **Avez-vous remarqué des changements chez Francis, Daniel?**

— Quand je l'ai rencontré, il était encore à l'âge des p'tits bonshommes dessinés sur du papier. Il a certes changé. Il est plus mature, il s'ouvre énormément comparé à avant. C'est beau de le voir évoluer! Vous savez, je suis là pour l'écouter, aviser, mais mon rôle n'en est pas un d'autorité. Un Grand Frère ne remplace pas un père.

- **Avez-vous des liens avec sa famille?**

— Oui, je suis reçu chez Francis à certaines occasions et j'ai même été, avec grande fierté, son parrain de Confirmation. On se téléphone, on souligne nos anniversaires et on s'organise des sorties régulièrement.

HOMME D'AFFAIRES

Francis confie qu'il fut un temps où sa mère s'est fait du souci:

— Vers 9-10 ans, je fumais, je me tenais avec des adolescents et je rentrais souvent à minuit... Maman était fort inquiète à mon sujet. Tout s'est replacé depuis quelques années. Or, même si je suis sage, je sais qu'il y a des moments pour «lâcher mon fou» et avec Daniel on s'en donne à coeur joie. Je ne néglige plus mes études, tout va bien de ce côté-là.

- **Que veux-tu faire plus tard?**

— J'aimerais devenir policier au sein de l'escouade tactique. Mais en attendant, je gagne aussi un peu d'argent: je me suis lancé dans le commerce du jus d'orange et mon kiosque est très achalandé!

- **C'est un jeune bien déterminé, n'est-ce pas Daniel?**

— Je vois en Francis des capacités d'homme d'affaires, et ce n'est pas moi qui vais le décourager puisque je suis moi-même contracteur en plomberie. Peut-être que même, un jour, on bâtira notre propre commerce ensemble! Pourquoi pas, hein Francis?

- **Quel est votre plus beau souvenir depuis votre «jumelage»?**

— Ah, s'exclament-ils tous les deux! C'est quand on est allés faire une randonnée en motoneige dans les Basses-Laurentides. Un de mes amis chez Bombardier, relate Daniel, nous avait équipés royalement comme pour une expédition. On s'en souviendra longtemps! Mais un autre merveilleux moment, qui n'est pas concret celui-là, c'est quand on a senti que la barrière s'estompait entre nous; l'amitié s'était installée.

PROFONDES DISCUSSIONS

Ces deux fervents partisans du club des Canadiens peuvent jaser ensemble durant des heures et leurs sujets sont des plus variés:

— Nous avons des discussions pas mal profondes, dit Daniel. Par exemple, si Francis a des difficultés à l'école, il m'en parle et nous en arrivons à des solutions. Ce ne sont jamais des conseils directs, mais je peux y aller de mes suggestions.

(Madame Vadeboncoeur prétend même que l'absence d'une présence masculine chez les garçons de l'âge de Francis peut avoir des conséquences graves, tel un risque de délinquance.)

Alors bravo les Grands Frères et Grandes Soeurs de Montréal et poursuivez votre noble mission encore longtemps!

Ginette Gauthier

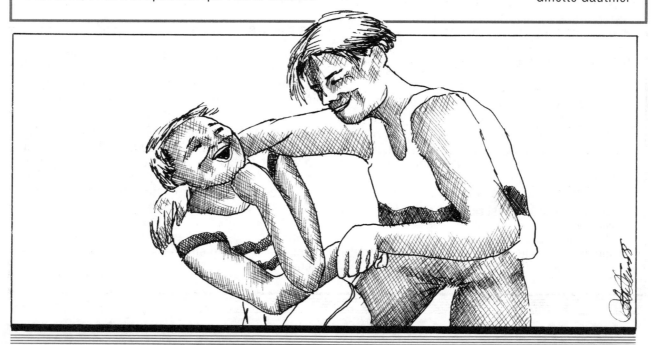

Questions à te poser

Connais-tu des gens qui appartiennent à des familles désunies? Selon toi, en quoi cette expérience est-elle pénible? Crois-tu en la nécessité d'un organisme comme celui des «Grands Frères»? En quoi les Grands Frères peuvent-ils être utiles?

Questionnaire

Durant et après l'écoute

1. Pourquoi Daniel est-il devenu un «Grand Frère»? _____

_____

2. Pourquoi Francis a-t-il accepté le «jumelage»? _____

_____

3. Quels goûts Daniel et Francis avaient-ils en commun? _____

_____

4. Comment Daniel voit-il son rôle? _____

_____

5. Es-tu d'accord avec sa manière de le voir? Pourquoi? _____

_____

6. Quel sentiment Daniel a-t-il ressenti quand il a été choisi comme parrain? _____

_____

7. Quel sentiment la mère de Francis ressentait-elle quand il était plus jeune? _____

_____

8. Quel métier Francis désire-t-il exercer? _____

_____

9. Quel métier Daniel exerce-t-il présentement? _____

_____

10. Quel sentiment unit Daniel et Francis aujourd'hui? _____

_____

11. Quelle est l'intention de l'émettrice de cet exposé? _____

_____

12. À quoi cet exposé te fait-il penser? _____

_____

13. Que penses-tu de Daniel et de son rôle? _____

_____

Prends le texte

14. Dans la partie **Les sorties**, relève tous les mots qui se rapportent aux sentiments et aux goûts.

    Sentiments: _____

    Goûts: _____

15. Quel est le sens des mots suivants?

    Est achalandé: _____

    Lancent-ils en choeur: _____

    S'apprivoiser: _____

    «Lâcher mon fou»: _____

16. Dans le premier paragraphe de la partie **Homme d'affaires**, quels possesseurs ces adjectifs possessifs désignent-ils?

    Sa (mère): _____

    Mon (sujet): _____

    Mes (études): _____

17. «Je vois en Francis des capacités d'homme d'affaires, et ce n'est pas moi qui vais le décourager...» Dans cette phrase, quels mots les pronoms suivants remplacent-ils?

    Je: _____

    Qui: _____

    Le: _____

18. Relève les quatre idées principales de cet exposé. _____

_____

19. Relève deux interjections utilisées dans le texte. _____

_____

20. Donne les premiers et derniers mots de ce qui a servi d'introduction à l'exposé. _____

_____

Activité 2

LA LEÇON DE VIE D'UNE CENTENAIRE

Présentation

Vivre jusqu'à cent ans, c'est presque le rêve de tous, et chacun cherche la recette pour vivre jusqu'à un âge aussi avancé. Écoute madame Marie-Louise Taillon: elle t'offrira peut-être la seule vraie recette d'une longue vie.

Demande à un(e) ami(e) de te lire le texte et tente de répondre à la première partie du questionnaire durant et après l'écoute. Consulte ensuite le corrigé.

LA LEÇON DE VIE D'UNE CENTENAIRE

Le 24 août dernier, madame Marie-Louise Taillon fêtait ses 100 ans. Qu'il est beau et plein le passé de cette maman aux cheveux... depuis longtemps blancs! Certes, il y a eu des hauts et des bas au sein de cette vie étalée de 1886 à aujourd'hui, mais dans les pensées de l'aïeule, les bons souvenirs sont davantage demeurés imprimés. Et c'est ce qu'on comprend quand on regarde ses magnifiques yeux bleus encore si joyeux!

ORPHELINE DE MÈRE

Lorsque nous sommes allés la rencontrer à l'hôpital Sainte-Germaine-Cousin (où elle réside), la coquette centenaire a prouvé à quel point son coeur était gai, puisqu'elle n'a pas cessé de chanter! Toute son existence fut d'ailleurs remplie de musique et de doux refrains comme on le verra plus loin. C'est donc sur les airs de «Près de la fontaine» et «Nous irons au bois ma mignonnette» que nous avons appris l'histoire de cette femme grâce à ses filles, Blanche et Laurence.

• Où votre mère est-elle née?

— Elle est née à Notre-Dame-des-Bois dans les Cantons-de-l'Est. Quand sa mère, Alexina, est décédée, elle n'avait que quatorze mois. Elle avait une soeur aînée et, en se remariant, son père a eu deux autres enfants. Mais jusqu'à l'âge de 9 ans, avant qu'il ne reprenne épouse, elle fut élevée par sa grand-mère. Pas richement évidemment. À 9 ans, donc, ils sont déménagés près de Magog et à 12 ans, elle a oeuvré dans un couvent.

• Quand et dans quelles circonstances sont-ils arrivés à Montréal?

— Elle avait 16 ans quand ils ont dû s'en venir ici parce que son papa, un solide bûcheron, était tombé malade; il est mort l'année suivante, d'un cancer, à l'Hôtel-Dieu de Montréal. Si jeune et toute seule, elle a travaillé à la Dominion Textiles comme fileuse jusqu'à son mariage.

• Parlez-nous de sa rencontre avec votre père.

— Elle sortait de l'église quand elle a demandé à sa soeur: «Qui est ce beau garçon?»... lequel se tenait un peu plus loin sur le perron. Comme sa soeur aînée le connaissait, elle le lui a présenté et au bout de deux ans de fréquentations, à 23 ans, elle l'a épousé! C'était dans la paroisse Saint-Vincent-de-Paul, le 26 juillet 1909.

• À cette époque, quelle était leur situation financière?

— On a toujours bien vécu sauf à l'époque de la crise. Papa gagnait 18 $ par semaine, ce qui était fort satisfaisant dans l'temps! Il a été menuisier puis monteur de structures d'acier (il en a fait pour Eaton, Dupuis, la Sun Life et Ogilvy). Or, pendant le «crash», l'ouvrage était rare et, sans argent pour payer ses billets de tramway, il marchait (Tétreaultville c'était la campagne) jusqu'en ville pour s'en trouver. À force de courage et de ténacité, on a pu s'en relever.

NEUF ENFANTS

Les filles de madame Taillon (née Gonze, d'origine belge) s'empressent de vanter l'habileté et la débrouillardise de l'auteure de leurs jours:

— Maman avait de véritables doigts de fée! Elle aimait nous voir bien habillés et faisait tous nos vêtements ainsi que de superbes courtepointes, des fleurs, des coussins, etc.

• Combien êtes-vous d'enfants?

— Nous étions neuf enfants. Deux petites filles sont mortes, l'une à 3 ans («faux croup») et la seconde à 10 jours; deux autres ont été emportés par le cancer à 31 et 63 ans. Nous sommes cinq maintenant. Deux garçons, trois filles, dont l'aîné a 76 ans et la cadette, 58 ans. Maman a quarante-quatre petits et arrière-petits-enfants.

• Elle adore chanter, n'est-ce pas?

— Elle a toujours chanté comme ça. Elle tient ce goût et ce talent de son père qui, paraît-il, avait une belle voix comme celle de Yoland Guérard. Chez nous, nous avions un piano et on jouait, on fredonnait. Au fond, maman a toujours eu une âme d'enfant, et laissez-nous vous dire qu'elle n'avait pas sa pareille pour jouer des tours!

• Par exemple?

— Elle et papa riaient, s'amusaient. Ainsi, il lui arrivait de cacher nos affaires et, quand on a été plus vieilles, d'habiller un mannequin et de le placer dans l'entrée pour nous effrayer (si on rentrait trop tard)! Et, à son tour, papa camouflait des ustensiles dans leur lit afin de l'entendre s'esclaffer et là, nous les enfants, nous riions tous aux éclats. C'est dans cette atmosphère de bonheur qu'on a grandi.

32 TARTES

Marie-Louise («Lou» comme la prénommait affectueusement son époux) était une cuisinière hors pair:
— Elle appréciait que la maison soit pleine de monde. Ainsi, elle encourageait nos frères à inviter les membres de leurs équipes sportives et déposait alors sur la table des assiettes de sucre à la crème. Elle faisait de délicieuses bagatelles, des ragoûts, des soupes et, pour sa visite du dimanche, allait jusqu'à confectionner parfois trente-deux tartes! Elle organisait des jeux et les gagnants en remportaient chacun une.

• Elle faisait preuve d'une grande sociabilité?
— Exactement et jouer aux cartes était son passe-temps préféré. Elle souhaitait voir tout le monde heureux et comblé autour d'elle. Elle possédait tout un sens de l'organisation. Quand nos parents ont possédé une automobile Ford, en 41, le vendredi soir, nous allions nous promener et faire les commissions au marché.

• La semaine, entre deux corvées, quelle était sa distraction préférée?
— S'occuper de son immense jardin! Même ici, à son âge, ce qui lui fait le plus plaisir est de recevoir une tomate ou un concombre cueilli exprès pour elle!

• Comment a-t-elle réagi au modernisme?
— Si elle a apprécié l'avènement de l'électricité, à vrai dire, elle ne s'est pas pâmée devant la télévision. Elle s'asseyait devant l'appareil pour faire plaisir à papa qui la réclamait à ses côtés, mais elle s'endormait dans son fauteuil. Elle préférait demeurer active, coudre ou écrire à la parenté. Même la radio n'était guère pour elle une priorité; nous ne l'écoutions que le soir pour le chapelet en famille.

MANTEAU DE FOURRURE

Tout en continuant de fredonner «... un oiseau chantait», madame Taillon sourit d'émotion lorsque ses filles ouvrent les pages sentimentales de son passé.
— Un peu avant la crise, papa était arrivé un jour tout fier de gâter sa «Lou» en lui offrant un manteau de fourrure en marmotte! Car, en plus de se taquiner, ces deux-là aimaient bien se choyer. Pour leur voyage de noces, ils avaient choisi Kate-Vale dans l'Estrie où la soeur de maman habitait encore. D'ailleurs, à tous les étés, ils nous y ont amenés.

• D'après vous, quel est son plus beau souvenir?
— Elle nous l'a répété souvent: ce fut de nous élever! Maman était très proche de nous, mais elle nous faisait participer à la bonne marche de la maison. Les jours de lessive, elle nous faisait brasser le moulin à laver chacun notre tour durant dix minutes, le matin et le midi entre les heures d'école. Or, même aux filles, elle n'a jamais prêté sa machine à coudre par crainte de se la faire briser. Pour elle, ce meuble-là était sacré.

• Aimant profondément la musique, s'adonnait-elle à la danse?
— Si elle dansait? Merveilleusement! Imaginez que c'est elle-même qui a enseigné à danser au plus vieux de nos frères.

• Quel est, d'après vous, le secret de sa longévité?
— Sa bonne alimentation. Elle cuisinait tout ce que nous voulions, des gros repas, mais elle optait, pour sa part, pour des fruits et des légumes frais. Elle avait des principes solides concernant la santé.

5 FOYERS

En 1970, Marie-Louise Taillon perdait son fidèle conjoint, et cette réalité fut très dure à traverser:
— Quand papa fut hospitalisé, en 69, ici même à Sainte-Germaine-Cousin, elle était certaine qu'il allait revenir... Mais il s'est éteint. Là, elle a entamé sa période de «bougeotte». Elle a maintes fois déménagé, on aurait dit qu'elle n'était plus capable de se stabiliser.

• Où a-t-elle habité?
— À tour de rôle, chez nous, les enfants, puis dans cinq foyers! Elle «se tannait» et elle changeait. Un jour, elle a réclamé sa place ici (là où son mari était parti) et, pour ce faire, à 93 ans, elle a joué la grande malade même si, physiquement, elle était encore capable. Ce n'est pas pour rien qu'on l'appelle notre Sarah Bernard, elle excelle comme comédienne.

• Comment, actuellement, est sa santé?
— Elle ne porte ni appareil auditif ni lunettes. Mais elle commence à être fatiguée: récemment, elle a été victime d'une infection pulmonaire doublée d'une insuffisance cardiaque, mais elle s'en est remise. À 97 ans, elle s'était fracturé une hanche en tombant et avait passé au travers l'opération. Encore maintenant, elle suscite notre étonnement.
Avec raison! Cette chère madame Marie-Louise Taillon, une ravissante centenaire, célèbre en chantant ses respectables 100 ans... Félicitations!□

Ginette Gauthier

Questions à te poser

Que penses-tu de la vieillesse et des personnes âgées? Que penses-tu du genre de vie de madame Taillon? Ce genre de vie t'aurait-il plu? Pourquoi? Aurais-tu aimé vivre dans un monde non envahi par la télévision, la radio et l'électricité? Quels avantages et désavantages en aurais-tu rétirés?

Questionnaire

Durant et après l'écoute

1. Qui raconte la vie de Marie-Louise Taillon? _____

2. Pourquoi, selon toi, ne la raconte-t-elle pas elle-même? _____
_____

3. Durant l'écoute, qu'as-tu appris au sujet...

   a) des parents de Marie-Louise? _____
   _____

   b) de son mari? _____
   _____

   c) de ses enfants? _____
   _____

   d) de sa vie actuelle? _____
   _____

4. Nomme quelques qualités qu'on lui reconnaît. _____
_____
_____

5. Donne le mot ou l'expression que l'auteure utilise pour exprimer le sentiment ou le goût de Marie-Louise pour...

   le chant: _____
   _____

   une maison pleine de monde: _____
   _____

   les cartes: _____
   _____

   les fruits et les légumes frais: _____
   _____

   l'habillement de ses enfants: _____
   _____

   la télévision: _____
   sa machine à coudre: _____

6. Quel(s) exemple(s) apporte-t-on pour prouver le goût de Marie-Louise...

   a) pour la musique? _____

   b) pour jouer des tours? _____

   c) pour avoir une maison pleine de gens? _____
   _____

7. Quels mots de l'exposé tendent à prouver qu'il existait un climat d'amour entre Marie-Louise et son mari? _____
_____
_____

8. Quel sentiment ses enfants ressentent-ils devant sa longévité? _____

9. Que penses-tu du goût que Marie-Louise avait de s'entourer de beaucoup de gens à la maison?
_____
_____

10. Quel genre de mère Marie-Louise était-elle, selon toi? _____
_____
_____

11. Que penses-tu de sa réaction face à la radio et à la télévision? _____
_____
_____

12. À quoi ou à qui la vie de Marie-Louise te fait-elle penser? Pourquoi? _____
_____
_____

Prends le texte

13. Que signifient les expressions suivantes?

   Hors pair: _____

   S'esclaffer: _____

   Elle «se tannait»: _____

   Ouvrent les pages sentimentales: _____

14. Par quel(s) moyen(s) tente-t-on de susciter l'intérêt du lecteur dans l'introduction? _____
_____
_____

15. Quelles sont les cinq idées principales du développement? _____

_____

_____

16. De quelle manière l'émettrice conclut-elle l'exposé? _____

_____

17. Dans le premier paragraphe de la partie **5 foyers**, relève les circonstances de...

temps: _____

lieu: _____

18. Dans le texte, pourquoi utilise-t-on...

   • le tiret? _____

   • les guillemets? _____

_____

_____

19. Quel(s) qualificatif(s) l'émettrice utilise-t-elle pour qualifier...

   • les cheveux de Marie-Louise? _____

   • les yeux de Marie-Louise? _____

   • le coeur de Marie-Louise? _____

20. Dans la réponse à la question «Parlez-nous de sa rencontre avec votre père», relève une phrase...

   interrogative: _____

   exclamative: _____

Activité 3

DES PRÉJUGÉS QU'IL FAUT COMBATTRE

Présentation

Hubert Ravinel s'entretient avec cinq jeunes qui nous disent ce qu'ils pensent des personnes âgées et ce qu'ils en attendent. À les écouter, on se rend compte que certains préjugés concernant nos aînés sont en train de disparaître enfin.

Demande à un(e) ami(e) de te lire le texte et réponds à la première moitié du questionnaire durant et après l'écoute. Vérifie toutes tes réponses en consultant le corrigé.

DES PRÉJUGÉS QU'IL FAUT COMBATTRE

Récemment, nous sommes allés rencontrer cinq jeunes cégépiens, de 17 à 20 ans, deux filles, trois garçons. Ils suivaient leurs cours au collège Ahuntsic, au nord de Montréal. Très simplement, ils ont accepté de s'entretenir sur leur vision du troisième âge, sur leurs attentes de la part des personnes dites âgées. Nous leur posions des questions à bâtons rompus, sans ordre bien précis. Les réponses venaient très naturellement. Aucun calcul, aucune méfiance, beaucoup de spontanéité, voire d'enthousiasme. Ce fut un entretien chaleureux et enrichissant.

SUR LES RELATIONS AVEC LES PERSONNES ÂGÉES

Daniel: «Avec des personnes âgées, l'entente est beaucoup plus facile qu'avec les adultes actifs.» Cette affirmation est confirmée par Line qui ajoute que les grands-parents sont plus réceptifs!

Jean: «Mes parents manquent de recul face à moi. Mes grands-parents ne me jugent pas, même si, sur bien des points, ils ne sont pas nécessairement d'accord avec ce que je pense ou ce que je fais.»

Pierre: «Les grands-parents ne veulent pas se mêler de l'éducation de leurs petits-enfants. En général, ils ne tiennent pas à semer de la mésentente dans la famille, ils respectent leurs enfants.»

Daniel: «Pour moi, mes grands-parents sont plus significatifs que mes parents. Je suis plus à l'aise avec eux.»

Michèle: «Je me sens plus près des vieux, en particulier lorsque je monte des spectacles.» (Michèle organise parfois avec des amis des fêtes et des soirées récréatives.) «... J'ai déjà participé à des groupes pour distraire des personnes âgées: chant, théâtre, folklore, etc. Ça m'a passionnée, je trouve les vieux beaucoup plus réceptifs que les jeunes, beaucoup plus enthousiastes. J'ai été *prise aux tripes* par les réactions de l'auditoire. Je trouve que les vieux s'expriment davantage, ils se sentent moins jugés par les autres, ils se retiennent moins. Il y a pour moi, une grande affinité entre les vieux et les enfants.»

SUR LA PRÉSENCE DES PERSONNES ÂGÉES AU COLLÈGE

Line: «Je trouverais ça tout à fait correct que des vieux puissent s'inscrire au collège. Ils apporteraient de la chaleur humaine en masse. Dans mon département de sciences humaines, il en manque beaucoup de la chaleur humaine.»

Daniel: «Je ne comprends pas très bien pourquoi un vieux voudrait encore étudier, il me semble que les études, c'est pour être mieux placé sur le marché du travail. Une personne âgée, ça n'a plus à compétitionner...!»

Line: «C'est sûr que les vieux, ils ont une place au collège. Sûrement pas pour nous parler du **bon vieux temps**. Je les vois dans un local, bien annoncé, où tous les étudiants pourraient venir leur parler...»

Q: «Leur parler de quoi?»

Line et les autres: «Des tas de choses, on aimerait qu'ils viennent nous écouter, les vieux savent beaucoup mieux écouter que les jeunes. Ils pourraient jaser avec nous, parler de leurs problèmes, nous dire comme ils nous voient. C'est pas nos copains qui nous diront ce qu'ils pensent de nous...»

SUR L'AMITIÉ ENTRE JEUNES ET VIEUX

Daniel: «J'aime prendre un verre avec mon grand-père. Il a le temps de m'écouter, il me juge moins que les adultes.»

Line: «Ma grand-mère et moi, on n'a pas les mêmes idées sur la religion. Elle connaît mes idées, jamais elle ne me passe de commentaires critiques à ce sujet.»

Daniel: «Mes grands-parents me respectent, mais jamais ils n'accepteront mes idées. Ils ne sont pas tellement intéressés aux changements.»

Jean: «Si une personne âgée venait me parler d'elle, de ses problèmes, je serais bien d'accord, mais je me sentirais tout petit... j'ai seulement vingt ans...»

Jean est alors interrompu par les autres qui lui disent que la sagesse et l'expérience, ce n'est pas uniquement une question d'années.

Michèle: «Je dialogue souvent avec mes grands-parents, j'essaie de leur faire comprendre des choses. Tiens, par exemple, pour le bingo. Ma grand-mère va souvent au bingo, mon grand-père trouve qu'elle sort trop à son goût. J'ai fini par faire comprendre à mon grand-père que lui aussi a beaucoup d'occupations à l'extérieur et que c'est juste normal que ma grand-mère puisse avoir ses distractions...»

Pierre: «Je me sentirais important si un vieux venait me demander de l'aide ou voulait se confier à moi.»

Q: «Je voudrais vous poser une question. Pour vous cinq, si je dis le mot «vieux» ou «vieillesse», à quoi pensez-vous immédiatement sans réfléchir?»

Tous répondent presque ensemble, spontanément: «Affection, chaleur, expérience, tendresse, intolérance...».

Jean: «Les vieux se contrôlent moins, un jeune a moins le droit d'être sensible...»

SUR LE RÔLE DES PERSONNES ÂGÉES

Q: «Quel rôle possible voyez-vous pour les personnes âgées?»

Pierre: «Elles ont le droit de profiter un peu de la vie, après avoir tant travaillé!»

Daniel: «Encore faudrait-il qu'elles en aient les moyens physiques et financiers!»

Pierre: «Mon grand-père a plus de 80 ans, il est encore très actif, moi je ne crois pas que chez lui l'âge soit une raison de changer quoi que ce soit à ses occupations.»

Tous approuvent Pierre. Cependant, il y a désaccord sur les rôles possibles. Pour Daniel, puisque la société exclut les gens du marché du travail à soixante-cinq ans, les retraités n'ont plus tellement de rôle à jouer, puisque les seuls rôles valables dépendent en fait du métier qu'on exerce. «C'est injuste, mais c'est comme ça.»

SUR LES CENTRES D'ACCUEIL

Line: «Je suis originaire de Gaspésie. Là-bas, il y a beaucoup de centres d'accueil, et aussi des clubs d'âge d'or. Les clubs d'âge d'or surtout y sont très vivants. Les foyers sont bien organisés, les personnes âgées sont bien traitées, mais elles ne s'y sentent pas chez elles, il n'y a pas beaucoup de vie dans ces bâtisses.»

Michèle: «J'ai remarqué à quel point les gens des centres d'accueil sont heureux quand on vient de l'extérieur, quand on organise une fête pour eux. Ils sont enthousiastes. Il me semble que les distractions, les fêtes, ça devrait venir de l'intérieur.»

Tous les participants se mettent d'accord pour critiquer l'aspect **ghetto** de certains foyers de personnes âgées, surtout quand ceux-ci ont une dimension importante. Par contre tous sont également d'accord pour souligner la difficulté pour les familles d'intégrer les aînés, de les accueillir en permanence.

Pierre: «C'est vrai, je ne suis pas sûr que ce soit la meilleure solution pour les personnes âgées de demeurer chez leurs enfants. Ce qu'elles aiment, c'est de rester près d'eux, mais avant tout d'être indépendantes. Ainsi, mon oncle a fait construire une rallonge à sa maison pour pouvoir accueillir sa belle-mère qui se trouve ainsi chez elle tout en participant de très près à la vie de famille.»

Line: «Ce que tu dis, c'est correct, mais tout le monde ne peut pas construire une annexe pour ses parents. Moi, je trouve que la société met les gens dans des moules, dans des boîtes, chacun se débrouille comme il peut, reste à sa place. Il n'y a plus de solidarité.»

La conversation continue sur les centres d'accueil et la place des aînés dans la communauté. Et de fil en aiguille, on en arrive à discuter à nouveau du cégep.

Q: «Accepteriez-vous une personne âgée comme professeur?»

La réponse est unanime: «Oui, pas de problème, ce serait le «fun», si ce professeur âgé a de la chaleur humaine, s'il est disponible aux étudiants, si c'est un bon prof et s'il nous fait bien passer sa matière.»

SUR LES MÉDIAS ET LE TROISIÈME ÂGE

Un des participants ayant soulevé l'importance du rôle des médias de communication dans l'information du public vis-à-vis du troisième âge, la conversation est tombée sur les émissions de radio et de télévision, en particulier celles de Radio-Canada.

Line: «Je regarde et lis de temps en temps, pas très souvent, «Le Temps de vivre». Je suis un peu fatiguée de ce genre de revues. Des vieux s'adressent à des vieux. J'aimerais qu'ils cessent un peu de bricoler ou de se raconter le bon vieux temps. J'aimerais qu'ils me parlent d'eux au présent, qu'ils me disent comment ils me voient...»

Pierre: «Qu'ils me parlent de leurs idées, de leurs problèmes, de leur vécu...»

La conversation s'est terminée sur ce souhait. On aurait pu parler encore pendant des heures. Nous sentions une atmosphère de chaleur humaine partagée, d'affection pour les aînés, d'écoute mais aussi de franchise et de spontanéité.

Un temps fort quoi!

Hubert Ravinel

Questions à te poser

Penses-tu la même chose que ces jeunes des personnes âgées? Pourquoi? Crois-tu qu'il serait souhaitable qu'elles vivent plus au milieu des jeunes? Pourquoi? Qu'attends-tu exactement des personnes âgées?

Questionnaire

Durant et après l'écoute

1. Dans quel but l'émetteur est-il allé interviewer cinq jeunes? _____
_____

2. Quel sentiment Daniel ressent-il face à ses grands-parents? _____
_____

3. Quelle(s) qualité(s) Michèle reconnaît-elle aux personnes âgées? _____
_____

4. Quelles preuves apporte-t-elle? _____
_____

5. Pourquoi ces cinq jeunes aimeraient-ils voir des personnes âgées au collège? _____
_____

6. À quel(s) sentiment(s) ces jeunes pensent-ils quand on parle de personnes âgées? _____
_____

7. Que pensent ces cinq jeunes des foyers? _____
_____

8. Comment les jeunes réagiraient-ils si une personne âgée allait leur enseigner? _____
_____

9. Par quoi Line aimerait-elle que les personnes âgées remplacent le bricolage et le bavardage?
_____
_____

10. Selon toi, pourquoi ces jeunes trouvent-ils les personnes âgées si sympathiques? _____
_____

11. Es-tu d'accord avec Pierre quand il affirme que les personnes âgées veulent surtout être indépendantes? Pourquoi? _____
_____

12. Peux-tu identifier des préjugés de ces jeunes face aux personnes âgées? _____
_____
_____

13. Qu'est-ce qui t'a intéressé(e) dans cette interview? _____
_____
_____

Prends le texte

14. Par quels mots l'introduction se termine-t-elle? _____
_____

15. Comment, dans l'introduction, cherche-t-on à susciter l'intérêt de l'auditeur? _____
_____
_____
_____

16. Quelles sont les six idées principales développées dans l'interview? _____
_____
_____

17. Dans les paroles de Michèle, relève deux mots ou deux expressions qui expriment des sentiments vécus par les personnes âgées. _____
_____

18. Que ressentiraient Pierre et Jean si une personne âgée venait leur parler de ses problèmes?
Pierre: _____
Jean: _____

19. Dans la première intervention de Jean, quels mots les pronoms personnels suivants remplacent-ils?
Moi: _____
Ils (ne sont pas): _____
Je (fais): _____

20. Dans la première intervention de Jean et de Pierre, quels possesseurs ces adjectifs possessifs désignent-ils?
Mes (parents): _____
Leurs (petits-enfants): _____
Leurs (enfants): _____

21. Relève deux circonstances de manière dans l'introduction. _____

_____

22. Identifie deux adverbes qui précisent la manière dans l'introduction. _____

_____

23. Relève des adjectifs et des noms qui expriment des goûts et des sentiments dans l'introduction.

_____

_____

Activité 4

LES PLUS GRANDS ESPOIRS D'UN NAIN

Présentation

Ginette Gauthier nous fait rencontrer Benoît Pelletier, une petite personne pleine de dynamisme et d'optimisme. Écoute-le parler de sa vie et de ses espoirs et tu en retireras une leçon de courage et de détermination.

Demande à un(e) ami(e) de te lire le texte et réponds à la première moitié du questionnaire durant et après l'écoute. Vérifie ensuite toutes tes réponses en consultant le corrigé.

LES PLUS GRANDS ESPOIRS D'UN NAIN

S'il avait un travail, Benoît Pelletier se considérerait heureux dans la vie, même s'il est petit. En effet, ce jeune homme de 25 ans est nain et, professionnellement, les portes ne semblent pas vouloir s'ouvrir devant lui. Pourtant, il avait des rêves, des projets, il y a quelques années... mais il les a vus s'envoler. C'est ce qu'il nous a confié en toute simplicité.

ENFANCE DORÉE

Originaire de Farnham (dans un arrondissement à l'extérieur du village), Benoît croit que sa jeunesse a été privilégiée comparée à celle des «petites personnes» nées dans la grande ville.
— On se connaissait tous, on m'a vu vieillir, donc je n'ai été ni pointé ni remarqué. J'étais Benoît Pelletier, fils d'un tel, c'est tout. J'ai vécu ce qu'on pourrait appeler une enfance dorée, sans problème particulier.

● **Est-ce que vos frères et soeurs sont de taille moyenne?**
— Oui, ils sont de grandeur normale. Nous sommes cinq enfants, je suis le seul qui n'a pas grandi. On en ignore donc la cause, Dame Nature en a probablement décidé ainsi.

● **Combien mesurez-vous?**
— Je mesure 4'2"* et pèse 95 livres.**

● **Avez-vous été examiné par des médecins?**
— Je suis né avec la tête plus grosse mais ça ne voulait rien dire à l'époque. À 3 ans, quand j'ai pratiquement cessé de croître, ma mère a consulté mais on n'a pu que confirmer ses inquiétudes. J'étais bel et bien atteint de nanisme et rien ne pouvait y remédier. En tout cas, comme ils n'étaient pas garantis, je n'ai subi aucun traitement précis.

● **Vos parents vous ont-ils surprotégé?**
— Je serais tenté de répondre oui, car maman m'amenait partout, même au bingo! Assez que le cadet, chez nous, a un bout de temps été jaloux. On aurait dit que c'était moi le bébé. Très jeune, j'ai pris des bains de foule en accompagnant mes parents et je ne comprenais pas toujours les questions que certains adultes posaient à mon sujet. Comme maman n'en faisait pas de cas, eh bien! moi aussi j'ai agi comme ça.

● **Et à l'école, comment ça se passait?**
— Il y avait des blagues mais jamais méchantes. On m'agaçait, on m'appelait «le petit chouchou», c'est tout. Moi, je riais. Et puis, vers ma quatrième année, je me suis entouré de gardes du corps pour affronter les plus durs! J'avais toujours les mêmes grands pour me défendre. On ne m'attaquait pas parce que j'étais petit, mais vous savez comment on est à cet âge-là, on se taquine, on se bouscule, etc.

● **Vous étiez donc comblé?**
— Sur tous les plans, familialement, socialement et scolairement, oui, jusqu'à ce que j'entre au secondaire. Là, les difficultés ont commencé.

FUTUR CUISINIER

À l'adolescence, Benoît n'était pas préparé, lui qui sortait à peine de son existence douillette, aux embûches de l'existence. Il aspirait à apprendre un métier mais ça n'a pas fonctionné.
— Je voulais devenir cuisinier. J'y songeais depuis toujours. J'ai donc choisi l'option cuisine où, grâce à un banc qui me permettait d'accéder aux armoires et aux poêles, j'ai pu terminer ma première année «cuisine maison». Pour la seconde année, arrivé à l'étage «cuisine restaurant»,

malgré de bonnes notes, on m'a dit qu'il y avait trop d'élèves, mais je pense qu'on ne m'a pas dit la vérité. Mon banc gênait des gens.

● **Qu'avez-vous décidé?**
— On voulait m'orienter en menuiserie (où il était dangereux que je me coupe un bras) ou en soins esthétiques. Je n'ai donc pas eu le choix, j'ai abandonné mes études même si j'avais expressément changé d'école pour recevoir ce cours. Ce fut le chagrin de ma vie. Je serais cuisinier aujourd'hui au lieu d'aller de projet gouvernemental en projet comme je le fais. Heureusement que j'ai un caractère facile, au-dessus de tout ça. Je continue de rêver à devenir cuisinier (avis aux intéressés!). Je suis prêt à tout apprendre graduellement avant d'y arriver.

● **Et les sports, y avez-vous eu accès?**
— Pas les sports d'équipe, c'est-à-dire que je ne peux m'impliquer sur le terrain, mais ils m'ont toujours intéressé. À 22 ans, sans jouer, j'avais mon équipe de balle molle; j'entraînais des enfants. Depuis toujours, je m'adonne au ski alpin qui est fatigant pour les jambes, mais quand on veut..., ainsi qu'à la natation et à la raquette.

● **Pourquoi êtes-vous déménagé à Montréal?**
— Parce que j'avais reçu une offre pour travailler chez un fleuriste dans le cadre d'un projet subventionné. Ça ne durait que quelques mois mais j'ai décidé de rester.

● **Vous êtes-vous déjà trouvé un emploi?**
— Plus jeune, dans ma région, j'ai été barman (ça étonne toujours les gens quand je mentionne ça), plongeur dans un restaurant puis ai occupé un emploi d'été au village du Far West de Saint-Césaire. Mais ça c'est loin de la cuisine, n'est-ce pas?

CINÉMA ET DISCO

Quand Benoît parlait de projets, tantôt, il a participé à plusieurs, car c'est un jeune homme qui déteste l'inactivité, et il est encore impliqué.
— J'ai été animateur au sein de l'un d'eux qui consistait en de la recherche sur les nains. J'aimais ce projet de groupe qui s'occupait autant de bazars, de financement que de camps d'été. Actuellement, je me suis embarqué dans un autre, mis sur pied par le club «Le petit monde du Québec», association qui existe depuis dix ans.

● **Quels sont les buts de ce club?**
— Regrouper les petites personnes pour les informer sur le nanisme, leurs droits, leur donner des bonnes adresses, etc. Justement, on aimerait accueillir des nains qui auraient subi des traitements hormonaux pour en analyser les résultats. Nous allons même faire un vidéo pour sensibiliser le public et les autorités. Nous sommes 150 membres.

● **Quelles sont vos sorties préférées, Benoît?**
— Je vais au cinéma, dans les disco, je ne vois même pas ceux qui me regardent. Car ici, dans la métropole, c'est différent de la campagne. Moi, je ne pense pas à ma taille et puis, lance-t-il en riant, j'ai encore mes protecteurs et des amis, grands et petits!

● **Quels sont les problèmes les plus fréquents que vous rencontrez?**
— Les problèmes d'accessibilité: téléphones publics, ascenseurs, tablettes d'épicerie, rayons de vêtements, marches des transports en commun, etc. C'est toujours trop haut! Je suis sociable, ça ne me dérange pas de demander de l'aide, mais parfois c'est dérangeant.

● **Vous me semblez bien épanoui?**
— Évidemment, je n'ai aucune raison d'être agressif ou frustré, puisque j'ai la santé. Il y a tant de gens qui en sont privés. Je suis un bon vivant et je mords dans l'existence à pleines dents. Régulièrement, je vais visiter mes parents, mes frères et soeurs, et ils sont fiers de mon cheminement.

LINGE D'ENFANT

Dans son spacieux logement éclairé, Benoît s'avère un hôte à l'aise, et aucun meuble ne trahit la petitesse de l'habitant des lieux.
— Je ne vois pas pourquoi je réduirais les meubles à ma dimension; le seul élément ici qui traîne dans toutes les pièces, c'est mon petit banc; je l'amène partout, au salon, dans la cuisine, au cas où. Mais à part ça, je vis comme tout le monde, me débrouillant quotidiennement.

● **Avez-vous des problèmes pour vous vêtir?**
— J'achète mes chandails et chemises dans les départements pour enfants des magasins; quant aux pantalons, je choisis des tailles adultes mais je passe les ciseaux dedans! Parfois, ça modifie malheureusement toute la coupe, mais je connais des nains obligés de s'habiller sur mesure. Pour mes chaussures, je choisis une petite pointure. J'essaie de me tenir à la mode, même si ça demande parfois plus de temps avant de dénicher le bon vêtement.

● **Justement, quelles sont vos relations avec les enfants?**
— Ils me perçoivent comme l'un des leurs. Pour eux, je ne suis pas vieux. Ils ont une curiosité naturelle que je comprends. J'ai vu, une fois, un père battre son petit garçon parce qu'il m'avait montré du doigt! Je me suis présenté et j'ai défendu l'enfant. Ça n'avait pas de bon sens!

● **Cuisinez-vous pour vous, personnellement?**

— Bien sûr, j'adore ça. Même qu'avant de m'en venir à Montréal, quand ma mère a regagné le marché du travail, c'est moi qui mijotais les petits plats. Quand elle arrivait, le repas était prêt. J'espère qu'un jour j'aurai cette chance et ce grand bonheur de pratiquer dans une cuisine commerciale, j'y pense souvent.

● **Comment trouvez-vous la société face aux nains?**

— Elle est de plus en plus ouverte, et notre attitude, j'en suis certain, a contribué à démystifier notre état. Autrefois, on parlait d'un handicap! Notre seule différence avec autrui est que nous sommes petits.

UNE FEMME, DES ENFANTS

Benoît Pelletier caresse plusieurs ambitions pour son avenir. À 25 ans, il fait sagement confiance au temps.

— D'abord, bien sûr, un métier puis peut-être me marier, avoir une maison, une automobile, pourquoi pas?

— J'ai eu plusieurs «blondes» dont une seule petite. Je suis seul présentement, mais j'aimerais bien reprendre avec cette dernière que j'ai fréquentée quelques mois. On se voit d'ailleurs en amis, car on était trop jeunes et notre relation, trop sérieuse. Mais maintenant, qui sait?

● **Voulez-vous des enfants?**

— Oui, j'en voudrais. S'ils ne sont pas nains, ils seront petits, c'est presque certain. Ça ne fait rien. La grandeur ne compte pas, et seule importe la façon d'aimer et d'éduquer un enfant. Moi, je l'ai été tendrement; alors, je suivrai l'exemple de mes parents. Certains nains ne veulent pas d'enfants à cause du rappel de leurs difficultés de jeunesse; ils se demandent: «Comment va-t-il affronter la vie?»; mais ce n'est pas mon cas. Je suis heureux et entends m'aider pour le demeurer.

● **Au fond, vous êtes un fonceur?**

— Oui, et c'est une caractéristique qui n'a aucun rapport avec la taille. Notre slogan au club est: «Nous sommes petits mais nous voyons grand», et je l'applique à cent pour cent. Ma mère m'a tellement incité à me débrouiller.

Oui, Benoît Pelletier a une vie assez bien remplie et, avec un bon métier en main, il ne serait plus inquiet pour demain. Il a semé ce qu'il fallait pour réussir, et gageons que prochainement cela va survenir. Alors, il aura une autre bonne raison de sourire!

Ginette Gauthier

* 1,27 m.
** 43 kg.

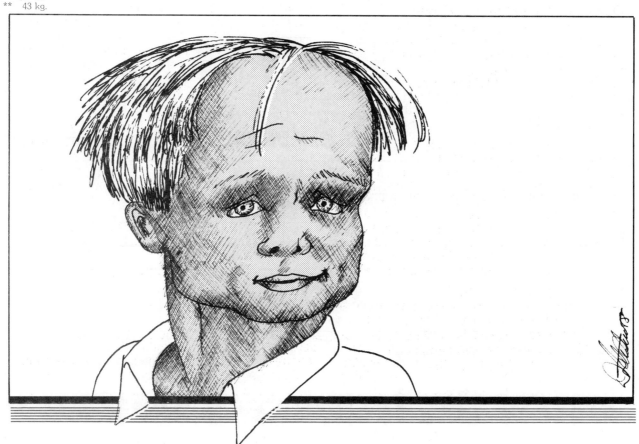

Questions à te poser

Que penses-tu de la manière qu'a Benoît de voir la vie? Quelle réaction as-tu quand tu croises une petite personne? Pourquoi? Si tu étais comme Benoît, comment réagirais-tu?

Questionnaire

Durant et après l'écoute

1. Quel sentiment Benoît ressent-il quand il pense...

   • à son enfance? _____

   • à son école primaire? _____

   • à son départ de l'école secondaire? _____

2. Quelle a été la réaction de sa mère quand il a arrêté de grandir? _____
_____

3. Quel sentiment le cadet de la famille ressentait-il quand sa mère surprotégeait Benoît? _____
_____

4. Donne un exemple que Benoît apporte pour prouver...

   a) que sa mère le surprotégeait. _____

   b) qu'il se débrouillait au cours de cuisine. _____

5. Quels sont les goûts de Benoît...

   a) pour les sports? _____

   b) pour les sorties? _____

6. Quelle réaction Benoît a-t-il face à l'inactivité? _____

7. Quel sentiment ses frères et soeurs ressentent-ils face à son cheminement? _____
_____

8. Quel sentiment Benoît a-t-il par rapport à...

   a) la cuisine? _____

   b) la vie en général? _____

   c) son avenir? _____

9. Quels sont les espoirs de cet homme en ce qui concerne...

   a) le travail? _____

   b) la vie familiale? _____

10. Qu'est-ce qui t'a intéressé(e) dans cette interview? _____

_____

_____

11. En quoi Benoît te semble-t-il courageux? _____

_____

_____

12. Quels goûts as-tu en commun avec Benoît? _____

_____

13. Selon toi, qu'est-ce que la société pourrait faire de plus pour les petites personnes comme Benoît?

_____

_____

Prends le texte

14. Comment Ginette Gauthier tente-t-elle de susciter l'intérêt du lecteur dans son introduction?

_____

_____

15. Relève les cinq idées principales du développement. _____

_____

16. Quelle conclusion donne-t-on à cette interview? _____

_____

17. Dans la réponse à la question «Voulez-vous des enfants?» (section **Une femme, des enfants**), identifie une phrase interrogative et une phrase négative.

Interrogative: _____

Négative: _____

18. Relève une exclamation de Benoît durant l'interview. _____

19. Quel est le pronom personnel qui revient le plus souvent? Est-ce normal? Pourquoi? _____

_____

_____

20. Relis la partie **Linge d'enfant** jusqu'à la deuxième question et identifie les circonstances...

- de lieu: _____
- de cause: _____
- de manière: _____

21. Dans la partie **Cinéma et disco**, quels mots les subordonnées suivantes complètent-elles?

Qui consistait: _____   **Qui s'occupait:** _____

Qui déteste: _____   **Qui existe:** _____

22. Quel sens donnes-tu aux mots et expressions qui suivent?

Démystifier: _____

Des «blondes»: _____

N'en faisait pas de cas: _____

Les embûches de l'existence: _____

Je mords dans l'existence à pleines dents: _____

Activité 5

GABRIELLE MATHIEU, COMÉDIENNE

Présentation

Jean Taurignan nous fait connaître une nouvelle figure de la télévision: Gabrielle Mathieu. Si tu écoutes attentivement cette dernière, tu découvriras probablement en elle une jeune femme qui a une vision très intéressante de la vie et de son métier.

Demande à un(e) ami(e) de te lire le texte et tente de répondre à la première moitié du questionnaire durant et après l'écoute. Vérifie ensuite toutes tes réponses en consultant le corrigé.

GABRIELLE MATHIEU, COMÉDIENNE

— Gabrielle Mathieu, quand on vous voit, on pense tout de suite à la série télé *Monsieur le ministre.* Dans votre vie de tous les jours, qu'est-ce qui vous distingue d'Hélène Carrère, le personnage que vous jouez dans ce téléroman de Solange Chaput-Rolland et Michelle Bazin?

«Je vais te dire par quoi elles se ressemblent et ce par quoi elles peuvent être différentes. Je ne suis pas une arriviste. Hélène Carrère, elle, se sert de tout ce qu'elle possède pour parvenir à ses fins. C'est du moins ce qui se dégage des textes que j'ai pu jouer jusqu'à maintenant. Par contre, Hélène me ressemble beaucoup parce que je lui prête mon physique, mon visage, ma voix, et aussi ma façon de percevoir cette femme arrivant si jeune en politique avec ce tremplin extraordinaire: être la première femme chef de cabinet d'un ministre. Au départ de la série, c'était cela.

«Hélène est aussi séductrice. Moi, je ne l'aurais pas vue comme ça. Je trouve à ce propos que Solange Chaput-Rolland lui donne un peu trop d'aventures. Peut-être parce qu'elle ne peut pas croire qu'il puisse y avoir d'amour possible en dehors du mariage. On en a souvent discuté toutes les deux! C'est peut-être aussi parce que, contrairement à Hélène, je suis très fidèle en général envers tous ceux qui m'ont permis d'accéder à quelque chose. Même si je ne les revois pas, je leur garde la fidélité du coeur. La façon dont Hélène se comporte avec les hommes me gêne beaucoup.»

— Parlez-nous donc de vos débuts dans ce métier.

«J'ai eu des débuts difficiles. Suite à l'option théâtre au cégep Sainte-Thérèse (Lionel-Groulx) où j'étudiais, j'ai fait un an de théâtre pour enfants. J'ai adoré cela, mais pour toutes sortes de raisons, j'ai trouvé l'expérience très dure.

«Entre 1974 et 1976, j'ai eu un creux terrible. Comme il fallait bien que je vive, j'ai travaillé dans un bureau et je m'y suis plu. Mon travail était valorisant. Je me sentais même indispensable (rires). Puis à un certain moment, j'ai commencé à faire des commerciaux. Cela m'a permis de vivre plus facilement. Comme je travaillais en dehors du métier de comédienne, j'arrivais complètement neuve dans ce milieu et détendue. Je n'avais pas à courir après un job, j'en avais un.

«Les choses s'enchaînant, je suis retournée prendre des cours de théâtre parce que je me disais: c'est comédienne que je veux être, c'est ce métier que je veux faire, donc il faut que j'arrive dans ce milieu. Il faut je parvienne à jouer sur une scène, à jouer à la télévision si possible..., même si la télé n'était pas un but. Ce qui était important, c'était de jouer au théâtre..., et c'est toujours le cas.

«La télévision, j'en suis très, très contente, mais c'est tellement fractionné! On arrête, on recommence, on dépend toujours de tellement de gens, tandis qu'au théâtre, non. Quand les choses sont décidées, c'est toi qui fais ton image, toi qui te places pour que le public te voie, toi qui contribues au rythme de la pièce, aux rebondissements..., tu t'appartiens davantage.»

— Quel genre de petite fille étiez-vous?

«Ah!... j'étais une petite fille sage, beaucoup trop sage. J'étais rêveuse, calme, pas du tout turbulente. C'est pour cela que je dis trop sage. Je lisais énormément. Je voulais faire plaisir, une chose que l'on m'avait d'abord apprise au couvent. Il fallait être gentille, fine, serviable.»

— À l'âge de nos lecteurs, vous rêviez de faire quoi?

«Je rêvais d'aider. Je me voyais très bien infirmière. Je me vois d'ailleurs encore comme ça. C'est peut-être curieux à dire, mais je pense que dans ce métier on sert les gens en leur donnant du rêve. On donne aussi de l'amour parce que c'est ce qu'on veut recevoir; on fait en sorte également de les satisfaire, et on tâche de leur procurer un certain plaisir.

«Ce n'est finalement pas loin de mon rêve d'enfance, même si cela a pris une autre direction. Il me reste à demeurer gentille puis fine, fine! (rires)...»

— **Vous avez des frères, des soeurs?**

«J'ai deux soeurs et mon frère qui est beaucoup plus jeune. Donc, une sorte de tampon dans la famille.»

— **Vous vous entendez bien?**

«Ah! oui, merveilleusement. Pas quand on était enfants, cependant. On était toujours en train de se chicaner. Faut croire que ça resserre les liens! La famille, pour moi, c'est très important.»

— **Important comment?**

«Pour la chaleur que ça donne. Pour l'affection, la gratuité, l'écoute..., pour le temps passé près d'eux, pour tout.»

— **Quand vous avez décidé de faire ce métier, avez-vous été encouragée par vos parents?**

«Je n'étais pas encouragée par mes parents. Tout ce qui est artistique étant perçu par eux — comme pour beaucoup de parents aujourd'hui — comme des métiers de crève-la-faim; ils ne voulaient pas que je m'en aille là-dedans. Même s'ils ont été inquiets au début, ils sont bien fiers maintenant.»

— **Jeune fille, aviez-vous une idole? Je pense à la chanson, au théâtre, au cinéma... ailleurs.**

«Non, je n'avais pas d'idole, mais j'avais un modèle. Des modèles, il n'y en a pas beaucoup. Je me rappelle *Le journal d'Anne Frank* que j'ai vu au cinéma; j'avais 13 ou 14 ans. L'histoire vraie d'une petite fille qui s'est cachée pendant des années et qui a osé écrire son journal à la barbe d'un envahisseur qui voulait la détruire; faut le faire! Cela devenait un modèle.»

— **Pas de célébrités? Hommes ou femmes qui auraient pu...**

«Pour moi, un homme n'était pas un modèle. Je ne pouvais pas m'identifier à lui, pas de façon tangible. Une femme devenait un modèle pour moi. Je pense à Monique Miller; quand je suis arrivée dans le métier, elle était mon modèle. Je trouvais qu'elle avait tout ce que je pouvais désirer: un physique, un visage, une belle diction, de l'élégance, de l'allure... et elle pouvait jouer toutes sortes de rôles.»

— **Qu'est-ce que vous n'aimez pas chez les gens?**

«L'injustice, la bêtise, l'intolérance..., et je sais qu'il me faudrait être plus tolérante. C'est de cette façon qu'on atteint les gens qui n'ont peut-être pas eu tout ce qu'on peut avoir. Je ne parle pas que des biens matériels, mais de la formation, d'une certaine nourriture intellectuelle. J'aimerais être plus tolérante.»

— **Vous ne croyez pas vivre dans un milieu privilégié? Vous avez tout le temps pour réfléchir, faire silence, vous arrêter. Il n'y a pas de 9 à 5 chez vous; vous ne courez pas non plus après le métro. Monsieur et Madame Tout-le-Monde ont rarement le temps de s'arrêter pour réfléchir, prendre le temps de se nourrir comme vous dites.**

(Spontanément) «Mais on a du temps pour réfléchir, il suffit de fermer la télé!..., de ne pas se laisser envahir, noyer par la radio, la télé, le tourne-disque ou l'appareil cassette qui bien souvent jouent tous en même temps. C'est pas possible! Si on ferme tout ça, on découvre un espace temps, ou plutôt le silence. Alors on a tout le temps pour réfléchir (sourire)... Il faut savoir faire silence volontairement autour de nous. C'est facile de s'étourdir par le bruit.»

— **Donc, tous ceux qui s'enferment dans leur chambre ou s'isolent quelque part sont sur la bonne voie?**

«La bonne voie, je ne sais pas, mais ils ont peut-être une chance d'être à l'écoute d'eux-mêmes, de se découvrir.»

— **Parlez-nous donc du couple. Qu'est-ce que le tandem homme/femme représente pour vous?**

«Je ne sais pas ce que cela représente, mais je peux te dire ce que je cherche, moi, dans un couple. Je cherche un partenaire, quelqu'un avec qui faire route, près de qui on peut marcher, avancer. On ne doit pas cependant attendre tout de l'autre. C'est peut-être ce que les jeunes filles attendent encore trop d'un garçon. Elles veulent un gars vite, vite, vite... se marier — je ne sais pas pourquoi — «pognées» ensuite avec des tas de problèmes et pas encore femmes; elles veulent devenir féministes avant. C'est compliqué!

«D'après des sondages récents, les jeunes filles dans les écoles attendent encore le prince charmant. Il n'y a pas de prince charmant, mais il y a peut-être un homme qui peut échanger quelque chose avec toi. C'est pour cela que je parle de partenaire avec qui tu peux partager un travail, une maison, des enfants..., discuter, donner, prendre, grandir. Quand je dis partenaire, je pense à complémentarité. Quelqu'un qui vraiment te complète dans tout ce que tu n'as pas et à qui tu apportes ce qui lui manque.»

— **Sans indiscrétion, êtes-vous en ce moment la partenaire de quelqu'un?**

«Oui,... en tout cas j'essaie! (rires).»

— **À une jeune fille qui vous regarde, qui a le coeur qui bat et qui se dit: «Je voudrais être comédienne moi aussi; il me semble que j'ai tout ce qu'il faut», sans vraiment que ce soit des conseils, qu'est-ce que vous lui diriez?**

(Sans hésitation) «Croire d'abord en elle, et y croire fortement — cela vaut pour les garçons. Essayer de faire du théâtre dans son école ou cégep. Tâcher aussi de prendre des cours, c'est important. Aller au théâtre, au cinéma, lire pour se cultiver et vivre pleinement.

«Ne pas toujours attendre. Provoquer les événements, être tenace. Faire attention surtout à une chose: ce métier a l'air facile, très facile. Ne pas se laisser prendre par cette image. Par contre, saisir la chance quand elle se présente; être opportuniste, et si possible trouver quelqu'un qui puisse vous encourager et rêver aussi avec vous. Il faut en effet une certaine part de rêve dans cette profession. Pour résumer: *Faut aimer ça!* (rires)».

— **Merci, Gabrielle.**

Jean Taurignan

Questions à te poser

Qu'est-ce qui te semble attirant dans le métier de Gabrielle? Pourquoi? Quels aspects de son métier te déplairaient? Gabrielle te rappelle-t-elle quelqu'un? La vie familiale de cette actrice est-elle semblable à la tienne?

Questionnaire

Durant et après l'écoute

1. Quel moyen l'émetteur utilise-t-il dans le premier paragraphe pour susciter l'intérêt de l'auditeur?
_____
_____

2. Quel sentiment Gabrielle a-t-elle ressenti quand...
   a) elle a fait du théâtre pour enfants? _____
   b) elle a travaillé dans un bureau? _____
   c) elle a commencé à jouer à la télévision? _____

3. Qu'est-ce qui est le plus important pour cette actrice? _____
_____

4. Selon ses souvenirs, quelle sorte d'enfant était-elle? _____
_____

5. Quand tu étais enfant, étais-tu semblable à elle? Pourquoi? _____
_____
_____

6. Comment conçoit-elle son métier? (Son but) _____
_____

7. Que pense-t-elle de la famille? _____
_____

8. As-tu la même opinion qu'elle sur la famille? Pourquoi? _____
_____
_____

9. Quelle a été la réaction de ses parents lorsqu'elle a choisi ce métier? _____
_____

10. Quand Gabrielle cite le *Journal d'Anne Frank*, qu'est-ce que le titre de ce volume te rappelle?

_____

_____

_____

11. Qu'est-ce que Gabrielle n'aime pas chez les gens? _____

_____

12. Que penses-tu de son idée de faire le silence autour de soi pour se découvrir? _____

_____

_____

_____

13. Crois-tu que Gabrielle a raison de dire qu'il faut d'abord croire en soi si on veut réussir? Pourquoi?

_____

_____

_____

Prends le texte

14. Relève quatre sujets que Gabrielle a abordés dans son interview. _____

_____

_____

15. Identifie les adjectifs qualificatifs que Gabrielle a utilisés dans sa deuxième réponse et souligne ceux qui expriment un sentiment ou une sensation. _____

_____

_____

16. Trouve deux exclamations de Gabrielle Mathieu. _____

17. Explique le sens de...

    a) mon travail était valorisant: _____

_____

    b) je ne suis pas une arriviste: _____

_____

    c) Monsieur et Madame Tout-le-Monde: _____

_____

    d) être opportuniste: _____

_____

18. Dans la deuxième réponse de Gabrielle, quelle sorte de circonstances (lieu, temps, cause ou manière) les mots suivants précisent-ils?

    a) **Entre 1974 et 1976:** _____

    b) **Comme il fallait bien que je vive:** _____

    c) **Dans un bureau:** _____

    d) **Comme je travaillais en dehors...:** _____

19. Dans le dernier paragraphe de la deuxième réponse de Gabrielle, quels mots les pronoms personnels suivants précisent-ils?

    J': _____

    En: _____

    On: _____

20. Quelle(s) sorte(s) de phrases la troisième réponse de Gabrielle contient-elle? _____

_____

21. Pourquoi l'émetteur utilise-t-il les signes de ponctuation suivants?

    a) **Les guillemets:** _____

    b) **Les parenthèses:** _____

22. Dans sa dernière réponse, quel temps et quel mode du verbe Gabrielle utilise-t-elle surtout?

_____

23. Dans la troisième réponse de Gabrielle, relève tous les qualificatifs qui désignent des qualités.

_____

_____

24. Modifie les deuxième, quatrième et cinquième questions de Jean Taurignan.

    Deuxième: _____

    Quatrième: _____

    Cinquième: _____

Activité 6

LES PREMIERS PAS D'UNE JEUNE AMPUTÉE

Présentation

Tant qu'il y a de la vie, il y a de l'espoir…C'est un peu ce qu'est en train de prouver la petite Shirley Moghrabi: non seulement elle a survécu à un cancer des os et à une amputation, mais elle est en train de s'adapter à une vie normale. Écouter sa mère en parler, c'est prendre une grande leçon de courage.

Demande à un(e) ami(e) de te lire le texte et réponds au questionnaire durant et après l'écoute. Vérifie tes réponses dans le corrigé.

LES PREMIERS PAS D'UNE JEUNE AMPUTÉE

Dès sa plus tendre enfance, la jeune Shirley Moghrabi, 12 ans, était privilégiée: grandissant au sein d'une famille coquettement installée dans un tranquille quartier du grand Montréal, entourée de ses trois frères et d'une soeur aînée, elle semblait à l'abri des problèmes. Or, la fillette fut très tôt éprouvée. Tout a commencé quand un cancer de la jambe fut diagnostiqué…

UNE SIMPLE CHUTE

Sa maman, Vicky, nous a raconté que c'est un véritable miracle si sa cadette a pu être sauvée et qu'elle sera toujours reconnaissante envers le médecin qui, au premier signe d'alarme, a poussé les examens:
— Si Shirley n'était pas tombée, elle n'aurait pas subi de tests, et la maladie aurait continué sournoisement de progresser. Elle n'avait que 7 ans quand, à la suite d'une simple chute à bicyclette, elle s'est plainte d'avoir mal à la jambe gauche. Je l'ai tout de suite conduite chez son pédiatre qui a décidé d'investiguer. Il y avait comme un petit pois blanc sur l'os, et une série de radios fut exigée.

• **C'est là qu'on a découvert son cancer?**
— C'est après que les spécialistes consultés eurent procédé à une biopsie. La moelle était déjà attaquée… Si elle n'avait pas chuté, imaginez…! Ce banal accident d'enfant a permis de le déceler car ce cancer se développait depuis un bon moment. J'en tremble encore en y pensant.

• **Shirley n'avait jamais accusé aucun symptôme?**
— Non, puisque même trois mois avant, au mariage de sa grande soeur, elle avait dansé comme une vraie petite déchaînée! Nous étions alors loin de nous douter que le malheur nous guettait. Malheureusement, à ce stade, les chirurgiens se virent obligés d'amputer.

• **Quelle fut votre réaction?**
— On voit tout s'écrouler… C'est une décision énorme, vous comprenez. Mon époux et moi n'étions pas prêts à l'envisager et nous avons consulté par écrit (en envoyant des copies du dossier) d'éminents docteurs de centres reconnus dans le monde entier. Leurs réponses furent toutes unanimes. Il fallait amputer. Nous nous sommes donc rendus à New York dans un des plus gros instituts en matière de cancer, et c'est à cet endroit que, quelques jours avant Noël, Shirley fut opérée.

ELLE FAISAIT PITIÉ

Après son hospitalisation, la petite Moghrabi et ses parents passèrent quelque temps dans cet État américain, chez les grands-parents de l'enfant. Elle devait se déplacer à l'aide d'une marchette, et les adultes devaient faire preuve d'astuces pour qu'elle ose s'aventurer:
— Elle avait peur et l'un de ses gentils cousins lui disait: «Pense à tout ce que tu aimerais, à un cent dollars, par exemple, et à tout ce que tu pourrais faire avec» et Shirley souriait! Elle a fait preuve d'un courage remarquable. Parfois, c'est elle qui nous demandait pourquoi on pleurait…

• **A-t-elle ensuite suivi des traitements?**
— Oui, elle a eu de la chimiothérapie durant quatorze mois. Les effets secondaires de cette thérapie sont durs à prendre: perte des cheveux, nausées, elle en faisait pitié! Comme elle manquait d'appétit, elle ressemblait à un petit paquet d'os et, la nuit, elle était aux prises avec des convulsions. Mais rien qu'à la regarder, si brave, nous puisions une leçon de détermination. Une semaine seulement après qu'elle fut amputée, quand est venu pour elle le temps d'emprunter le fauteuil roulant, elle nous a fait sortir de sa chambre (j'étais follement inquiète derrière la porte) pour se débrouiller seule. Elle n'avait tout de même que 7 ans! Déjà, elle comprenait que c'était important.

• **Au retour à l'école, Shirley, comment ont agi tes petits camarades?**
— Sans mes longs cheveux noirs, c'est sûr qu'au début, je les ai impressionnés. Maman m'avait bien avertie de

ne pas en être gênée et tout a donc bien été. Un ou deux élèves ont essayé de m'agacer, mais je me rappelle qu'une fois, j'en ai remis un à sa place en lui donnant un coup de prothèse! Il a vu que j'étais encore capable de me défendre! Au fond, ceux-là ne valaient même pas la peine que je les regarde quand j'y songe aujourd'hui, car tous les autres étaient mes amis.

«SUPER SHIRLEY»

Quelques semaines après la radicale intervention, Shirley expérimentait sa première prothèse et, dans les mois suivants, elle l'utilisait si fonctionnellement qu'elle marchait durant de longues journées à Disney World où sa famille l'avait emmenée:
— Ce fut un magnifique voyage d'agrément après tous nos tourments. Ce n'est pas pour rien que tous ceux qui connaissent ma fille l'ont surnommée «super Shirley»! Ils n'ont qu'à la regarder aller.

● **A-t-elle bien accepté son membre artificiel?**
— On le lui a présenté comme celui de la femme bionique, ce qui fait que non seulement elle ne le redoutait plus, mais elle l'attendait. Un psychiatre l'y avait aussi préparée. Plus tard, je me rappelle qu'elle a vécu une forme de rejet, et il a fallu lui discuter. Mais même aussi jeune, son caractère nous prouvait qu'elle s'en sortirait.

● **Quel âge avait Shirley quand vous êtes déménagés au Canada?**
— Elle n'avait qu'un an et demi quand nous avons quitté Beyrouth. Ce n'était guère une partie de plaisir, vous savez, que de partir du Liban avec cinq jeunes enfants. Ensuite, il a fallu nous adapter, ça demande un couple fort et décidé. Les aînés parlent couramment le français, l'anglais et l'arabe, et l'un d'eux étudie en cardiologie. Je dois avouer fièrement qu'ils ont tous bien réussi et n'eut été de cette épreuve, nous serions demeurés une famille sans soucis.

● **Votre cadette est très proche des autres, n'est-ce pas?**
— Malgré leur différence d'âge, ils sont tous unis. Ses frères et sa soeur l'ont souvent amenée à la plage, où Shirley évolue sans complexe et peut même nager grâce à une prothèse spéciale que lui ont gracieusement confectionnée les Amputés de guerre du Canada.
Il ne faut pas associer l'organisme des Amputés de guerre uniquement aux vétérans. Leur champ d'action s'est étendu et leur secours aux handicapés est quasi illimité:
— Nous y recevons des conseils, des bonnes adresses, des informations, du soutien moral et physique, sans compter les prothèses sportives entièrement défrayées

par eux, grâce à la vente de porte-clés. Ne pas les avoir contactés, Shirley n'aurait probablement jamais renagé parce que je ne trouvais aucun endroit où elle puisse pratiquer. On m'a fait rencontrer un représentant compétent qui m'a indiqué où m'adresser. Ma fille et moi, nous nous impliquons au sein des séminaires et, à date, elle a participé à deux parades des Amputés de guerre. Leurs services ont permis que mon enfant puisse reprendre ses activités, et c'est justement pour aider d'autres amputés qu'on se doit de les encourager.

● **Quelles sont ses activités?**
— Elle fait tout comme avant et a même réenfourché sa bicyclette l'été suivant. Imaginez qu'elle joue au tennis! Évidemment, elle a de la difficulté à courir, mais elle a développé sa propre technique de rapidité en sautillant.

● **Traverse-t-elle encore des périodes de rejet?**
— Je me souviens que les premières fois où elle est allée à la piscine municipale, elle se plaignait: «Tout le monde me regarde». Je lui expliquais de ne pas s'en faire avec ça puisque, habituellement, les gens sont obligés de faire quelque chose pour se faire remarquer. Elle souriait et comprenait. Il a fallu l'aider à affronter cette forme de curiosité pour qu'elle n'ait pas à s'en traumatiser.

LA GUÉRISON

Les aînés de Shirley prétendent, dit la maman, que leur petite soeur est davantage gâtée:
— Pourtant, elle n'a droit à aucun traitement de faveur. Je veux qu'elle soit indépendante et bien élevée. Autonome surtout.

● **Shirley est-elle considérée guérie?**
— Il faut compter cinq ans à partir de la fin du traitement de chimio avant de parler de guérison. Dans le cas de Shirley, c'est donc pour bientôt, mais tous les espoirs nous sont permis puisque, depuis, elle n'a accusé aucun autre problème de santé. Elle est examinée par son médecin à tous les deux mois et nous sommes rassurés. Nous sommes très optimistes devant les résultats.

● **Vous avez passé les pires moments, c'est ça?**
— Oui, mais nous les passions au jour le jour; ainsi, ils étaient plus supportables. Ce furent de durs moments qui font désormais partie du passé.

Shirley Moghrabi et ses parents regardent aujourd'hui vers l'avenir, et il s'annonce beau et prometteur: car, à voir cette jolie fillette évoluer, elle ne peut semer et récolter que du bonheur!

Ginette Gauthier

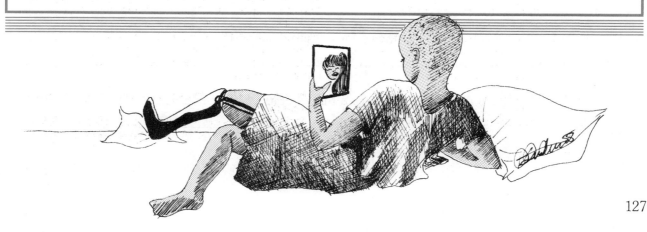

Questions à te poser

Que penses-tu du courage de Shirley? Qu'aurais-tu fait dans les mêmes circonstances? Quelle est ta réaction devant une personne amputée? Pourquoi? Que souhaites-tu à Shirley et à ses parents?

Questionnaire

Durant et après l'écoute

1. Quelle est la réaction de la mère lorsqu'elle se souvient du moment où on lui a annoncé que Shirley avait le cancer? _____

2. Que ressentirais-tu si on t'apprenait que tu dois être amputé(e)? _____ _____

3. Quand Shirley a dû réapprendre à marcher, quel sentiment a-t-elle vécu? _____ _____

4. Comment les parents de Shirley ont-ils réagi quand ils ont vu leur fille se déplacer avec une marchette? _____

5. Quelle(s) qualité(s) les parents reconnaissent-ils à leur fille? _____ _____

6. Quel sentiment la mère de Shirley ressent-elle quand sa fille essaie pour la première fois son fauteuil roulant? _____

7. Que pense Shirley de ses camarades qui se moquent d'elle? _____ _____

8. Que penses-tu des élèves qui se moquaient d'elle? _____ _____ _____

9. Qu'as-tu appris sur la famille Moghrabi? _____ _____ _____

10. Comment Mme Moghrabi réagit-elle face à la réussite de ses enfants? _____ _____

11. En quoi l'organisme les Amputés de guerre a-t-il été utile à Shirley? _____ _____

12. Selon toi, quelles sont les activités préférées de Shirley? _____

_____

13. Qui a été le principal émetteur dans cet exposé? _____

14. Quel émetteur as-tu trouvé le plus intéressant? Pourquoi? _____

_____

Prends le texte

15. Donne le sens des mots suivants. Tu peux utiliser le dictionnaire, si tu le désires.

Investiguer: _____

Était attaquée: _____

Traumatiser: _____

Séminaires: _____

Prothèse: _____

16. De quelle manière Ginette Gauthier parvient-elle à capter ton intérêt dans son introduction?

_____

_____

_____

17. Quelles sont les quatre grandes idées développées dans l'exposé? _____

_____

18. De quelle manière Ginette Gauthier conclut-elle l'interview? _____

_____

19. Relis la partie **Elle faisait pitié** jusqu'à la première question et relève tous les mots qui expriment un sentiment. _____

_____

20. Relis la même partie jusqu'au mot «s'aventurer» et identifie toutes les circonstances de...

• lieu: _____

• temps: _____

• manière: _____

• but: _____

21. Dans la partie **Une simple chute**, quels mots les pronoms suivants remplacent-ils?

- Elle (sera): _____
- L' (ai tout de suite): _____
- Qui (au premier): _____
- Qui (a décidé): _____
- Elle (n'aurait pas): _____

22. Dans la partie **Une simple chute**, quels possesseurs sont désignés par les adjectifs possessifs suivants?

Sa (maman): _____

Sa (cadette): _____

Son (pédiatre): _____

23. Dans la réponse à la cinquième question de Ginette Gauthier, relève...

- une phrase affirmative: _____
- une phrase négative: _____
- une phrase exclamative: _____

24. Réécris dans tes propres mots le dernier paragraphe de l'interview. _____

_____

_____

_____

25. Après avoir lu le texte que tu viens d'entendre, crois-tu que tu es suffisamment informé(e) sur les goûts et les sentiments de Shirley? Développe ta réponse. _____

_____

_____

ÉCRIRE UN TEXTE EXPRESSIF

Activité 1

MON ADOLESCENCE, TELLE QUE JE LA VEUX

Présentation

Tu es fatigué(e) de te faire continuellement dire par tes parents et tes professeurs ce que tu dois faire, dire ou penser? Tu estimes que tu n'es plus un(e) enfant et que tu es capable d'établir tes propres règles? C'est normal! Tu es, en tout cas, assez âgé(e) pour t'exprimer sur l'adolescence telle que tu désires la vivre.

Ta production écrite

Nous t'invitons à exprimer dans un texte tes goûts et tes sentiments face à ce que tu vis et face à ce que tu veux vivre comme adolescent(e) tout en demeurant un être raisonnable.

Tu peux raconter ton adolescence en parlant des aspects qui te plaisent et qui te déplaisent et en apportant des exemples et des raisons. Tu peux citer des comportements et des règles, à la maison comme à l'école, que tu aimes et que tu détestes. Ce sera là le contenu de la première partie de ton texte. Dans la seconde partie, tu essaieras de t'exprimer sur la façon dont tu aimerais vivre ton adolescence, avec de nouvelles règles.

Directives

1. Prends un bon moment pour réfléchir à ton sujet et écris sur une feuille ce que tu aimerais conserver et ce que tu aimerais changer, ce que tu ressens et ce que tu préfères. Note soigneusement, au fur et à mesure, tous les changements que tu aimerais apporter à ton adolescence.

2. Relis les idées que tu viens d'écrire et établis un plan. Pour y arriver, utilise la grille **Mon plan**.

3. Écris un brouillon en respectant ton plan et en prenant bien soin de...
   - ne mettre qu'une idée par paragraphe;
   - n'écrire que des phrases courtes et bien construites;
   - choisir des mots justes pour exprimer tes goûts et tes sentiments;
   - te servir des différentes formes de phrases (formes affirmative, négative, exclamative et interrogative) afin d'avoir un style vivant.

4. Corrige ton brouillon et profites-en pour...
   - ajouter des adjectifs qualificatifs et des adverbes qui nuanceront ta pensée;
   - corriger des tournures de phrases obscures;
   - corriger ta ponctuation et ton orthographe, particulièrement l'accord de tes verbes avec leur(s) sujet(s);
   - vérifier l'orthographe de certains mots à l'aide d'un dictionnaire.

5. Échange ton brouillon avec celui d'un(e) camarade qui soulignera tout ce qui lui semble incorrect. Tu lui rendras le même service.

6. Vérifie soigneusement ce qui a été souligné.

7. Écris la version finale de ton texte du mieux que tu peux.

8. Relis encore une fois ton travail pour faire les dernières corrections et remets-le à ton professeur.

9. Quand ton travail te sera rendu, effectue toutes les corrections suggérées.

MON PLAN

Titre: _____

Première partie: Ce qui est à changer

Premier paragraphe: _____

        Exemple(s): _____

        Sentiment ou goût: _____

Deuxième paragraphe: _____

        Exemple(s): _____

        Sentiment ou goût: _____

Troisième paragraphe: _____

        Exemple(s): _____

        Sentiment ou goût: _____

Quatrième paragraphe: _____

        Exemple(s): _____

        Sentiment ou goût: _____

Deuxième partie

Cinquième paragraphe: Mon adolescence telle que je la veux

        Les changements _____

        _____

        _____

        _____

        _____

        Les sentiments que je ressentirais ainsi _____

        _____

        _____

        _____

Activité 2

JEU ET TRAVAIL

Présentation

Dans ta vie, le jeu et le travail prennent une très grande place. Même si tu as souvent l'impression d'être surchargé(e) de travail, il te reste tout de même du temps pour jouer. Si tu t'y arrêtes, tu te rendras compte que certains travaux te plaisent ou te déplaisent plus que d'autres, et il en va de même avec la plupart de tes jeux. Pourquoi? Quel sentiment ressens-tu précisément envers les uns et les autres? Dans cette activité, nous te suggérons d'exprimer franchement tes goûts et tes sentiments à propos de tes loisirs (jeux) et de tes travaux, en nous donnant tes raisons. Aide-nous à mieux te connaître.

Ta production écrite

Essaie d'écrire un texte de six paragraphes:
1. une introduction;
2. tes jeux préférés;
3. les jeux que tu aimes moins (ou que tu détestes);
4. tes travaux préférés;
5. les travaux que tu aimes moins (ou que tu détestes);
6. une conclusion.

Ton texte devrait nous donner une idée précise de tes goûts et de tes sentiments (avec des exemples et des raisons) en ce qui concerne les travaux que tu as à faire et tes loisirs.

Directives

1. Réfléchis à ton sujet et remplis la **Grille de réflexion**. Cela t'aidera à préciser tes sentiments et tes goûts.
2. Prends le temps de penser à ton introduction et à la manière dont tu vas accrocher l'intérêt de ton lecteur.
3. Trouve un titre qui attire ton lecteur.
4. Quand tu auras tous les éléments nécessaires, rédige ton brouillon en phrases courtes, complètes et claires. Essaie de varier la forme de tes phrases pour être plus vivant(e).
5. Quand tu auras fini ton brouillon, relis-le en essayant d'ajouter des adjectifs et des adverbes qui expriment avec plus de précision tes goûts et tes sentiments.
6. Vérifie avec soin l'orthographe et la ponctuation de ton texte.
7. Relis la correction de ta première production et vois à ne pas reproduire les erreurs qui y sont signalées.
8. Avant d'écrire la version finale de ton texte, remplis la **Fiche de vérification** pour t'assurer que tu as bien respecté toutes les étapes.
9. Rédige avec soin ta version finale.
10. Relis ton texte une dernière fois et corrige les petites erreurs que tu aurais pu oublier.
11. Quand ton professeur te remettra ta production corrigée, lis attentivement ses remarques de manière à améliorer ton prochain texte.

GRILLE DE RÉFLEXION

Titre: _____

1. Introduction: _____

_____

2. Jeux préférés	raison	exemple(s)	sentiment/goût
_____	_____	_____	_____
_____	_____	_____	_____
_____	_____	_____	_____
_____	_____	_____	_____

3. Jeux moins aimés

_____	_____	_____	_____
_____	_____	_____	_____
_____	_____	_____	_____
_____	_____	_____	_____

4. Travaux préférés

_____	_____	_____	_____
_____	_____	_____	_____
_____	_____	_____	_____
_____	_____	_____	_____

5. Travaux moins aimés

_____	_____	_____	_____
_____	_____	_____	_____
_____	_____	_____	_____
_____	_____	_____	_____

Conclusion

_____

_____

FICHE DE VÉRIFICATION

Inscris un crochet à OUI ou à NON et fais les corrections qui s'imposent.

	OUI	NON
• J'ai trouvé un titre original.		
• Mon texte contient bien 6 paragraphes.		
• J'exprime mes goûts et mes sentiments à propos de tous les jeux et les travaux dont je parle.		
• J'ai vérifié la longueur de mes phrases.		
• J'ai varié la forme de mes phrases.		
• J'ai ajouté des adjectifs et des adverbes pour préciser mes sentiments et mes goûts.		
• J'ai vérifié mon orthographe et ma ponctuation.		
• J'ai rassemblé mes idées dans ma conclusion.		
• J'ai relu ma dernière production pour ne pas refaire les mêmes erreurs.		
• Je suis satisfait(e) de mon texte.		

• Pourquoi? _____

ÉCRIRE UN TEXTE EXPRESSIF

Activité 3

MON AVENIR

Présentation

Ton avenir te préoccupe-t-il? T'arrive-t-il souvent de te demander ce que tu seras devenu(e) dans quinze ou vingt ans? C'est normal! Tous les jeunes font des projets et rêvent à leur avenir. Tu es à l'âge où tout peut devenir possible si tu sais montrer assez de détermination et de courage.

Dans cette dernière production écrite, nous te proposons de nous faire part de ton avenir tel que tu l'imagines.

Ta production écrite

Comme il s'agit de ta troisième production expressive, nous nous attendons à ce que tu produises un texte de meilleure qualité que les précédents. Tu peux aborder ton sujet comme tu l'entends. Tu es libre d'écrire sur le métier ou la profession que tu veux exercer, ta vie familiale, le milieu où tu veux vivre et les réussites que tu désires connaître. L'important est de nous parler de tes préférences, de tes sentiments et de tes raisons.

Directives

1. Réfléchis à ton sujet et écris, au fur et à mesure, les idées qui te viennent.

2. Fais un plan précis de ton texte en n'oubliant ni l'introduction ni la conclusion. Pour t'aider à y voir clair, remplis la fiche **Mon plan**.

3. Trouve un bon titre pour ton texte.

4. Trouve une idée originale pour accrocher l'intérêt de ton lecteur dans ton introduction.

5. Rédige ton brouillon en utilisant des phrases complètes, courtes et claires.

6. Essaie de conclure ton texte de manière intéressante.

7. Quand ton brouillon sera rédigé, relis-le en essayant de préciser tes sentiments et tes goûts et en ajoutant des adjectifs et des adverbes.

8. Assure-toi que tes phrases sont complètes et variées dans leur forme (affirmative, négative, exclamative et interrogative).

9. Corrige l'orthographe et la ponctuation.

10. Relis tes deux productions précédentes et vois à ne pas reproduire les erreurs qui te sont signalées.

11. Remplis la **Fiche de vérification** avant d'écrire ta version finale et fais les corrections qui s'imposent.

12. Écris la version finale de ton texte avec beaucoup de soin.

13. Relis ton texte une dernière fois.

14. Lorsque ton professeur te remettra ton texte corrigé, fais les corrections qui te sont suggérées.

MON PLAN

Titre: _____

Introduction: _____

Mes idées principales	**Raison(s)**	**Goût(s) / Sentiment(s)**
1. _____	_____	_____
2. _____	_____	_____
3. _____	_____	_____
4. _____	_____	_____
5. _____	_____	_____
6. _____	_____	_____
7. _____	_____	_____

Conclusion: _____

FICHE DE VÉRIFICATION

Coche à OUI ou à NON et fais les corrections qui s'imposent.

	OUI	NON
• J'ai trouvé un titre original.	_____	_____
• J'ai respecté mon plan (une idée par paragraphe).	_____	_____
• J'ai eu une idée originale pour mon introduction.	_____	_____
• Mes phrases sont complètes et variées dans leur forme.	_____	_____
• Ma conclusion est intéressante.	_____	_____
• J'ai précisé du mieux que j'ai pu mes sentiments et mes goûts.	_____	_____
• J'ai corrigé l'orthographe de mon texte.	_____	_____
• J'ai corrigé la ponctuation de mon texte.	_____	_____
• J'ai relu les corrections qu'on m'a suggérées dans mes deux textes précédents.	_____	_____
• Je suis satisfait(e) de mon texte.	_____	_____

• Pourquoi? _____

_____

FAIRE UN EXPOSÉ ORAL EXPRESSIF

Activité 1

LA MODE

Présentation

Comme tous les jeunes, tu es probablement très sensible à la mode et tu aimes bien que tes vêtements et ta coiffure soient au goût du jour. Tu ne veux pas te démarquer de tes camarades et tu exiges d'être habillé(e) comme eux(elles). C'est probablement pourquoi tu acceptes mal que tes parents tentent de t'imposer leurs goûts, et tu estimes avoir le droit de te vêtir et de te coiffer comme tu l'entends. Tu en fais souvent une question d'expression de ta personnalité, et c'est important.

Dans un exposé oral de quatre minutes, nous aimerions que tu nous fasses connaître tes goûts et tes sentiments sur ce sujet qui te tient tant à coeur. Quelle mode aimes-tu? Quelle mode détestes-tu? Essaie de nous donner des raisons et des exemples de tes choix.

Ton exposé oral

Ton exposé oral doit être encore mieux structuré que tes productions écrites expressives si tu désires dire en quatre minutes tout ce que tu veux dire sur ton sujet. Il doit donc contenir:

1. une introduction (dans laquelle tu tenteras d'intéresser ton auditoire);
2. un développement:
   — la mode que tu aimes (vêtement, coiffure, etc.);
   — la mode que tu détestes;
   — ce que tu penses de la conception de la mode de tes parents;
   — etc.
3. une conclusion (dans laquelle tu rassembles tes idées les plus importantes).

Directives

Tente de respecter les étapes que nous te suggérons. Elles t'aideront à connaître le succès.

1. Réfléchis bien à ton sujet et note toutes les idées qui te viennent.

2. Fais un bon plan de ton exposé en mettant de l'ordre dans tes idées.

3. Note ce que contiendra...
   - ton introduction;
   - ton développement (pour chacune des idées importantes: des exemples, une raison, un sentiment ou un goût);
   - ta conclusion.

4. Comme il ne faut pas que tu mémorises ton texte, établis un petit aide-mémoire qui te dépannera durant ton exposé si tu as un trou de mémoire.

5. Exerce-toi beaucoup pour bien connaître ton sujet.
   - Devant un miroir (pour contrôler ton trac et ton maintien);
   - En t'enregistrant (pour vérifier ton débit, le volume de ta voix et tes intonations).

6. Essaie d'être original(e), clair(e) et vivant(e) pour tes auditeurs.

7. Assure-toi de respecter la limite de quatre minutes.

8. Quand tu te sentiras prêt(e), fais ton exposé devant quatre de tes camarades qui te feront des suggestions pour améliorer ta performance. Tiens compte de leurs conseils, ils représentent ton futur auditoire.

9. Lors de ton exposé, essaie de donner le meilleur de toi-même sans te préoccuper de ce que les autres peuvent penser de toi.
   - Cherche à intéresser;
   - Surveille ton maintien, ta prononciation, le volume de ta voix et ton débit;
   - Respecte la limite de temps.

10. Après ton exposé, prends quelques minutes pour remplir avec franchise la fiche **Évaluation de mon exposé**. Ce travail de réflexion te sera utile pour tes prochains exposés.

ÉVALUATION DE MON EXPOSÉ

Ma préparation écrite était: correcte _____   incorrecte _____

	OUI	NON
• Mon introduction était originale.	_____	_____
• Dans mon développement, j'avais des exemples, des raisons, des sentiments et des goûts.	_____	_____
• Ma conclusion rassemblait mes idées.	_____	_____
• Mon aide-mémoire était bien fait.	_____	_____

Ma préparation orale était: correcte _____   incorrecte _____

	OUI	NON
• Je m'étais exercé(e) à la maison pour bien connaître mon sujet.	_____	_____
• J'avais fait des exercices pour contrôler mon trac et pour améliorer mes intonations et ma prononciation.	_____	_____
• J'ai vu à respecter les quatre minutes qui m'étaient données.	_____	_____
• J'avais tenu compte des conseils que le groupe m'avait donnés.	_____	_____

Ma performance

Si je considère mon exposé oral, je dois dire que:

	pas du tout	un peu	beaucoup
1. mon auditoire était intéressé.	_____	_____	_____
2. je possédais bien mon sujet.	_____	_____	_____
3. j'ai respecté les quatre minutes.	_____	_____	_____
4. j'ai contrôlé mon trac.	_____	_____	_____
5. ma prononciation était bonne.	_____	_____	_____
6. mes intonations étaient bonnes.	_____	_____	_____
7. mon maintien était bon.	_____	_____	_____
8. je n'ai pas parlé trop rapidement ou trop lentement.	_____	_____	_____
9. j'ai parlé assez fort.	_____	_____	_____
10. je suis satisfait(e) de ma performance.	_____	_____	_____

Pourquoi? _____

FAIRE UN EXPOSÉ ORAL EXPRESSIF

Activité 2

UN(E) AMI(E)

Présentation

L'amitié est un très beau sentiment que tu apprécies certainement à sa juste valeur. Tu sais d'ailleurs très bien faire la différence entre les copains avec lesquels tes relations restent superficielles et tes amis à qui tu te confies sans retenue. Tu as raison de croire qu'un(e) ami(e), c'est très important. Un(e) ami(e) participe à ta vie, sait te comprendre et mérite toute la confiance que tu mets en lui (elle). En somme, ton ami(e) est un autre toi-même.

Dans ce second exposé oral, nous te demandons de nous parler de ton (ta) meilleur(e) ami(e), des sentiments que cette personne t'inspire, des goûts que vous partagez, des défauts et des qualités que tu lui trouves.

Ton exposé oral

Prépare un exposé oral de cinq minutes qui nous permettra de faire la connaissance de ton (ta) meilleur(e) ami(e). Pour t'aider, nous te faisons quelques suggestions que tu pourrais exploiter.

1. Depuis quand votre amitié dure-t-elle?
2. Qu'est-ce que tu apprécies le plus chez cette personne (exemples, raisons);
3. Qu'est-ce que tu apprécies le moins (exemples, raisons);
4. Ses défauts (exemples, ce que tu ressens);
5. Ses qualités (exemples, ce que tu ressens);
6. Vos goûts communs (loisirs, mode, etc.);
7. Les différences entre vous (exemples);
8. Etc.

Directives

Suis fidèlement les étapes qui te sont proposées.

1. Pense à ton ami(e) et écris toutes les idées qui te viennent.

2. Mets de l'ordre dans tes idées en faisant un plan qui contient...
   - une introduction intéressante pour l'auditeur;
   - un développement dans lequel chaque idée est claire grâce à des exemples et à des raisons;
   - une conclusion qui rassemble bien les idées importantes.

3. Quand tu auras terminé, rédige un court aide-mémoire qui te dépannera durant ton exposé si tu as un trou de mémoire.

4. Comme tu ne peux mémoriser le texte de ton exposé, il faudra que tu fasses à la maison de nombreux exercices pour bien posséder ton sujet.
   - Devant un miroir (pour contrôler ton trac et ton maintien);
   - En t'enregistrant pour vérifier le volume de ta voix, ton débit et tes intonations.

5. Fais de nombreux essais pour améliorer la clarté et la vie de ton exposé.

6. Assure-toi de respecter les cinq minutes qui te sont allouées.

7. Relis attentivement les remarques que l'on t'a faites lors de ton premier exposé et essaie d'éviter de commettre les mêmes erreurs.

8. Lorsque tu seras prêt(e), rejoins les quatre élèves qui t'ont aidé(e) pour ton dernier exposé et présente-leur ta production. Encore une fois, ils te feront des suggestions pour améliorer ta performance.

9. Fais les corrections qui te sont proposées.

10. Quand viendra ton tour de faire ton exposé devant tout le groupe, fais de ton mieux.

   - Cherche à intéresser ton auditoire.
   - Contrôle ton trac, ton maintien, le volume de ta voix, la rapidité de ton débit, tes intonations et ta prononciation.
   - Surveille la limite de temps de cinq minutes.

11. Après ton exposé, prends le temps nécessaire pour revenir avec franchise sur ta performance et remplis ta fiche **Évaluation de mon exposé**.

ÉVALUATION DE MON EXPOSÉ

Ma préparation écrite était: correcte _____   incorrecte _____

	OUI	NON
• Mon introduction était intéressante.	_____	_____
• Dans mon développement, j'avais des exemples, des raisons, des sentiments et des goûts.	_____	_____
• Ma conclusion rassemblait mes idées.	_____	_____
• Mon aide-mémoire était bien fait.	_____	_____

Ma préparation orale était: correcte _____   incorrecte _____

	OUI	NON
• Je m'étais exercé(e) à la maison pour bien connaître mon sujet.	_____	_____
• J'avais fait des exercices pour contrôler mon trac, mon maintien, mes intonations et ma prononciation.	_____	_____
• J'avais vérifié le volume de ma voix et la rapidité de mon débit.	_____	_____
• J'avais tenu compte des conseils que le groupe m'avait donnés.	_____	_____
• J'avais relu les remarques que l'on m'avait faites lors de mon dernier exposé.	_____	_____

Ma performance

Si je considère mon exposé oral, je dois dire que:

	pas du tout	un peu	beaucoup
1. mon auditoire était intéressé.	_____	_____	_____
2. je possédais bien mon sujet.	_____	_____	_____
3. j'ai respecté les cinq minutes.	_____	_____	_____
4. j'ai contrôlé mon trac.	_____	_____	_____
5. ma prononciation était bonne.	_____	_____	_____
6. mes intonations étaient bonnes.	_____	_____	_____
7. mon maintien était bon.	_____	_____	_____
8. je n'ai pas parlé trop rapidement ou trop lentement.	_____	_____	_____
9. j'ai parlé assez fort.	_____	_____	_____
10. je suis satisfait(e) de ma performance.	_____	_____	_____

Pourquoi? _____

FAIRE UN EXPOSÉ ORAL EXPRESSIF

Activité 3

LE FONCTIONNEMENT DE MON ÉCOLE

Présentation

Tu fréquentes depuis déjà deux ans une école secondaire et tu commences à très bien connaître ses exigences. Tu n'es probablement pas d'accord avec tous les règlements qui régissent ta vie dans cette école et dans les salles de cours. Si, à tes yeux, certains semblent logiques, tu estimes, par contre, que d'autres devraient être changés pour te permettre un meilleur épanouissement et une vie plus agréable.

Dans cette dernière activité, nous te suggérons d'exprimer tes sentiments et tes goûts en toute franchise à propos du fonctionnement de ton école, de tes cours et de ton groupe. Nous croyons qu'en sept minutes, tu seras capable de nous faire connaître non seulement ton opinion, mais encore tes suggestions sur ces différents sujets.

Ton exposé oral

Dans ce troisième exposé oral de sept minutes, tu devrais être en mesure de nous offrir ta meilleure performance. Tu y arriveras si tu évites les erreurs que tu as commises dans les deux premiers.

Cette production orale sera spéciale parce qu'elle te laisse un choix difficile à faire. Tu peux décider de faire ton exposé devant le groupe (comme pour les deux productions précédentes) ou de demander à ton professeur de l'enregistrer sur une vidéocassette qui sera présentée au groupe. Cependant, dans les deux cas, tu devras accepter de répondre aux questions de tes camarades de classe durant deux minutes, après ton exposé.

Dans les deux cas, cet exposé t'offre une occasion en or de t'exprimer sur...

1. les règlements de ton école;
2. les règlements imposés par tes différents professeurs;
3. les devoirs à la maison, les leçons, les examens;
4. le comportement des élèves de ton groupe;
5. les règles à changer (avec des raisons et des exemples);
6. les nouvelles règles à créer (avec des raisons et des exemples);
7. etc.

Souviens-toi quand même que tu es une personne raisonnable et que tu dois exprimer ce que tu ressens sans blesser ceux qui t'entourent.

Directives

Suis bien les étapes que nous te proposons.

1. Réfléchis sérieusement à ton sujet et note toutes les idées qui te viennent. Examine soigneusement chaque règlement et les sentiments qu'il suscite en toi.

2. Mets de l'ordre dans tes notes et établis un bon plan qui contient...
   - une introduction intéressante pour ton auditoire;
   - un développement clair où chaque idée importante est bien identifiée avec des exemples, des raisons et des sentiments;
   - une conclusion qui rassemble tes idées les plus importantes.

3. Rédige un court aide-mémoire qui te dépannera si tu as un trou de mémoire durant ton exposé.

4. Fais à la maison de nombreux exercices pour bien posséder ton sujet. Encore une fois, tu ne dois pas mémoriser ton texte. Essaie...
   - devant un miroir (pour contrôler ton trac et ton maintien);
   - en t'enregistrant (pour vérifier le volume de ta voix, la rapidité de ton débit, tes intonations et ta prononciation).

5. Quand tu seras prêt(e), fais ton exposé devant quatre de tes camarades qui te feront des suggestions pour améliorer ta production.

6. Relis les critiques qu'on t'a adressées lors des deux premiers exposés et fais toutes les corrections qui s'imposent.

7. Lorsque ton tour viendra, fais de ton mieux. Si tu as choisi d'être enregistré(e) sur une vidéo-cassette, sois calme et procède comme si tu étais devant un auditoire. Si tu passes devant le groupe, essaie encore de faire de ton mieux en surveillant tous les points que tu as tenté de contrôler durant tes exercices.
   - Intérêt;
   - Maintien;
   - Force de la voix et rapidité;
   - Intonations et prononciation;
   - Trac.

À REMARQUER

Si tu as choisi l'enregistrement, il n'y aura pas de reprise en cas d'erreur de ta part.

8. Quand ton exposé sera terminé, tu devras prévoir deux minutes pour répondre aux questions du groupe. Ce sera le moment de prouver que tu possèdes vraiment ton sujet. Même si une question t'embête, demeure poli(e) et fais des efforts pour trouver la meilleure réponse possible. Durant cette brève période, tu devras surtout continuer à surveiller la qualité de ta langue ainsi que les autres points auxquels tu as fait attention durant ton exposé.

9. Quand tu auras terminé, remplis soigneusement ta fiche **Évaluation de mon exposé**. Si tu as utilisé une cassette vidéo, demande à ton professeur de la revoir pour faciliter ton travail d'évaluation.

ÉVALUATION DE MON EXPOSÉ

Ma préparation écrite était: correcte _____   incorrecte _____

	OUI	NON
• Mon introduction était intéressante.	_____	_____
• Dans mon développement, j'avais des exemples, des raisons, des sentiments et des goûts.	_____	_____
• Ma conclusion rassemblait mes idées.	_____	_____
• Mon aide-mémoire était bien fait.	_____	_____

Ma préparation orale était: correcte _____   incorrecte _____

	OUI	NON
• Je m'étais exercé(e) à la maison pour bien connaître mon sujet.	_____	_____
• J'avais fait des exercices pour contrôler mon trac, mon maintien, mes intonations et ma prononciation.	_____	_____
• Je m'étais enregistré(e) pour vérifier la rapidité et le volume de ma voix.	_____	_____
• J'ai tenu compte des conseils des membres du groupe qui m'ont écouté(e).	_____	_____
• J'ai relu les remarques que l'on m'avait faites lors de mes deux productions précédentes.	_____	_____

Ma performance

Si je considère mon exposé oral, je dois dire que:

	pas du tout	un peu	beaucoup
1. mon auditoire était intéressé.	_____	_____	_____
2. je possédais bien mon sujet.	_____	_____	_____
3. mes réponses durant la période de questions étaient claires.	_____	_____	_____
4. j'ai respecté les sept minutes.	_____	_____	_____
5. j'ai respecté les deux minutes.	_____	_____	_____
6. j'ai contrôlé mon trac durant l'exposé et durant la période de questions.	_____	_____	_____
7. ma prononciation était bonne.	_____	_____	_____
8. mes intonations étaient bonnes.	_____	_____	_____
9. mon maintien était bon.	_____	_____	_____
10. je n'ai pas parlé trop lentement ou trop rapidement.	_____	_____	_____
11. j'ai parlé assez fort.	_____	_____	_____
12. je suis satisfait(e) de ma performance.	_____	_____	_____

Pourquoi? _____

13. je suis satisfait(e) de mes réponses durant la période de questions.   _____   _____   _____

Pourquoi? _____

Quatrième chapitre

CE POÈME, C'EST MOI

Ce poème, c'est moi

Présentation

La poésie est une forme de communication merveilleuse qui crée, avec beaucoup de charme, un monde où tous les sentiments, tous les goûts et toutes les opinions peuvent être exprimés avec nuance et délicatesse. Si tu veux te distraire en lisant des poèmes, si tu as le goût d'explorer le langage, viens vivre avec nous quelques activités.

Dans ce chapitre, nous te proposons six poèmes expressifs qui sauront satisfaire ton besoin d'imaginaire tout en t'offrant la possibilité de développer ton habileté à lire ce type de discours. En vivant les activités suggérées, non seulement tu parviendras à percevoir plus facilement les sentiments et les goûts exprimés, mais encore tu comprendras mieux toutes les richesses de ta langue.

Liste des activités

Activité 1:	Frédéric	Claude Léveillée
Activité 2:	Personnages	Gilles Vigneault
Activité 3:	Au bord du canal	Jean-Pierre Ferland
Activité 4:	Ma maison	Claude Gauthier
Activité 5:	Ta rivière	Lefèbvre et Lapointe
Activité 6:	Partir	Cécile Chabot

Ton objectif

Lire un poème expressif en tenant compte de la situation de communication et du fonctionnement de la langue.

TES INTENTIONS: satisfaire un besoin d'imaginaire, explorer le langage et te donner une vision du monde.

Connaissances

Poème

Un poème est un texte écrit en vers.

Strophe

Une strophe est un groupe de vers qui a un sens complet, comme le paragraphe en prose.

Vers

Un vers est un groupe de mots qui se termine par une rime (à moins qu'il ne s'agisse d'un vers blanc).

Rime

Une rime est le retour d'une même syllabe à la fin de deux ou de plusieurs vers.

Une rime *masculine* est un son plein, sans «e» muet à la fin. **Ex.:** Mentait.

Une rime *féminine* est un son finissant par un «e» muet. **Ex.:** Gèle.

Majuscule

Habituellement, chaque vers débute par une majuscule, que la phrase soit finie ou non.

Le blanc

Le blanc qu'on laisse entre les strophes correspond à l'espace qui sépare les paragraphes en prose.

Poème expressif

Le poème expressif est un texte dans lequel le poète exprime des sentiments, des goûts ou des opinions. Il contient souvent un message.

Liste de sentiments

Pour t'aider à identifier les sentiments exprimés, voici une liste très incomplète:

colère	joie	indifférence	amour
amitié	méfiance	mépris	antipathie
sympathie	agacement	inquiétude	confiance
tendresse	révolte	amusement	tristesse
ennui	étonnement	envie	hostilité
espoir	haine	douleur	gaieté
jalousie	peur	dégoût	admiration

Champ sémantique

On appelle champ sémantique le regroupement des mots d'un texte appartenant à la même idée. **Ex.:** Le champ *terre*: fleurs, blé, feuilles, arbres, etc.

Images

Pour s'exprimer, le poète a recours à des images, à des expressions qui frappent l'imagination du lecteur. **Ex.:** Dispersés aux quatre vents (Léveillée): dans toutes les directions.

Figures

Le poète cherche aussi à attirer l'attention de son lecteur en utilisant très souvent des figures de style.

- La répétition reprend le même mot ou la même expression. **Ex.:** Le matin, c'est la vie; le matin, c'est la naissance.

- L'allitération est la répétition du même son. **Ex.:** Le soir sombrait silencieusement...

- L'énumération donne toutes les parties. **Ex.:** Je m'adresse aux pauvres, aux riches, aux malheureux...

- La comparaison consiste à comparer deux êtres. **Ex.:** Mon frère, comme moi, attendait la liberté...

- L'antithèse (l'opposition) oppose deux idées entre elles. **Ex.:** L'hiver est la mort; le printemps est la vie.

- L'exagération dépasse la vérité. **Ex.:** Le monde entier m'envie.

Titre

Tu accorderas beaucoup d'importance au titre du poème parce qu'il annonce le contenu du texte qui suit.

Sentiment et sensation

Tu feras la distinction entre un sentiment (qui vient du coeur) et une sensation (qui provient de l'un des cinq sens: l'ouïe, la vue, le toucher, le goût et l'odorat).

LIRE UN POÈME EXPRESSIF

Activité 1

FRÉDÉRIC

Présentation

Claude Léveillée est l'un de nos grands chansonniers québécois. Plusieurs de ses chansons sont vouées aux souvenirs du temps passé. Dans Frédéric, il se rappelle avec nostalgie sa jeunesse.

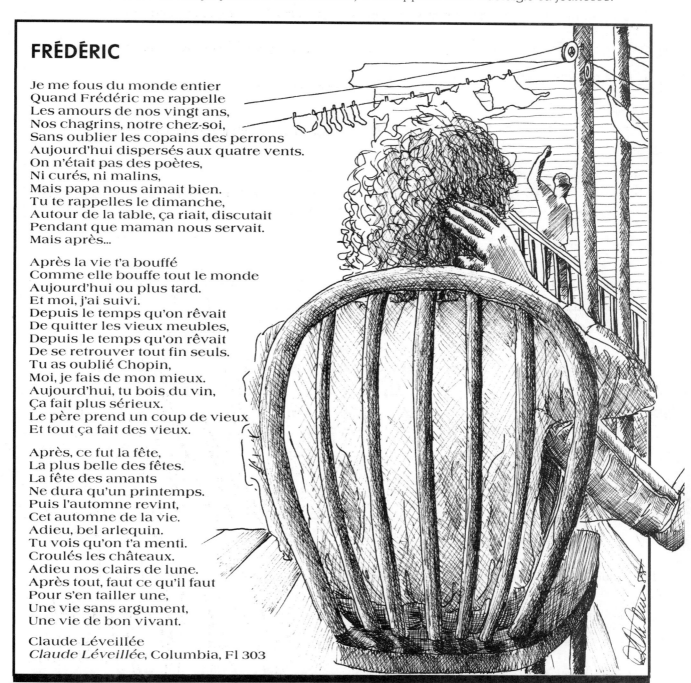

FRÉDÉRIC

Je me fous du monde entier
Quand Frédéric me rappelle
Les amours de nos vingt ans,
Nos chagrins, notre chez-soi,
Sans oublier les copains des perrons
Aujourd'hui dispersés aux quatre vents.
On n'était pas des poètes,
Ni curés, ni malins,
Mais papa nous aimait bien.
Tu te rappelles le dimanche,
Autour de la table, ça riait, discutait
Pendant que maman nous servait.
Mais après...

Après la vie t'a bouffé
Comme elle bouffe tout le monde
Aujourd'hui ou plus tard.
Et moi, j'ai suivi.
Depuis le temps qu'on rêvait
De quitter les vieux meubles,
Depuis le temps qu'on rêvait
De se retrouver tout fin seuls.
Tu as oublié Chopin,
Moi, je fais de mon mieux.
Aujourd'hui, tu bois du vin,
Ça fait plus sérieux.
Le père prend un coup de vieux
Et tout ça fait des vieux.

Après, ce fut la fête,
La plus belle des fêtes.
La fête des amants
Ne dura qu'un printemps.
Puis l'automne revint,
Cet automne de la vie.
Adieu, bel arlequin.
Tu vois qu'on t'a menti.
Croulés les châteaux.
Adieu nos clairs de lune.
Après tout, faut ce qu'il faut
Pour s'en tailler une,
Une vie sans argument,
Une vie de bon vivant.

Claude Léveillée
Claude Léveillée, Columbia, Fl 303

Questions à te poser

Que penses-tu des souvenirs de jeunesse de Léveillée? Quelle sorte de jeunesse a-t-il eue selon toi? Crois-tu que tu auras les mêmes regrets plus tard? Pourquoi? Quand tu seras un(e) adulte, quel souvenir de ta jeunesse penses-tu garder?

Réponds au questionnaire et vérifie tes réponses en consultant le corrigé.

Questionnaire

1. Qui est l'auteur de ce poème? _____

2. Quel sentiment exprime-t-il dans son poème? _____
   _____

3. Que ressens-tu après la lecture de ce poème? _____
   _____
   _____

4. À quoi ce poème te fait-il penser? _____
   _____
   _____

5. Qui est Frédéric? _____

6. Dans la première strophe, qu'est-ce que Léveillée regrette le plus de sa jeunesse? _____
   _____
   _____

7. Quel était le rêve de Léveillée et de Frédéric quand ils étaient jeunes? _____
   _____

8. Que reproche-t-il aujourd'hui à la vie? _____
   _____

9. Par quels vers le poète dit-il que ses grands rêves sont disparus maintenant? _____
   _____
   _____

10. À quelle saison compare-t-il sa jeunesse? _____

11. Identifie les vers dans lesquels l'auteur explique pourquoi il a renoncé à ses rêves de jeunesse.
    _____

12. Combien de strophes ce poème contient-il? _____

13. Identifie le mot qui est répété dans chacune des strophes. _____

14. Explique le sens des expressions suivantes.

   La vie t'a bouffé: _____

   Quitter les vieux meubles: _____

   Automne de la vie: _____

   Croulés les châteaux: _____

15. Prends ton dictionnaire et indique qui était...

   • Chopin: _____

   • Arlequin: _____

16. Dans la première strophe, quels mots les pronoms suivants remplacent-ils?

   Je: _____   **Tu:** _____

   On: _____   **Nous:** _____

17. Regroupe tous les mots de la dernière strophe qui peuvent faire partie du champ sémantique **tristesse.** _____

_____

18. Dans la deuxième strophe, avec quel mot Chopin rime-t-il? _____

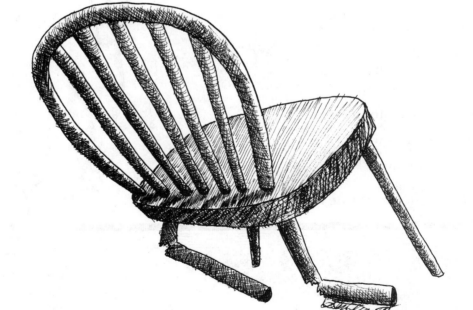

Activité 2

PERSONNAGES

Présentation

Avec Félix Leclerc, Gilles Vigneault est probablement l'un de nos plus grands poètes québécois. Tu l'as certainement entendu chanter la beauté de son pays, mais il est aussi capable de raconter avec simplicité la lutte de l'homme avec la vie.

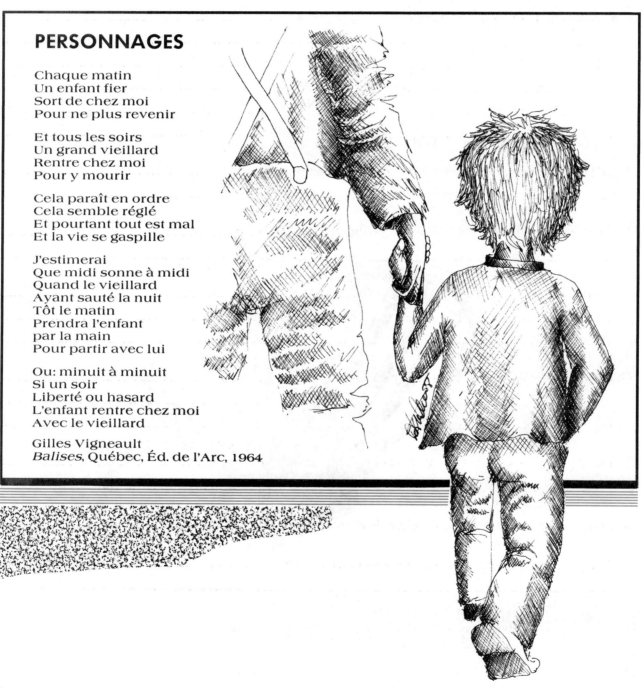

PERSONNAGES

Chaque matin
Un enfant fier
Sort de chez moi
Pour ne plus revenir

Et tous les soirs
Un grand vieillard
Rentre chez moi
Pour y mourir

Cela paraît en ordre
Cela semble réglé
Et pourtant tout est mal
Et la vie se gaspille

J'estimerai
Que midi sonne à midi
Quand le vieillard
Ayant sauté la nuit
Tôt le matin
Prendra l'enfant
par la main
Pour partir avec lui

Ou: minuit à minuit
Si un soir
Liberté ou hasard
L'enfant rentre chez moi
Avec le vieillard

Gilles Vigneault
Balises, Québec, Éd. de l'Arc, 1964

Questions à te poser

Es-tu d'accord avec Vigneault quand il dit que «la vie se gaspille»? Pourquoi? Qu'est-ce qui peut empêcher qu'on ait cette impression après avoir vécu une journée?

Réponds aux questions et vérifie soigneusement tes réponses en consultant le corrigé.

Questionnaire

1. Quelle impression ce poème t'a-t-il laissée? _____

_____

_____

2. Raconte dans tes propres mots ce que dit le poète. _____

_____

_____

_____

_____

_____

3. Que veut dire le poète quand il parle d'un «enfant fier»? _____

_____

4. Que veut dire le poète quand il parle d'un «grand vieillard»? _____

_____

5. À quoi le poète rêve-t-il? Qu'espère-t-il? _____

_____

_____

6. Est-ce possible que son rêve se réalise, selon toi? _____

_____

_____

7. En regardant les cinq strophes du poème, que remarques-tu? _____

_____

8. Dans quelle strophe les vers riment-ils entre eux? _____

9. Quelles sont les deux seules rimes féminines du poème? _____

_____

10. Combien de phrases chacune des strophes contient-elle? _____

_____

11. Quel titre donnerais-tu...
   - à la première strophe? _____
   - à la deuxième strophe? _____

12. À quel temps sont la plupart des verbes du poème? _____

13. Quels qualificatifs le poète donne-t-il...
   - à l'enfant? _____
   - au vieillard? _____

14. Identifie deux oppositions entre la première et la deuxième strophe. _____

_____

15. Regroupe cinq mots du poème dans le champ sémantique **temps**. _____

_____

16. Quel autre titre pourrais-tu donner à ce poème? _____

17. Identifie deux oppositions entre la première et la dernière strophe. _____

_____

18. Qu'est-ce qui était difficile à comprendre dans ce poème? _____

_____

_____

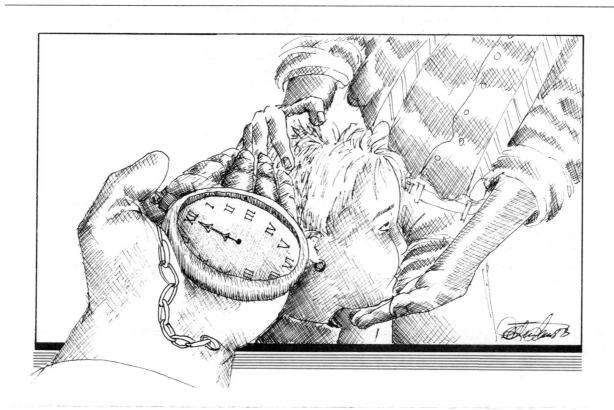

LIRE UN POÈME EXPRESSIF

Activité 3

AU BORD DU CANAL

Présentation

Depuis plus de vingt ans, Jean-Pierre Ferland chante l'amour et l'amitié. Dans *Au bord du canal*, il aborde un sujet auquel il n'avait jamais touché: l'ennui et la solitude.

AU BORD DU CANAL

Assis sur le bord du canal,
Je compte les poils sur mes bras.
Comme un abruti, je grimace
Dans l'eau dégueulasse
Qui ne me répond pas.
Je joue de la flûte dans des joncs pourris
Qui ont le même son que le son de ma vie.
Je m'ennuie...

Assis sur le bord du canal,
Je fais le total de mes doigts.
Je me raconte des mensonges,
Je ronge mes ongles,
Je fais craquer mes doigts.
J'entends crisser les feuilles mortes
Sous les redingotes des amoureux
Dans le petit bois, juste dans mon dos.
J'ai les yeux qui flottent dans l'eau.

Bon Dieu! que les soirées sont longues
Quand on est tout seul.
Bon sang! que les soirées sont fraîches
Quand on est tout seul.

Assis sur le bord du canal,
Je compte les vagues en secret
Et comme un parfait inutile,
J'épile une branche et m'en fais un archet.
Je mets en bouteille des lettres d'amour
Qui vont, qui viennent
Mais qui restent là toujours.
Je m'ennuie. Je m'ennuie...

Assis sur le bord du canal,
J'attends un signal comme un cri
Qui me viendrait de l'autre rive
Et qui dirait: «Arrive,
Je m'ennuie aussi».
J'irais, j'irais à la nage,
J'irais à l'abordage
Sans faire un détour.
Pour un peu d'amour,
Je vendrais l'Adour.
J'attends, j'allume mon fanal.

Assis sur le bord du canal,
Je compte les voiles.

Jean-Pierre Ferland
Un peu plus loin, Barclay

Questions à te poser

As-tu déjà ressenti l'ennui? Dans quelles circonstances? Que penses-tu de la solitude? Comment peut-on y échapper? Quels sont les bienfaits de la solitude, selon toi?

Réponds au questionnaire et vérifie tes réponses en consultant le corrigé.

Questionnaire

1. Quel(s) sentiment(s) le poète exprime-t-il dans ce texte? _____

2. Relève dans les deux premières strophes cinq gestes du poète qui prouvent son ennui. _____

3. À qui le poète se compare-t-il dans son poème? _____

4. Par quelle répétition le poète exprime-t-il le sentiment qu'il ressent? _____

5. Relève dans la première strophe des mots qui prouvent que le poète est dégoûté de la vie qu'il a.

6. Qu'est-ce que le poète attend? _____

7. Trouve deux vers qui prouvent ta réponse au numéro précédent. _____

8. Relève tous les vers dans lesquels le poète parle des sacrifices qu'il est prêt à faire pour un peu d'amour. _____

9. Quel passage de ce poème trouves-tu particulièrement émouvant? Pourquoi? _____

10. Quels sont les deux sentiments que le poète oppose? _____

11. Quel geste du poète ressemble à un appel au secours? _____

_____

12. Donne le sens des expressions suivantes.

J'ai les yeux qui flottent dans l'eau: _____

Eau dégueulasse: _____

Je vendrais l'Adour: _____

13. Pourquoi y a-t-il des guillemets dans la cinquième strophe? _____

_____

14. Relève deux exclamations. _____

15. Quel pronom personnel revient le plus souvent dans le texte? Qui désigne-t-il? _____

_____

16. Pourquoi l'auteur utilise-t-il le conditionnel dans la cinquième strophe? _____

_____

17. Dans la cinquième strophe, avec quels mots ces mots riment-ils?

Canal: _____ **Nage:** _____

Cri: _____ **Détour:** _____

18. À quels sens le poète fait-il appel dans les passages suivants?

Qui ont le même son: _____

Les soirées sont fraîches: _____

Je compte les poils: _____

19. Regroupe huit mots du poème dans le champ sémantique **eau**. _____

_____

20. Dans la quatrième strophe, relève les compléments circonstanciels de manière. _____

_____

Activité 4

MA MAISON

Présentation

Claude Gauthier a toujours été un amoureux de la mer. Il ne faut pas s'étonner qu'il compare sa chanson à un voilier offrant l'évasion à tous ceux qui veulent s'évader de leurs soucis.

MA MAISON

Si un jour, par hasard
Vous passez près d'un quai,
Regardez vers le phare,
Peut-être vous la verrez.
C'est une voile bizarre,
Presque une antiquité
Où chante ma guitare,
Où danse l'amitié.

Ma maison, c'est une voile blanche,
Des chansons, des bals, des dimanches.
Ma maison berce mon coeur bohème.
Goéland, lui, chante mes poèmes.
Ma maison, elle est pour toi fillette,
Vagabond, malheureux ou poète.
Ma maison,
Ma maison.

Pour ceux qui en ont trop
Y a des câbles sur le pont,
Y a la gueule des flots
Et un bon lit au fond.
Oui, mais j'ai beaucoup mieux
Pour ceux qui ont le coeur noir,
Venez rêver un peu.
J'ai des chansons d'espoir.

Quand sur le pont qui danse,
Vous serez embarqués.
Alors, je lèverai l'ancre.
Les amarres larguées,
Cap sur des îles blanches,
Nous irons promener...

Claude Gauthier
Claude Gauthier chante, Columbia, FS 531

Questions à te poser

La chanson est-elle vraiment un moyen d'évasion? Pourquoi? Les chansons te font-elles parfois rêver? Pourquoi es-tu plus sensible à certaines?

Réponds aux questions et vérifie tes réponses en consultant le corrigé.

Questionnaire

1. À quoi Claude Gauthier compare-t-il sa maison? _____

_____

2. À qui son poème s'adresse-t-il en particulier? _____

_____

3. Quel(s) sentiment(s) son texte exprime-t-il? _____

4. Qu'est-ce que le poète offre au malheureux? _____

5. Comment imagines-tu la maison de Gauthier? _____

_____

6. Relève trois mots qui expriment un sentiment. _____

_____

7. Crois-tu que la mer et un bateau peuvent apporter le bonheur? Pourquoi? _____

_____

_____

8. Quel poème ce texte te rappelle-t-il? _____

9. Que signifie le vers «Pour ceux qui ont le coeur noir»? _____

_____

10. Que veut dire Gauthier quand il écrit: «Quand sur le pont qui danse»? _____

_____

11. Relève dans le poème des gestes qu'un marin pose habituellement. _____

_____

12. Regroupe cinq mots du poème dans le champ sémantique **joie**. _____

_____

13. Quel titre donnerais-tu...

  • à la troisième strophe? _____

  • à la quatrième strophe? _____

14. Dans son poème, Gauthier oppose la couleur blanche à la couleur noire. Quel sens donne-t-il à ces deux couleurs? _____

_____

15. Quel autre titre donnerais-tu à ce poème? _____

16. Quel(s) qualificatif(s) le poète utilise-t-il pour caractériser le mot...

  • voile? _____

  • coeur? _____

17. Quelles sont les deux seules rimes masculines de la deuxième strophe? _____

_____

18. Quelle strophe contient les vers...

  • les plus longs? _____

  • les plus courts? _____

19. Quelle sorte de subordonnée est-ce?

  a) **Où chante ma guitare:** _____

  b) **Qui danse:** _____

  c) **Quand vous serez embarqués:** _____

20. Dans la deuxième strophe, peux-tu relever...

  • une énumération? _____

_____

  • une répétition? _____

Activité 5

TA RIVIÈRE

Présentation

Jean Lapointe et Marcel Lefèbvre ont créé ensemble ce court poème dans lequel ils comparent la vie à une rivière pleine de surprises qui mène vers une mer infinie.

TA RIVIÈRE

Tout le long, le long de ta rivière
Il y aura cailloux blancs, cailloux gris
De l'eau bleue, de l'eau pure, de l'eau claire
Mais aussi l'eau brouillée par la pluie
Des amours, des cascades en lumière
Des enfants qui rient des ronds dans l'eau
Loin des chutes, des remous en colère
Qui nous font des larmes au fil de l'eau.

Il y aura des îles avec des plages
À côté, des torrents de malheurs
Des rapides et des quais de passage
Où on laisse des morceaux de son coeur.

Tout le long, le long de ta rivière
Il y aura cailloux blancs, cailloux gris
De l'eau calme, de l'eau douce, de l'eau fraîche
Mais aussi l'eau noire comme la nuit
Il y aura des questions dans ta tête.
Tu voudras savoir où l'eau s'enfuit.
Ta rivière redeviendra muette
T'emportant vers la mer infinie.

Lefèbvre et Lapointe
Si on chantait ensemble,
Jean Lapointe,
Disques Couleurs, CO 101

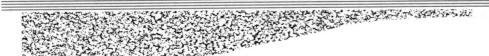

Questions à te poser

Quel genre de vie souhaites-tu connaître? Quels moyens es-tu prêt(e) à prendre pour y arriver? Quelles sont les joies que tu veux absolument vivre? Pourquoi?

Réponds attentivement aux questions et vérifie tes réponses en consultant le corrigé.

Questionnaire

1. Que ressens-tu après la lecture de ce poème? _____
_____

2. Qu'est-ce qui était difficile à comprendre? _____
_____

3. Identifie quatre sentiments dans la première strophe. _____
_____

4. Dans ce poème, quels adjectifs qualificatifs les poètes associent-ils à l'eau pour parler...
   - du bonheur? _____
   - du malheur? _____

5. Quand les poètes comparent ta vie à une rivière, la comparaison te semble-t-elle juste? Pourquoi?
_____
_____
_____

6. À quels phénomènes naturels sont comparés les sentiments ou les événements suivants?
   Les amours: _____
   La colère: _____
   Les malheurs: _____

7. Quel sens donnes-tu aux expressions suivantes?
   a) **Eau bleue, eau pure, eau claire:** _____
   b) **Cailloux blancs, cailloux gris:** _____
   c) **Où on laisse des morceaux de son coeur:** _____

8. Comment indique-t-on que ce qui est prédit se déroulera durant **toute** la vie? _____
_____

9. Par quels mots les poètes annoncent-ils que tu mourras un jour? _____
_____

10. Quel(s) vers signifie(nt) qu'en vieillissant, tu finiras par te demander comment tu as pu vieillir aussi rapidement? _____

_____

11. Quel titre donnerais-tu...
   - à la première strophe? _____
   - à la deuxième strophe? _____
   - à la troisième strophe? _____

12. Quelle image as-tu préférée? Pourquoi? _____

_____

_____

13. Quel sens donnes-tu au vers suivant: «Qui nous font des larmes au fil de l'eau»? _____

_____

14. Quelle différence y a-t-il entre la première et la dernière strophe? _____

_____

15. Quels mots les pronoms relatifs suivants remplacent-ils?
   Qui (rient): _____
   Qui (nous font): _____
   Où (on laisse): _____

16. Relève les rimes féminines de la deuxième strophe. _____

17. Dans le poème, à quoi les plages sont-elles opposées? _____

_____

18. À quoi l'eau noire est-elle comparée? _____

_____

19. Dans quels vers les poètes s'adressent-ils directement à toi? _____

_____

20. Selon toi, quel message les poètes ont-ils cherché à livrer? _____

_____

_____

Activité 6

PARTIR

Présentation

Dans son poème «Partir», Cécile Chabot fait appel à ce qu'il y a de meilleur en nous pour nous inciter à faire de notre vie une réussite. Pour elle, partir, c'est recommencer et construire avec courage et détermination une oeuvre qui soit belle.

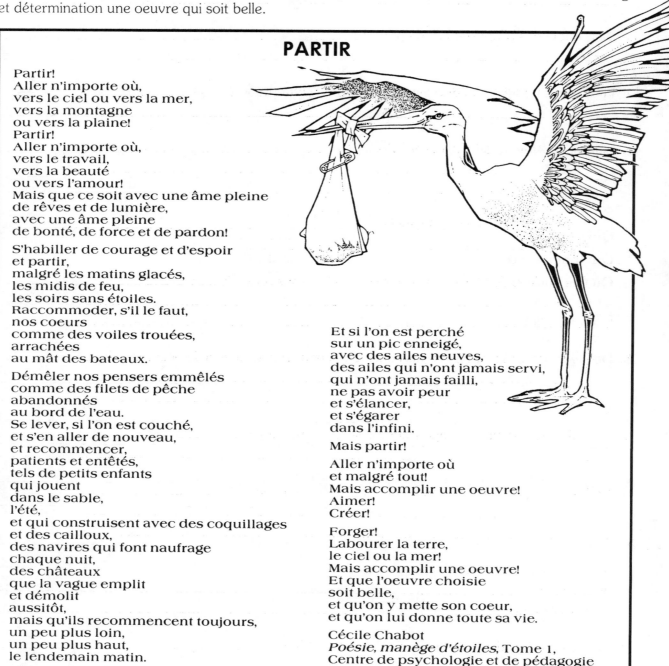

PARTIR

Partir!
Aller n'importe où,
vers le ciel ou vers la mer,
vers la montagne
ou vers la plaine!
Partir!
Aller n'importe où,
vers le travail,
vers la beauté
ou vers l'amour!
Mais que ce soit avec une âme pleine
de rêves et de lumière,
avec une âme pleine
de bonté, de force et de pardon!

S'habiller de courage et d'espoir
et partir,
malgré les matins glacés,
les midis de feu,
les soirs sans étoiles.
Raccommoder, s'il le faut,
nos coeurs
comme des voiles trouées,
arrachées
au mât des bateaux.

Démêler nos pensers emmêlés
comme des filets de pêche
abandonnés
au bord de l'eau.
Se lever, si l'on est couché,
et s'en aller de nouveau,
et recommencer,
patients et entêtés,
tels de petits enfants
qui jouent
dans le sable,
l'été,
et qui construisent avec des coquillages
et des cailloux,
des navires qui font naufrage
chaque nuit,
des châteaux
que la vague emplit
et démolit
aussitôt,
mais qu'ils recommencent toujours,
un peu plus loin,
un peu plus haut,
le lendemain matin.

Et si l'on est perché
sur un pic enneigé,
avec des ailes neuves,
des ailes qui n'ont jamais servi,
qui n'ont jamais failli,
ne pas avoir peur
et s'élancer,
et s'égarer
dans l'infini.

Mais partir!

Aller n'importe où
et malgré tout!
Mais accomplir une oeuvre!
Aimer!
Créer!

Forger!
Labourer la terre,
le ciel ou la mer!
Mais accomplir une oeuvre!
Et que l'oeuvre choisie
soit belle,
et qu'on y mette son coeur,
et qu'on lui donne toute sa vie.

Cécile Chabot
Poésie, manège d'étoiles, Tome 1,
Centre de psychologie et de pédagogie

Questions à te poser

Selon toi, quelles sont les qualités nécessaires pour bien réussir sa vie? Pourquoi? Partir est-il plus courageux que rester dans certains cas? Lesquels?

Réponds au questionnaire et vérifie tes réponses en consultant le corrigé.

Questionnaire

1. Quel sens donnes-tu au titre de ce poème? _____

_____

2. Où l'auteure nous suggère-t-elle d'aller? _____

_____

3. Vers quoi nous propose-t-elle de partir? _____

_____

4. Pour quelle(s) raison(s) devrions-nous partir? _____

_____

5. Selon toi, l'auteure a-t-elle raison? Pourquoi? _____

_____

_____

6. Quels obstacles l'auteure prévoit-elle? _____

_____

7. Quelles qualités devrions-nous avoir si nous désirons réussir? _____

_____

_____

8. Quelles sont les deux conditions nécessaires pour réussir une belle oeuvre? ___

_____

_____

9. Identifie deux grandes comparaisons que l'auteure emploie. _____

_____

10. Relève deux passages qui prouvent ta réponse au numéro 9. _____

_____

_____

11. À quoi l'auteure compare-t-elle...
    - les coeurs? _____
    - nos pensers? _____

12. Quelles qualités des enfants devrions-nous posséder? _____

_____

13. Quels sont les deux vers que l'auteure répète souvent dans le poème? _____
_____

14. Pourquoi cette répétition? _____
_____

15. Qu'as-tu le plus apprécié dans ce poème? _____
_____
_____

16. Quelle image as-tu préférée? Pourquoi? _____
_____
_____

17. Si tu considères la manière d'écrire, quelle grande différence y a-t-il entre ce poème et les cinq qui
l'ont précédé? _____
_____

18. Combien de strophes ce poème contient-il? _____

19. Quel sens donnes-tu aux expressions suivantes?
Midis de feu: _____
Soirs sans étoiles: _____

20. À quel temps et à quel mode sont la plupart des verbes? _____
_____

21. Si l'auteure avait voulu te donner des ordres, qu'aurait-elle écrit au lieu de...
   • démêler? _____
   • raccommoder? _____
   • partir? _____

22. Quel autre titre pourrais-tu donner à ce poème? _____

23. Avec quels mots l'auteure complète-t-elle les noms suivants?
Filets: _____
Mât: _____
Midis: _____

24. Quels noms les subordonnées relatives suivantes complètent-elles?
   a) **Que la vague emplit:** _____
   b) **Qui font naufrage:** _____
   c) **Qui construisent:** _____

25. Par quel signe de ponctuation très souvent répété l'auteure manifeste-t-elle ses émotions?
_____

Cinquième chapitre

VIENS VIVRE NOS AVENTURES

Viens vivre nos aventures

Présentation

Les romans d'aventures sont passionnants. Ils te font décoller de la réalité pour t'entraîner malgré toi dans des aventures palpitantes en compagnie de personnages que tu apprends à aimer au fil des pages. Un bon roman te fait tout oublier pour te faire vivre durant quelques heures, hors du temps, dans un autre monde, plein d'événements exaltants et de périls mortels. Tout au long de ta lecture, tu n'as toujours qu'un seul désir: connaître la fin pour savoir si le héros ou l'héroïne triomphe.

Dans ce chapitre, nous aimerions que tu vives les aventures de différents personnages en lisant trois extraits tirés d'un roman d'aventures. Ces lectures devraient non seulement te donner le goût de lire des romans d'aventures, mais encore développer tes connaissances sur ce type de discours.

Nous t'invitons, dans la seconde partie de ce chapitre, à exercer tes dons de créateur(trice) en produisant deux courts récits d'aventures. Il est certain que la lecture des trois extraits t'aura donné le goût d'imaginer à ton tour des personnages à qui tu feras vivre différentes aventures. Tu verras que ton imagination vaut bien celle de certains auteurs et qu'il n'est rien de plus agréable que de faire vivre sous ta plume un monde qui vient de toi. En plus, ces deux productions te permettront de maîtriser ce type de discours et d'améliorer la qualité de ta langue dans tes communications écrites.

Liste des activités

Compréhension

Activité 1:	Une tempête sur un lac	Jules Verne
Activité 2:	Les grands ours polaires	Jules Verne
Activité 3:	La débâcle	Jules Verne

Production écrite

Activité 1:	Trouveront-ils?
Activité 2:	Perdus!

Tes objectifs

Lire un court roman d'aventures ou de science-fiction en tenant compte de la situation de communication et du fonctionnement de la langue et des discours.

TES INTENTIONS: satisfaire un besoin d'imaginaire, explorer le langage et te donner une vision du monde.

Écrire un récit d'aventures comprenant plus d'un événement en tenant compte de la situation de communication et du fonctionnement de la langue et des discours.

TES INTENTIONS: satisfaire un besoin d'imaginaire et explorer le langage.

Connaissances

Le roman d'aventures

Un roman d'aventures est une histoire vécue ou imaginée dans laquelle le ou les personnages ont à affronter plusieurs dangers. Le suspense vient de ce qu'on ignore jusqu'à la fin si les personnages triompheront.

La structure

1. La situation initiale est le point de départ de l'aventure. C'est souvent un événement de la vie courante.

2. L'événement déclencheur est le danger, la menace qui provoque l'aventure.

3. Les péripéties sont les gestes posés par le ou les personnages pour échapper au danger.

4. La situation finale ou le dénouement, c'est la conclusion. Dans un roman d'aventures, on aura plusieurs événements. Pour chacun, il y aura donc...
   - une situation initiale;
   - un événement déclencheur;
   - des péripéties;
   - une situation finale.

Les personnages

1. Les personnages principaux sont les héros du roman, ceux dont le (la) narrateur (trice) et les autres personnages parlent en bien, souvent en vantant leur bravoure ou leurs autres qualités.

2. Les personnages secondaires se partagent en trois catégories:
   - Les alliés qui aident les héros;
   - Les opposants qui nuisent aux héros;
   - Les figurants qui n'ont pas un rôle bien défini.

   Tous ces personnages posent des gestes qui font mieux apprécier les héros.

Les indices

Les indices sont des informations que l'auteur (e) donne sur les sentiments de ses personnages. **Ex.:** Elle *aimait* beaucoup la traversée.

Les informants

Les informants sont des précisions ou des caractéristiques que l'auteur (e) apporte pour permettre aux lecteurs de mieux imaginer l'endroit, le personnage ou l'objet. **Ex.:** Le bateau faisait *douze mètres* et il était couvert de *rouille*.

Les rôles de l'auteur(e)

Dans un roman d'aventures, l'auteur (e) joue trois rôles:
- Il (elle) décrit (un personnage, un endroit, un objet...);
- Il (elle) raconte l'action;
- Il (elle) fait parler ses personnages dans des dialogues où les verbes sont le plus souvent au présent.

Écrire un récit d'aventures comprenant plus d'un événement

Quand tu écriras un récit d'aventures, il faudra que tu te souviennes des points suivants:

1. Imaginer deux ou trois événements qui présentent chacun une menace pour tes héros;
2. Ne pas oublier qu'il faut une situation initiale, un élément déclencheur, des péripéties et une situation finale pour chaque événement;
3. Bien décrire et caractériser les endroits, les objets et les personnages;
4. Écrire avec précision chaque péripétie;
5. Faire parler les personnages dans des dialogues;
6. Utiliser les temps des verbes exigés par la logique des actions;
7. Faire varier le style des phrases en utilisant des formes affirmatives, négatives, exclamatives, impératives et interrogatives;
8. Surveiller la ponctuation de ton texte (voir **Les activités grammaticales et orthographiques** à la fin du cahier);
9. Surveiller ton orthographe, particulièrement les accords;
10. Former des paragraphes courts qui ne contiennent qu'une idée.

LIRE UN COURT ROMAN D'AVENTURES

Activité 1

UNE TEMPÊTE SUR UN LAC
LE PAYS DES FOURRURES

Présentation

Il est presque impossible de parler de romans d'aventures destinés aux jeunes sans penser à Jules Verne (1828-1905). Cet écrivain très imaginatif a créé des romans d'anticipation qui, un siècle après leur parution, passionnent encore les jeunes lecteurs. Peut-être as-tu déjà lu *Vingt mille lieues sous les mers*, *De la Terre à la Lune*, *Le tour du monde en quatre-vingts jours* ou *Michel Strogoff*? Si tu n'as pas eu cette chance, il est encore temps d'en profiter.

Les trois premières activités de ce chapitre portent sur trois extraits du roman *Le pays des fourrures* de Jules Verne. Ce n'est pas un roman d'aventures particulièrement court, mais il est tellement intéressant qu'on oublie très rapidement le nombre de pages.

Les personnages du roman

Le lieutenant Hobson: Un petit homme de quarante ans reconnu pour sa vigueur et son courage. Il dirige l'expédition.

Norman: Un vieux marin qui connaît très bien le lac du Grand-Ours.

Mrs. Paulina Barnett: Une veuve de quarante ans qui a consacré sa vie aux voyages dans des contrées inconnues. Elle fait partie de l'expédition.

Un résumé des chapitres précédents

La compagnie de la baie d'Hudson, spécialisée dans l'achat et la vente des fourrures, prend en 1859 la décision d'étendre son territoire de traite jusqu'à la limite arctique du continent américain. Cette compagnie possède déjà une dizaine de forts (factoreries) allant du pied des Rocheuses jusqu'au bord du Grand Lac des Esclaves, mais un nouveau fort à plusieurs centaines de kilomètres plus au nord compléterait le réseau.

On a donc chargé le lieutenant Jasper Hobson, assisté par le sergent Long, de diriger une expédition de dix-neuf personnes à travers ces régions polaires inconnues. Il a un an pour rejoindre, avec ses traîneaux à chiens, l'extrême pointe nord du continent et pour ériger un fort.

La petite troupe part à la mi-avril du fort Reliance et atteint, après trois mois d'une marche épuisante, le fort Confidence construit au bord du lac du Grand-Ours. C'est la dernière étape en pays connu. Pour éviter que les voyageurs ne perdent plusieurs semaines à contourner cet immense lac, le commandant du fort met à leur disposition une vieille barque de pêche de cinq mètres pilotée par Norman, un vieux marin. Comme le bateau ne peut contenir tout le monde dans un seul voyage, Hobson et Mrs. Barnett partent les premiers dans le but de rencontrer une tribu d'Inuit installée sur l'autre rive. Si le temps est beau au départ, il se gâte rapidement quand vient le moment de retourner au fort...

Directives

Lis attentivement l'extrait suivant et accorde-toi un instant de réflexion en répondant aux **Questions à te poser**. Réponds au questionnaire et vérifie tes réponses en consultant le corrigé.

UNE TEMPÊTE SUR UN LAC

(1) Le vieux marin attendait avec une certaine impatience le retour de ses passagers.

En effet, depuis une heure environ, le temps avait changé. L'aspect du ciel, qui s'était subitement modifié, devait nécessairement inquiéter un homme habitué à consulter les vents et les nuages. Le soleil, masqué par une brume épaisse, ne se montrait plus que sous l'aspect d'un disque blanchâtre, alors sans éclat et sans rayonnement. La brise s'était tue, et cependant on entendait les eaux du lac gronder dans le sud. Ces symptômes d'un changement très prochain dans l'état de l'atmosphère s'étaient manifestés avec cette rapidité particulière aux latitudes élevées.

«Partons, monsieur le lieutenant, partons! s'écria le vieux Norman, en regardant d'un air inquiet la brume suspendue au-dessus de sa tête. Partons sans perdre un instant. Il y a de graves menaces dans l'air.

— En effet, répondit Jasper Hobson, l'aspect du ciel n'est plus le même. Nous n'avions pas remarqué ce changement.

— Craignez-vous donc quelque tempête? demanda la voyageuse en s'adressant à Norman.

— Oui, madame, répondit le vieux marin, et les tempêtes du Grand-Ours sont souvent terribles. L'ouragan s'y déchaîne comme en plein Atlantique. Cette brume subite, qui s'est faite, ne présage rien de bon. Toutefois, il est possible que la tourmente n'éclate point avant trois ou quatre heures, et, d'ici là, nous serons arrivés au fort Confidence. Mais partons sans retard, car l'embarcation ne serait pas en sûreté auprès de ces roches, qui se montrent à fleur d'eau.»

(2) Le lieutenant Hobson ne pouvait discuter avec Norman des choses auxquelles celui-ci s'entendait mieux que lui. Le vieux marin était, d'ailleurs, un homme pratique habitué depuis longtemps à ces traversées du lac. Il fallait donc s'en rapporter à son expérience. Mrs. Paulina Barnett et Jasper Hobson s'embarquèrent.

Cependant, au moment de détacher l'amarre et de pousser au large, Norman — éprouvait-il une sorte de pressentiment? — murmura ces mots:

«On ferait peut-être mieux d'attendre!»

Jasper Hobson, auquel ces paroles n'avaient point échappé, regarda le vieux marin, déjà assis à la barre. S'il eût été seul, il n'aurait pas hésité à partir. Mais la présence de Mrs. Paulina Barnett lui commandait une circonspection plus grande. La voyageuse comprit l'hésitation de son compagnon.

«Ne vous occupez point de moi, monsieur Hobson, dit-elle, et agissez comme si je n'étais pas là. Si ce brave marin croit devoir partir, partons sans retard.

— À-Dieu-vat! répondit Norman, en larguant son amarre, et retournons au fort par le plus court!»

Le canot prit le large. Pendant une heure, il fit peu de chemin. La voile, à peine gonflée par de folles brises qui ne savaient où se fixer, battait sur le mât. La brume s'épaississait. L'embarcation subissait déjà les ondulations d'une houle plus violente, car la mer «sentait», avant l'atmosphère, le cataclysme prochain. Les deux passagers restaient silencieux, tandis que le vieux marin, à travers ses paupières éraillées, cherchait à percer l'opaque brouillard. D'ailleurs, il se tenait prêt à tout événement, et, son écoute à la main, il attendait le vent, prêt à la filer, si l'attaque était trop brusque.

(3) Jusqu'alors, cependant, les éléments n'étaient point entrés en lutte, et tout eût été pour le mieux, si l'embarcation avait fait de la route. Mais, après une heure de navigation, elle ne se trouvait pas encore à deux milles¹ du campement des Indiens², tant la brise était incertaine ou faible. En outre, quelques souffles malencontreux, venus de terre, l'avaient repoussée au large, et déjà, par ce temps embrumé, la côte se distinguait à peine. C'était une circonstance fâcheuse, car si le vent venait à se fixer dans la partie du nord, ce léger canot, très sensible à la dérive, et ne pouvant suffisamment tenir le plus près, courait risque d'être entraîné fort au loin sur le lac.

«Nous marchons à peine! dit le lieutenant au vieux Norman.

— À peine, monsieur Hobson, répondit le marin. La brise ne veut pas tenir, et, quand elle tiendra, il est malheureusement à craindre que ce ne soit du mauvais côté. Alors, ajouta-t-il en étendant sa main vers le sud, nous pourrions bien voir le fort Franklin avant le fort Confidence!

---

¹ Environ 3 kilomètres.
² Il faudrait lire **Amérindiens**.

— Eh bien, répondit en plaisantant Mrs. Paulina Barnett, ce serait une promenade plus complète, voilà tout. Ce lac du Grand-Ours est magnifique, et il mérite vraiment d'être visité du nord au sud! Je suppose, Norman, qu'on en revient, de ce fort Franklin!

— Oui! madame, quand on a pu l'atteindre, dit le vieux Norman. Mais des tempêtes qui durent quinze jours ne sont pas rares sur ce lac, et, si notre mauvaise fortune nous poussait jusqu'aux rives du sud, je ne promettrais pas au lieutenant Jasper Hobson qu'il fût de retour avant un mois au fort Confidence.

— Prenons garde alors, répondit le lieutenant, car un pareil retard compromettrait fort nos projets. Ainsi donc, agissez avec prudence, mon ami, et, s'il le faut, regagnez au plus tôt la terre du nord. Mrs. Paulina Barnett ne reculera pas, je pense, devant une course de vingt à vingt-cinq milles[3] par terre.

— Je voudrais regagner la côte au nord, monsieur Hobson, répondit Norman, que je ne le pourrais plus maintenant. Voyez vous-même. Le vent a une tendance à s'établir de ce côté. Tout ce que je puis tenter, c'est de tenir le cap au nord-est, et, s'il ne survente pas, j'espère que je ferai bonne route. »

④ Mais, vers quatre heures et demie, la tempête se caractérisa. Des sifflements aigus retentirent dans les hautes couches de l'air. Le vent, que l'état de l'atmosphère maintenait dans les zones supérieures, ne s'abaissait pas encore jusqu'à la surface du lac, mais cela ne pouvait tarder. On entendait de grands cris d'oiseaux effarés, qui passaient dans la brume. Puis, tout d'un coup, cette brume se déchira et laissa voir de gros nuages bas, déchiquetés, déloquetés, véritables haillons de vapeur, violemment chassés vers le sud. Les craintes du vieux marin s'étaient réalisées. Le vent soufflait du nord, et il ne devait pas tarder à prendre les proportions d'un ouragan en s'abattant sur le lac.

« Attention! » cria Norman, en roidissant l'écoute de manière à présenter l'embarcation debout au vent sous l'action de la barre.

La rafale arriva. Le canot se coucha d'abord sur le flanc, puis il se releva et bondit au sommet d'une lame. À partir de ce moment, la houle s'accrut comme elle eût fait sur une mer. Dans ces eaux relativement peu profondes, les lames, se choquant lourdement contre le fond du lac, rebondissaient ensuite à une prodigieuse hauteur.

« À l'aide! à l'aide! » avait crié le vieux marin, en essayant d'amener rapidement sa voile.

Jasper Hobson, Mrs. Paulina Barnett elle-même, tentèrent d'aider Norman, mais sans succès, car ils étaient peu familiarisés avec la manœuvre d'une embarcation. Norman ne pouvant abandonner sa barre, et les drisses étant engagées à la tête du mât, la voile n'amenait pas. À chaque instant, le canot menaçait de chavirer, et déjà de gros paquets de mer l'assaillaient par le flanc. Le ciel, très chargé, s'assombrissait de plus en plus. Une froide pluie, mêlée de neige, tombait à torrents, et l'ouragan redoublait de fureur, en échevelant la crête des lames.

« Coupez! coupez donc! » cria le vieux marin au milieu des mugissements de la tempête.

⑤ Jasper Hobson, décoiffé par le vent, aveuglé par les averses, saisit le couteau de Norman et trancha la drisse tendue comme une corde de harpe. Mais le filin mouillé ne courait plus dans la gorge des poulies, et la vergue resta apiquée en tête du mât.

Norman voulut fuir alors, fuir dans le sud, puisqu'il ne pouvait tenir tête au vent; fuir, quoique cette allure fût extrêmement périlleuse, au milieu de lames dont la vitesse dépassait celle de son embarcation; fuir, bien que cette fuite risquât de l'entraîner irrésistiblement jusqu'aux rives méridionales du Grand-Ours!

Jasper Hobson et sa courageuse compagne avaient conscience du danger qui les menaçait. Ce frêle canot ne pouvait résister longtemps aux coups de mer. Ou il serait démoli, ou il chavirerait. La vie de ceux qu'il portait était entre les mains de Dieu.

Cependant, ni le lieutenant, ni Mrs. Paulina Barnett ne se laissèrent aller au désespoir. Accrochés à leur banc, couverts de la tête aux pieds par les froides douches des lames, trempés de pluie et de neige, enveloppés par les sombres rafales, ils regardaient sans frémir à travers les brumes. Toute terre avait disparu. À une encablure du canot, les nuages et les eaux du lac se confondaient obscurément. Puis, leurs yeux interrogeaient le vieux Norman, qui, les paupières clignotantes, les dents serrées, les mains contractées sur la barre, essayait encore de maintenir son canot au plus près du vent.

⑥ Mais la violence de l'ouragan devint telle que l'embarcation assommée ne put continuer à naviguer plus longtemps sous cette périlleuse allure. Les lames qui la choquaient par l'avant l'auraient inévitablement démolie. Déjà ses premiers bordages se disjoignaient, et quand elle tombait de tout son poids dans le creux des lames, c'était à croire qu'elle ne se relèverait pas.

---

[3] Entre 32 et 40 kilomètres.

«Il faut fuir, fuir quand même!» murmura le vieux marin.

Et, poussant la barre, filant l'écoute, il mit le cap au sud. La voile, violemment tendue, emporta aussitôt l'embarcation avec une vertigineuse rapidité. Mais les immenses lames, plus mobiles, couraient encore plus vite, et c'était le grand danger de cette fuite vent arrière. Déjà même des masses liquides se précipitaient sur la route du canot, qui ne pouvait les éviter. Il se remplissait, et il fallait le vider sans cesse, sous peine de sombrer. À mesure qu'il s'avançait dans la portion plus large du lac, et, par cela même, plus loin de la côte, les eaux devenaient plus tumultueuses. Aucun abri, ni rideau d'arbres, ni collines, n'empêchait alors l'ouragan de faire rage autour de lui. Dans certaines éclaircies, ou plutôt au milieu du déchirement des brumes, on entrevoyait d'énormes icebergs, qui roulaient comme des bouées sous l'action des lames, poussés, eux aussi, vers la partie méridionale du lac.

⑦ Il était cinq heures et demie. Ni Norman, ni Jasper Hobson ne pouvaient estimer le chemin parcouru depuis le départ, non plus que la direction suivie. Ils n'étaient plus maîtres de leur embarcation, et ils subissaient les caprices de la tempête.

En ce moment, à cent pieds[4] en arrière du canot, se leva une monstrueuse lame, couronnée nettement par une crête blanche. Au-devant d'elle, la dénivellation de la surface liquide formait comme une sorte de gouffre. Toutes les petites ondulations intermédiaires, écrasées par le vent, avaient disparu. Dans ce gouffre mobile, la couleur des eaux était noire. Le canot était engagé profondément au fond de cet abîme, qui se creusait de plus en plus. La grande lame s'approchait, dominant toutes les vagues environnantes; elle gagnait sur l'embarcation; elle menaçait de l'aplatir. Norman, s'étant retourné, la vit venir. Jasper Hobson et Mrs. Paulina Barnett la regardèrent aussi, l'oeil démesurément ouvert, s'attendant à ce qu'elle croulât sur eux et ne pouvant l'éviter!

Elle croula, en effet, et avec un bruit épouvantable. Elle déferla sur l'embarcation, dont l'arrière fut entièrement coiffé. Un choc terrible eut lieu. Un cri s'échappa des lèvres du lieutenant et de sa compagne, ensevelis sous cette montagne liquide. Ils durent croire que le canot sombrait en cet instant.

Le canot, aux trois quarts plein d'eau, se releva pourtant..., mais le vieux marin avait disparu!

Jasper Hobson poussa un cri de désespoir. Mrs. Paulina Barnett se retourna vers lui.

«Norman! s'écria-t-il, montrant la place vide à l'arrière de l'embarcation.

— Le malheureux!» murmura la voyageuse.

⑧ Jasper Hobson et elle s'étaient levés, au risque d'être jetés hors de ce canot qui bondissait sur le sommet des lames. Mais ils ne virent rien. Pas un cri, pas un appel ne se fit entendre. Aucun corps n'apparut dans l'écume blanche... Le vieux marin avait trouvé la mort dans les flots.

Mrs. Paulina Barnett et Jasper Hobson étaient retombés sur leur banc. Maintenant, seuls à bord, ils devaient pourvoir eux-mêmes à leur salut. Mais ni le lieutenant, ni sa compagne ne savaient manoeuvrer une embarcation, et, dans ces déplorables circonstances, un marin consommé aurait à peine pu la maintenir en bonne direction! Le canot était le jouet des lames. Sa voile toujours tendue l'emportait. Jasper Hobson pouvait-il enrayer cette course?

C'était une affreuse situation pour ces infortunés, pris dans une tempête, sur une barque fragile, qu'ils ne savaient même pas diriger!

«Nous sommes perdus, dit le lieutenant.

— Non, monsieur Hobson, répondit la courageuse Paulina Barnett. Aidons-nous d'abord! Le Ciel nous aidera ensuite!»

Jasper Hobson comprit bien alors ce qu'était cette vaillante femme, dont il partageait en ce moment la destinée.

⑨ Le plus pressé était de rejeter hors du canot cette eau qui l'alourdissait. Un second coup de mer l'eût rempli en un instant, et il aurait immédiatement coulé par le fond. Il y avait intérêt, d'ailleurs, à ce que l'embarcation, allégée, s'élevât plus facilement à la lame, car alors elle risquait moins d'être assommée. Jasper Hobson et Mrs. Paulina Barnett vidèrent donc promptement cette eau, qui, par sa mobilité même, pouvait les faire chavirer en se déplaçant. Ce ne fut pas une petite besogne, car, à chaque moment, quelque crête de vague embarquait, et il fallait avoir constamment l'écope à la main. La voyageuse s'occupait plus spécialement de ce travail. Le lieutenant tenait la barre et maintenait tant bien que mal l'embarcation vent arrière.

---

[4] Environ 30 mètres.

Pour surcroît de danger, la nuit, ou, sinon la nuit, — qui, sous cette latitude et à cette époque de l'année, dure à peine quelques heures, — l'obscurité, du moins, s'accroissait. Les nuages, bas, mêlés aux brumes, formaient un intense brouillard, à peine imprégné de lumière diffuse. On n'y voyait pas à deux longueurs du canot, qui se fût mis en pièces s'il eût heurté quelque glaçon errant. Or, ces glaces flottantes pouvaient inopinément surgir, et, avec cette vitesse, il n'existait aucun moyen de les éviter.

«Vous n'êtes pas maître de votre barre, monsieur Jasper? demanda Mrs. Paulina Barnett, pendant une courte accalmie de la tempête.

— Non, madame, répondit le lieutenant, et vous devez vous tenir prête à tout événement!

— Je suis prête!» répondit simplement la courageuse femme.

En ce moment, un déchirement se fit entendre. Ce fut un bruit assourdissant. La voile, éventrée par le vent, s'en alla comme une vapeur blanche. Le canot, emporté par la vitesse acquise, fila encore pendant quelques instants; puis il s'arrêta, et les lames le ballottèrent alors comme une épave. Jasper Hobson et Mrs. Paulina Barnett se sentirent perdus! Ils étaient effroyablement secoués, ils étaient précipités de leurs bancs, contusionnés, blessés. Il n'y avait pas à bord un morceau de toile que l'on pût tendre au vent. Les deux infortunés, dans ces obscurs embruns, au milieu de ces averses de neige et de pluie, se voyaient à peine, ils ne pouvaient s'entendre, et, croyant à chaque instant périr, pendant une heure peut-être, ils restèrent ainsi, se recommandant à la Providence, qui seule les pouvait sauver.

⑩ Combien de temps encore errèrent-ils ainsi, ballottés sur ces eaux furieuses? Ni le lieutenant Hobson ni Mrs. Paulina Barnett n'auraient pu le dire, quand un choc violent se produisit.

Le canot venait de heurter un énorme iceberg, — bloc flottant, aux pentes roides et glissantes, sur lesquelles la main n'eût pas trouvé prise. À ce heurt subit, qui n'avait pu être paré, l'avant de l'embarcation s'entr'ouvrit, et l'eau y pénétra à torrents.

«Nous coulons! nous coulons!» s'écria Jasper Hobson.

En effet, le canot s'enfonçait, et l'eau avait déjà atteint la hauteur des bancs.

«Madame! madame! s'écria le lieutenant. Je suis là... Je resterai... près de vous!

— Non, monsieur Jasper! répondit Mrs. Paulina Barnett. Seul, vous pouvez vous sauver... À deux nous péririons! Laissez-moi! laissez-moi!

— Jamais!» s'écria le lieutenant Hobson.

Mais il avait à peine prononcé ce mot, que l'embarcation, frappée d'un nouveau coup de mer, coulait à pic.

Tous deux disparurent dans le remous causé par l'engouffrement subit du bateau. Puis, après quelques instants, ils revinrent à la surface. Jasper Hobson nageait vigoureusement d'un bras et soutenait sa compagne de l'autre. Mais il était évident que sa lutte contre ces lames furibondes ne pourrait être de longue durée, et qu'il périrait lui-même avec celle qu'il voulait sauver.

⑪ En ce moment, des sons étranges attirèrent son attention. Ce n'étaient point des cris d'oiseaux effarés, mais bien un appel proféré par une voix humaine. Jasper Hobson, par un suprême effort, s'élevant au-dessus des flots, lança un regard rapide autour de lui.

Mais il ne vit rien au milieu de cet épais brouillard. Et cependant il entendait encore ces cris, qui se rapprochaient. Quels audacieux osaient venir ainsi à son secours? Mais, quoi qu'ils fissent, ils arriveraient trop tard. Embarrassé de ses vêtements, le lieutenant se sentait entraîné avec l'infortunée, dont il ne pouvait déjà plus maintenir la tête au-dessus de l'eau.

Alors, par un suprême instinct, Jasper Hobson poussa un dernier cri, puis il disparut sous une énorme lame.

Mais Jasper Hobson ne s'était pas trompé. Trois hommes, errant sur le lac, ayant aperçu le canot en détresse, s'étaient lancés à son secours. Ces hommes — les seuls qui pussent affronter avec quelque chance de succès ces eaux furieuses — montaient les seules embarcations qui pussent résister à cette tempête.

Ces trois hommes étaient des Esquimaux[5], solidement attachés chacun à son kayak.

---

[5] Il faudrait lire **Inuit**.

(12) Le kayak est une longue pirogue, relevée des deux bouts, faite d'une charpente extrêmement légère, sur laquelle sont tendues des peaux de phoques, bien cousues avec des nerfs de veau marin. Le dessus du kayak est également recouvert de peaux dans toute sa longueur, sauf en son milieu, où une ouverture est ménagée. C'est là que l'Esquimau[6] prend place. Il lace sa veste imperméable à l'épaulement de l'ouverture, et il ne fait plus qu'un avec son embarcation, dans laquelle aucune goutte d'eau ne peut pénétrer. Ce kayak, souple et léger, toujours enlevé sur le dos des lames, insubmersible, chavirable peut-être, — mais un coup de pagaie le redresse aisément, — peut résister et résiste, en effet, là où des chaloupes seraient immanquablement brisées.

Les trois Esquimaux[7] arrivèrent à temps sur le lieu du naufrage, guidés par ce dernier cri de désespoir que le lieutenant avait jeté. Jasper Hobson et Mrs. Paulina Barnett, à demi suffoqués, sentirent, cependant, qu'une main vigoureuse les retirait de l'abîme. Mais, dans cette obscurité, ils ne pouvaient reconnaître leurs sauveurs.

L'un de ces Esquimaux[7] prit le lieutenant, et il le mit en travers de son embarcation. Un autre procéda de la même façon à l'égard de Mrs. Paulina Barnett, et les trois kayaks, habilement manœuvrés par de longues pagaies de six pieds[8], s'avancèrent rapidement au milieu des lames écumantes.

Une demi-heure après, les deux naufragés étaient déposés sur une plage de sable, à trois milles[9] au-dessous du fort Providence.

Le vieux marin manquait seul au retour!

Jules Verne
Le Pays des fourrures,
Les intégrales Jules Verne,
Hachette, 1979

---

[6] Il faudrait lire **Inuk**.
[7] Il faudrait lire **Inuit**.
[8] Environ 1,80 mètre.
[9] Environ 4 kilomètres.

Questions à te poser

Que penses-tu des aventures de Jasper Hobson et Mrs. Barnett durant cette journée? Que connais-tu des régions nordiques canadiennes décrites par Verne? Comment les imagines-tu? Crois-tu que le mode de vie des Inuit dont on parle dans l'extrait a beaucoup changé depuis? En quoi?

Questionnaire

Événements

1. Quel a été l'événement déclencheur des aventures de cette journée? _____
_____

2. Relève trois péripéties. _____
_____
_____
_____

3. Quelle menace plane sur les personnages...
   - avant leur embarquement? _____
   - quand Norman disparaît dans les flots? _____

4. Quelle est la situation finale? _____
_____

5. Selon toi, cette aventure est-elle possible? Pourquoi? _____
_____
_____

6. Quel événement t'a le plus intéressé(e)? _____
_____
_____

7. D'où provient le suspense de cet extrait du roman de Jules Verne? _____
_____

8. Comment Jules Verne parvient-il à créer un climat de terreur? _____
_____

9. Trouves-tu la fin de cette aventure vraisemblable? Pourquoi? _____
_____
_____
_____

10. Où l'action se déroule-t-elle? _____

11. À quelle période de la journée se passe-t-elle? _____

Personnages

12. Identifie les personnages principaux de cet extrait et les qualités que Jules Verne leur a données.

_____
_____

13. Identifie les personnages secondaires de cet extrait et les qualités que Jules Verne leur a données.

_____
_____

14. Quel sentiment Jasper Hobson ressent-il quand Norman périt? _____

15. Que penses-tu de la réaction de Mrs. Barnett lors de la disparition de Norman? _____
_____
_____

16. Selon toi, quel est le personnage le plus invraisemblable? Pourquoi? _____
_____
_____

17. Comment caractérise-t-on Norman dans cet extrait? _____
_____

18. Le narrateur est-il l'un des personnages? Explique ta réponse. _____
_____

Objets

19. Dans les parties ② et ③ , quelle description donne-t-on du canot? _____
_____

20. Dans la partie ⑫ , quelle description donne-t-on du kayak? _____
_____
_____
_____

Langue

21. Dans la partie ⑤ , relève trois expressions ou phrases qui mettent en valeur le courage des personnages. _____

_____

_____

_____

_____

22. À l'aide de ton dictionnaire, donne le sens des mots suivants.

Drisse: _____

Écoute: _____

Vergue: _____

Filin: _____

23. Dans la partie ⑦ , relève trois expressions que Verne utilise pour créer une mer épouvantable.

_____

_____

_____

24. Par quels signes de ponctuation signale-t-on les dialogues dans le texte? _____

_____

_____

25. Dans les dialogues de la partie ① , identifie...
   - une phrase impérative (ordre): _____
   - une phrase exclamative: _____
   - une phrase négative: _____
   - une phrase interrogative: _____

26. Dans la partie ⑫ , à quel(s) temps sont les verbes...
   - du troisième paragraphe? _____
   - de l'avant-dernier paragraphe? _____
   - du dernier paragraphe? _____

27. Dans le dernier paragraphe de la partie ① , identifie des circonstances...
   - de temps: _____
   - de manière: _____
   - de lieu: _____

28. Dans le premier paragraphe de la partie ⑥ , quels mots les pronoms suivants remplacent-ils?

Qui (la choquaient): _____

L' (auraient): _____

Se (relèverait): _____

29. Dans la partie ⑩ , comment Jules Verne qualifie-t-il les noms suivants?

Lames: _____ **Iceberg:** _____

Eaux: _____ **Pentes:** _____

30. Retrouve dans le texte trois mots qui signifient **dire**. _____

_____

LIRE UN COURT ROMAN D'AVENTURES

Activité 2

LES GRANDS OURS POLAIRES
LE PAYS DES FOURRURES

Présentation

Consulte la présentation de l'activité précédente.

Les personnages du roman

Le lieutenant Hobson: (voir l'extrait précédent).
Le sergent Long: (voir l'extrait précédent).
Mrs. Barnett: (voir l'extrait précédent).
Madge: Une femme d'âge mûr, très courageuse. Elle est la servante et la dame de compagnie de Mrs. Barnett.
Kellet, Mac Nap, Raë, Marbre et Garry: Des soldats de l'expédition.
Mrs. Joliffe: L'épouse du caporal Joliffe. Son époux et elle sont chargés de l'approvisionnement.

Un résumé des chapitres précédents

Après le naufrage, Jasper Hobson repartit par voie de terre avec les membres de son expédition. On marcha durant tout l'été dans des contrées inconnues, avant d'arriver au cap Bathurst situé à plus de 1280 km au nord du fort Reliance. Séduit par le site, Hobson décida d'y construire le fort Espérance avant l'arrivée du rude hiver de cette région polaire. Quand ses hommes eurent fini de construire une longue habitation entourée d'une palissade, on s'occupa à chasser pour faire des provisions pour l'hiver.

Dès la mi-automne, le froid et la neige firent leur apparition. Les tempêtes se succédaient, ensevelissant sous la neige le petit fort et obligeant les gens à demeurer à l'intérieur. Quand la nuit polaire amena avec elle des froids intolérables, de grands ours polaires affamés firent leur apparition autour du fort. Ces animaux dangereux devenaient chaque jour plus hardis...

Directives

Lis d'abord l'extrait avec soin et tente de répondre à quelques-unes des questions de la partie **Questions à te poser**. Ensuite, réponds au questionnaire et vérifie tes réponses en consultant le corrigé.

LES GRANDS OURS POLAIRES

①   La seule des quatre fenêtres qui permît de voir la cour du fort était celle qui s'ouvrait au fond du couloir d'entrée, fenêtre dont les volets extérieurs n'avaient pas été rabattus. Mais pour que le regard pût traverser les vitres, alors doublées d'une épaisse couche de glace, il fallait préalablement les laver à l'eau bouillante. Ce travail, d'après les ordres du lieutenant, se faisait plusieurs fois par jour, et, en même temps que les environs du cap Bathurst, on observait soigneusement l'état du ciel et le thermomètre à alcool placé extérieurement.

    Or, le 6 janvier, vers onze heures du matin, le soldat Kellet, chargé de l'observation, appela soudain le sergent et lui montra certaines masses qui se mouvaient confusément dans l'ombre.

    Le sergent Long, s'étant approché de la fenêtre, dit simplement:

    «Ce sont des ours!»

    En effet, une demi-douzaine de ces animaux étaient parvenus à franchir l'enceinte palissadée, et, attirés par les émanations de la fumée, ils s'avançaient vers la maison.

②   Jasper Hobson, dès qu'il fut averti de la présence de ces redoutables carnassiers, donna l'ordre de barricader à l'intérieur la fenêtre du couloir. C'était la seule issue qui fût praticable, et, cette ouverture une fois bouchée, il semblait impossible que les ours parvinssent à pénétrer dans la maison. La fenêtre fut donc close au moyen de fortes barres que le charpentier Mac Nap assujettit solidement, après avoir ménagé, toutefois, une étroite ouverture, qui permettait d'observer au dehors les manoeuvres de ces incommodes visiteurs.

    «Et maintenant, dit le maître charpentier, ces messieurs n'entreront pas sans notre permission. Nous avons donc tout le temps de tenir un conseil de guerre.

    — Eh bien, monsieur Hobson, dit Mrs. Paulina Barnett, rien n'aura manqué à notre hivernage! Après le froid, les ours.

    — Non pas «après», madame, répondit le lieutenant Hobson, mais ce qui est plus grave, «pendant» le froid, et un froid qui nous empêche de nous hasarder au dehors! Je ne sais donc pas comment nous pourrons nous débarrasser de ces malfaisantes bêtes.

    — Mais elles perdront patience, je suppose, répondit la voyageuse, et elles s'en iront comme elles sont venues!»

    Jasper Hobson secoua la tête, en homme peu convaincu.

    «Vous ne connaissez pas ces animaux, madame, répondit-il. Ce rigoureux hiver les a affamés, et ils ne quitteront point la place, à moins qu'on ne les y force!

    — Êtes-vous donc inquiet, monsieur Hobson? demanda Mrs. Paulina Barnett.

③   — Oui et non, répondit le lieutenant. Ces ours, je sais bien qu'ils n'entreront pas dans la maison; mais nous, je ne sais pas comment nous en sortirons, si cela devient nécessaire!»

    Cette réponse faite, Jasper Hobson retourna près de la fenêtre. Pendant ce temps, Mrs. Paulina Barnett, Madge et les autres femmes, réunies autour du sergent, écoutaient ce brave soldat, qui traitait cette «question des ours» en homme d'expérience. Maintes fois, le sergent Long avait eu affaire à ces carnassiers, dont la rencontre est fréquente, même sur les territoires du sud, mais c'était dans des conditions où l'on pouvait les attaquer avec succès. Ici, les assiégés étaient bloqués, et le froid les empêchait de tenter aucune sortie.

    Pendant toute la journée, on surveilla attentivement les allées et venues des ours. De temps en temps, l'un de ces animaux venait poser sa grosse tête près de la vitre, et on entendait un sourd grognement de colère. Le lieutenant Hobson et le sergent Long tinrent conseil, et ils décidèrent que si les ours n'abandonnaient pas la place, on pratiquerait quelques meurtrières dans les murs de la maison, afin de les chasser à coups de fusil. Mais il fut décidé aussi qu'on attendrait un jour ou deux avant d'employer ce moyen d'attaque, car Jasper Hobson ne se souciait pas d'établir une communication quelconque entre la température extérieure et la température intérieure de la chambre, si basse déjà. L'huile de morse, que l'on introduisait dans les poêles, était solidifiée en glaçons tellement durs, qu'il fallait briser ces glaçons à coups de hache.

(4) La journée s'acheva sans autre incident. Les ours allaient, venaient, faisant le tour de la maison, mais ne tentant aucune attaque directe. Les soldats veillèrent toute la nuit, et, vers quatre heures du matin, on put croire que les assaillants avaient quitté la cour. En tout cas, ils ne se montraient plus.

Mais vers sept heures, Marbre étant monté dans le grenier, afin d'en rapporter quelques provisions, redescendit aussitôt, disant que les ours marchaient sur le toit de la maison.

Jasper Hobson, le sergent, Mac Nap, deux ou trois autres de leurs compagnons saisissant des armes, s'élancèrent sur l'échelle du couloir qui communiquait avec le grenier au moyen d'une trappe. Mais dans ce grenier, l'intensité du froid était telle, qu'après quelques minutes, le lieutenant Hobson et ses compagnons ne pouvaient même plus tenir à la main le canon de leurs fusils. L'air humide, rejeté par leur respiration, retombait en neige autour d'eux.

Marbre ne s'était point trompé. Les ours occupaient le toit de la maison. On les entendait courir et grogner. Parfois leurs ongles, traversant la couche de glace, s'incrustaient dans les lattes de la toiture, et on pouvait craindre qu'ils fussent assez vigoureux pour les arracher.

(5) Le lieutenant et ses hommes, bientôt gagnés par l'étourdissement que provoquait ce froid insoutenable, redescendirent. Jasper Hobson fit connaître la situation.

«Les ours, dit-il, sont en ce moment sur le toit. C'est une circonstance fâcheuse. Cependant, nous n'avons rien encore à redouter pour nous-mêmes, car ces animaux ne pourront pénétrer dans les chambres. Mais il est à craindre qu'ils ne forcent l'entrée du grenier et ne dévorent les fourrures qui y sont déposées. Or, ces fourrures appartiennent à la Compagnie, et notre devoir est de les conserver intactes. Je vous demande donc, mes amis, de m'aider à les mettre en lieu sûr.»

Aussitôt, tous les compagnons du lieutenant s'échelonnèrent dans la salle, dans la cuisine, dans le couloir, sur l'échelle. Deux ou trois, se relayant, — car ils n'auraient pu faire un travail soutenu, — affrontèrent la température du grenier, et, en une heure, les pelleteries étaient emmagasinées dans la grande salle.

Pendant cette opération, les ours continuaient leur manoeuvre et cherchaient à soulever les chevrons de la toiture. En quelques points, on pouvait voir les lattes fléchir sous leur poids. Maître Mac Nap ne laissait pas d'être inquiet. En construisant ce toit, il n'avait pu prévoir une telle surcharge, et il craignait qu'il ne vînt à céder.

Cette journée se passa, cependant, sans que les assaillants eussent fait irruption dans le grenier. Mais un ennemi non moins redoutable s'introduisait peu à peu dans les chambres! Le feu baissait dans les poêles. La réserve de combustible était presque épuisée. Avant douze heures, le dernier morceau de bois serait dévoré et le poêle éteint.

(6) Ce serait la mort par le froid, la plus terrible de toutes les morts! Déjà ces pauvres gens, serrés les uns contre les autres, entourant ce poêle qui se refroidissait, sentaient leur propre chaleur les abandonner aussi. Mais ils ne se plaignaient pas. Les femmes elles-mêmes supportaient héroïquement ces tortures. Mrs. Mac Nap pressait convulsivement son petit enfant sur sa poitrine glacée. Quelques-uns des soldats dormaient ou plutôt languissaient dans une sombre torpeur, qui ne pouvait être du sommeil.

À trois heures du matin, Jasper Hobson consulta le thermomètre à mercure suspendu intérieurement au mur de la grande salle, à moins de dix pieds[1] du poêle.

Il marquait quatre degrés Fahrenheit au-dessous de zéro (20° centig. au-dessous de glace)!

Le lieutenant passa sa main sur son front, il regarda ses compagnons, qui formaient un groupe compact et silencieux, et il demeura pendant quelques instants immobile. La vapeur à demi condensée de sa respiration l'entourait d'un nuage blanchâtre.

En ce moment, une main se posa sur son épaule. Il tressaillit et se retourna. Mrs. Paulina Barnett était devant lui.

«Il faut faire quelque chose, lieutenant Hobson, lui dit l'énergique femme, nous ne pouvons mourir ainsi sans nous défendre!

(7) — Oui, madame, répondit le lieutenant, sentant se réveiller en lui l'énergie morale, il faut faire quelque chose!»

Le lieutenant appela le sergent Long, Mac Nap et Raë le forgeron, c'est-à-dire les hommes les plus courageux de sa troupe. Accompagnés de Mrs. Paulina Barnett, ils se rendirent près de la fenêtre, et là, par la vitre qu'ils lavèrent à l'eau bouillante, ils consultèrent le thermomètre extérieur.

[1] Environ 3 mètres.

«Soixante-douze degrés (40° centig. au-dessous de zéro)! s'écria Jasper Hobson. Mes amis, nous n'avons plus que deux partis à prendre : ou risquer notre vie pour renouveler la provision de combustible, ou brûler peu à peu les bancs, les lits, les cloisons, tout ce qui, dans cette maison, peut alimenter nos poêles! Mais c'est un expédient suprême, car le froid peut durer, et rien ne fait présager un changement de temps.

— Risquons-nous!» répondit le sergent Long.

Ce fut aussi l'opinion de ses deux camarades. Aucune autre parole ne fut prononcée, et chacun se mit en mesure d'agir.

Voici ce qui fut convenu, et quelles précautions on dut prendre pour sauvegarder, autant que possible, la vie de ceux qui allaient se dévouer au salut commun.

⑧ Le hangar, dans lequel le bois était renfermé, s'élevait à cinquante pas environ sur la gauche et en arrière de la maison principale. On décida que l'un des hommes essayerait, en courant, de gagner ce magasin. Il devait emporter une longue corde roulée autour de lui et en traîner une autre, dont l'extrémité resterait entre les mains de ses compagnons. Une fois arrivé dans le hangar, il jetterait sur un des traîneaux remisés en cet endroit une charge de combustible; puis, fixant l'une des cordes à l'avant du traîneau, ce qui permettrait de le haler jusqu'à la maison, attachant l'autre à l'arrière, ce qui permettrait de le ramener au hangar, il établirait ainsi un va-et-vient entre le hangar et la maison, ce qui permettrait de renouveler sans trop de danger la provision de bois. Une secousse, imprimée à l'une ou l'autre corde, indiquerait que le traîneau était, ou chargé dans le hangar, ou déchargé dans la maison.

Ce plan était sagement imaginé, mais deux circonstances pouvaient le faire échouer: d'une part, il était possible que la porte du magasin au bois, obstruée par la glace, fût très difficile à ouvrir; de l'autre, on pouvait craindre que les ours, abandonnant la toiture, ne vinssent s'interposer entre la maison et le magasin. C'étaient deux chances à courir.

⑨ Le sergent Long, Mac Nap et Raë offrirent tous les trois de se risquer. Mais le sergent fit observer que ses deux camarades étaient mariés, et il insista pour accomplir personnellement cette tâche. Quant au lieutenant, qui voulait tenter l'aventure:

«Monsieur Jasper, lui dit Mrs. Paulina Barnett, vous êtes notre chef, vous êtes utile à tous, et vous n'avez pas le droit de vous exposer. Laissez faire le sergent.»

Jasper Hobson comprit les devoirs que lui imposait sa situation de chef, et, étant appelé à décider entre ses trois compagnons, il se prononça pour le sergent. Mrs. Paulina Barnett serra la main du brave Long.

Les autres habitants du fort, endormis ou assoupis, ignoraient la tentative qui allait être faite.

Deux longues cordes furent préparées. L'une, le sergent l'enroula autour de son corps, par-dessus de chaudes fourrures dont il se revêtit, et dont il avait pour une valeur de plus de mille livres sterling sur le dos. L'autre, il l'attacha à sa ceinture, à laquelle il suspendit un briquet et un revolver chargé. Puis, au moment de partir, il avala un demi-verre de brandevin, — ce qu'il appelait «boire un bon coup de combustible».

⑩ Jasper Hobson, Long, Raë et Mac Nap sortirent alors de la salle commune. Ils passèrent dans la cuisine, dont le fourneau s'éteignait, et ils arrivèrent dans le couloir. De là, Raë monta jusqu'à la trappe du grenier, et s'assura que les ours occupaient toujours le toit de la maison. C'était donc le moment d'agir.

La première porte du couloir fut ouverte. Jasper Hobson et ses compagnons, malgré leurs épaisses fourrures, se sentirent gelés jusqu'à la moelle des os. La seconde porte, qui donnait directement sur la cour, s'ouvrit alors devant eux. Ils reculèrent un instant, suffoqués. Instantanément, la vapeur humide, tenue en suspension dans le couloir, se condensa, et une neige fine en couvrit les murs et le plancher.

Le temps, au dehors, était extraordinairement sec. Les étoiles resplendissaient avec un éclat extraordinaire. Le sergent Long, sans tarder un instant, s'élança au milieu de l'obscurité, entraînant dans sa course l'extrémité de la corde dont ses compagnons conservaient l'autre bout. La porte extérieure fut alors repoussée contre le chambranle, et Jasper Hobson, Mac Nap et Raë rentrèrent dans le couloir, dont ils fermèrent hermétiquement la seconde porte. Puis ils attendirent. Si Long n'était pas revenu après quelques minutes, on devait supposer que son entreprise avait réussi, et qu'installé dans le hangar, il formait le premier train de bois. Mais dix minutes au plus devaient suffire à cette opération, si toutefois la porte du magasin n'avait pas résisté. Pendant ce temps, Raë surveillait le grenier et les ours. Par cette nuit noire, on pouvait espérer que le rapide passage du sergent leur eût échappé.

Dix minutes après le départ du sergent, Jasper Hobson, Mac Nap et Raë rentrèrent dans l'étroit espace compris entre les deux portes du couloir, et là ils attendirent que le signal de haler le traîneau leur fût fait.

Cinq minutes s'écoulèrent. La corde dont ils tenaient le bout ne remua pas. Que l'on juge de leur anxiété! Le sergent était parti depuis un quart d'heure, laps de temps plus que suffisant pour le chargement du traîneau, et aucun avertissement n'était donné.

Jasper Hobson attendit quelques instants encore; puis, raidissant l'extrémité de la corde, il fit signe à ses compagnons de haler avec lui. Si le train de bois n'était pas prêt, le sergent saurait bien arrêter le halage.

La corde fut tirée vigoureusement. Un objet lourd vint en glissant peu à peu sur le sol. En quelques instants, cet objet arriva à la porte extérieure...

C'était le corps du sergent, attaché par la ceinture. L'infortuné Long n'avait pas même pu atteindre le hangar. Il était tombé en route, foudroyé par le froid. Son corps, exposé pendant près de vingt minutes à cette température, ne devait plus être qu'un cadavre.

Mac Nap et Raë, poussant un cri de désespoir, transportèrent le corps dans le couloir; mais, au moment où le lieutenant voulut refermer la porte extérieure, il sentit qu'elle était violemment repoussée. En même temps, un horrible grognement se fit entendre.

«À moi!» s'écria Jasper Hobson.

Mac Nap et Raë allaient se précipiter à son secours. Une autre personne les précéda. Ce fut Mrs. Paulina Barnett, qui vint joindre ses efforts à ceux du lieutenant pour refermer la porte. Mais la monstrueuse bête, s'y appuyant de tout le poids de son corps, la repoussait peu à peu et allait forcer l'entrée du couloir...

Mrs. Paulina Barnett, saisissant alors un des pistolets passés à la ceinture de Jasper Hobson, attendit avec sang-froid l'instant où la tête de l'ours s'introduisait entre le chambranle et la porte, et elle le déchargea dans la gueule ouverte de l'animal.

L'ours tomba en arrière, frappé à mort sans doute, et la porte, refermée, put être barricadée solidement.

Aussitôt, le corps du sergent fut apporté dans la grande salle et étendu près du poêle. Mais les derniers charbons s'éteignaient alors! Comment le ranimer, ce malheureux? Comment rappeler en lui cette vie dont tout symptôme semblait disparu?

«J'irai, moi! j'irai! s'écria le forgeron Raë, j'irai chercher ce bois, ou...

— Oui, Raë! dit une voix près de lui, et nous irons ensemble!»

C'était sa courageuse femme qui parlait ainsi.

«Non, mes amis, non! s'écria Jasper Hobson. Vous n'échapperiez ni au froid ni aux ours. Brûlons tout ce qui peut être brûlé ici, et ensuite, que Dieu nous sauve!»

Et alors, tous ces malheureux, à demi gelés, se relevèrent, la hache à la main, comme des fous. Les bancs, les tables, les cloisons, tout fut démoli, brisé, réduit en morceaux, et le poêle de la grande salle, le fourneau de la cuisine ronflèrent bientôt sous une flamme ardente, que quelques gouttes d'huile de morse activaient encore!

La température intérieure remonta d'une douzaine de degrés. Les soins les plus empressés furent prodigués au sergent. On le frotta de brandevin chaud, et peu à peu la circulation du sang se rétablit en lui. Les taches blanchâtres, dont certaines parties de son corps étaient couvertes, commencèrent à disparaître. Mais l'infortuné avait cruellement souffert, et plusieurs heures s'écoulèrent avant qu'il pût articuler une parole. On le coucha dans un lit brûlant, et Mrs. Paulina Barnett et Madge le veillèrent jusqu'au lendemain.

Cependant Jasper Hobson, Mac Nap et Raë cherchaient un moyen de sauver la situation, si effroyablement compromise alors. Il était évident que, dans deux jours au plus, ce nouveau combustible, emprunté à la maison même, manquerait aussi. Que deviendrait alors tout ce monde, si ce froid extrême persévérait? La lune était nouvelle depuis quarante-huit heures, et sa réapparition n'avait provoqué aucun changement de temps. Le vent du nord couvrait le pays de son souffle glacé. Le baromètre restait au «beau sec», et, de ce sol qui ne formait plus qu'un immense icefield, aucune vapeur ne se dégageait. On pouvait donc craindre que le froid ne fût pas près de cesser! Mais alors, quel parti prendre? Devait-on renouveler la tentative de retourner au bûcher, tentative que l'éveil donné aux ours rendait plus périlleuse encore? Était-il possible de combattre ces animaux en plein air? Non. C'eût été un acte de folie, qui aurait eu pour conséquence la perte de tous.

(14)   Toutefois, la température des chambres était redevenue plus supportable. Ce matin-là, Mrs. Joliffe servit un déjeuner composé de viandes chaudes et de thé. Les grogs brûlants ne furent pas épargnés, et le brave sergent Long put en prendre sa part. Ce feu bienfaisant des poêles, qui relevait la température, ranimait en même temps le moral de ces pauvres gens. Ils n'attendaient plus que les ordres de Jasper Hobson pour attaquer les ours. Mais le lieutenant, ne trouvant pas la partie égale, ne voulut pas risquer son monde. La journée semblait donc devoir s'écouler sans incident, quand, vers trois heures après midi, un grand bruit se fit entendre dans les combles de la maison.

«Les voilà!» s'écrièrent deux ou trois soldats, s'armant à la hâte de haches et de pistolets.

Il était évident que les ours, après avoir arraché un des chevrons de la toiture, avaient forcé l'entrée du grenier.

«Que personne ne quitte sa place! dit le lieutenant d'une voix calme. Raë, la trappe!»

Le forgeron s'élança vers le couloir, gravit l'échelle et assujettit la trappe solidement.

(15)   On entendait un bruit épouvantable au-dessus du plafond, qui semblait fléchir sous le poids des ours. C'étaient des grognements, des coups de patte, des coups de griffe formidables!

Cette invasion changeait-elle la situation? Le mal était-il aggravé ou non? Jasper Hobson et quelques-uns de ses compagnons se consultèrent à ce sujet. La plupart pensaient que leur situation s'était améliorée. Si les ours se trouvaient tous réunis dans ce grenier, — ce qui paraissait probable, — peut-être était-il possible de les attaquer dans cet étroit espace, sans avoir à craindre que le froid n'asphyxiât les combattants ou ne leur arrachât les armes de la main. Certes, une attaque corps à corps avec ces carnassiers était extrêmement périlleuse; mais enfin, il n'y avait plus impossibilité physique à la tenter.

Restait donc à décider si l'on irait ou non combattre les assaillants dans le poste qu'ils occupaient, opération difficile et d'autant plus dangereuse, que, par l'étroite trappe, les soldats ne pouvaient pénétrer qu'un à un dans le grenier.

On comprend donc que Jasper Hobson hésitât à commencer l'attaque. Toute réflexion faite, et de l'avis du sergent et autres dont la bravoure était indiscutable, il résolut d'attendre. Peut-être un incident se produirait-il qui accroîtrait les chances? Il était presque impossible que les ours pussent déplacer les poutres du plafond, bien autrement solides que les chevrons de la toiture. Donc, impossibilité pour eux de descendre dans les chambres du rez-de-chaussée.

(16)   On attendit. La journée s'acheva. Pendant la nuit, personne ne put dormir, tant ces enragés firent de tapage!

Le lendemain, vers neuf heures, un nouvel incident vint compliquer la situation et obliger le lieutenant Hobson à agir.

On sait que les tuyaux des cheminées du poêle et du fourneau de la cuisine traversaient le grenier dans toute sa hauteur. Ces tuyaux, construits en briques de chaux et imparfaitement cimentés, pouvaient difficilement résister à une pression latérale. Or, il arriva que les ours, soit en s'attaquant directement à cette maçonnerie, soit en s'y appuyant pour profiter de la chaleur des foyers, la démolirent peu à peu. On entendit des morceaux de briques tomber à l'intérieur, et bientôt les poêles et le fourneau ne tirèrent plus.

C'était un irréparable malheur, qui, certainement, eût désespéré des gens moins énergiques. Il se compliqua encore. En effet, en même temps que les feux baissaient, une fumée noire, âcre, nauséabonde, produit de la combustion du bois et de l'huile, se répandit dans toute la maison. Les tuyaux étaient crevés au-dessous du plafond. En quelques minutes, cette fumée fut si épaisse, que la lumière des lampes disparut. Jasper Hobson se trouvait donc dans la nécessité de quitter la maison sous peine d'être asphyxié dans cette atmosphère irrespirable! Et quitter la maison, c'était périr par le froid.

(17)   Quelques cris de femmes se firent entendre.

«Mes amis, s'écria le lieutenant, en s'emparant d'une hache, aux ours! aux ours!»

C'était le seul parti à prendre! Il fallait exterminer ces redoutables animaux. Tous, sans exception, se précipitèrent vers le couloir; ils s'élancèrent sur l'échelle, Jasper Hobson en tête. La trappe fut soulevée. Des coups de feu éclatèrent au milieu des noirs tourbillons de fumée. Il y eut des cris mêlés à des hurlements, du sang répandu. On se battait au milieu de la plus profonde obscurité...

Mais, en ce moment, quelques grondements terribles se firent entendre. De violentes secousses agitèrent le sol. La maison s'inclina comme si elle eût été arrachée de ses pilotis. Les poutres des murs se disjoignirent, et, par ces ouvertures, Jasper Hobson et ses compagnons stupéfaits purent voir les ours, épouvantés comme eux, s'enfuir en hurlant au milieu des ténèbres!

Jules Verne
Le Pays des fourrures
Les intégrales Jules Verne
Hachette, 1979

Questions à te poser

Qu'est-ce que cet extrait te rappelle? Selon toi, la vie des premiers colons de certaines provinces canadiennes ressemblait-elle à ce qui est décrit par Verne? Comment les Inuit parviennent-ils à vivre malgré des températures aussi froides? Que sais-tu des moeurs des ours polaires? As-tu déjà lu un livre dont l'action se déroulait dans les régions arctiques?

Questionnaire

Événements

1. Où les actions racontées se déroulent-elles? Sois précis(e). _____
_____

2. Les actions racontées couvrent-elles...
   - moins d'une journée? _____
   - une journée? _____
   - quelques jours? _____
   - plusieurs semaines? _____

3. Quel est l'événement déclencheur des aventures racontées dans cet extrait? _____
_____

4. Quels sont les deux périls que les membres de l'expédition affrontent? _____
_____

5. Quel est le grave problème auquel Jasper Hobson a du mal à trouver une solution? _____
_____
_____

6. Voici les différentes péripéties après l'arrivée des ours polaires. Donne la réaction des personnages.
   a) **Les ours tournent autour du fort:** _____
   _____
   b) **Les ours sont sur le toit:** _____
   c) **Un ours cherche à entrer par la porte:** _____
   d) **Les ours envahissent le grenier:** _____
   e) **Les ours démolissent la cheminée:** _____

7. Voici les différentes péripéties reliées à la menace du froid. Donne la réaction des membres.
   a) **Il faut aller chercher du bois:** _____
   _____
   b) **Il est impossible d'aller au bûcher:** _____
   c) **Le poêle ne tire plus et la fumée envahit la maison:** _____
   _____

8. Quelle est la situation finale? _____
_____

9. La situation finale écarte-t-elle tous les périls? Pourquoi? _____
_____

10. Pourquoi Jasper Hobson laisse-t-il Long aller chercher du bois à sa place? ____
_____

11. D'où vient le suspense durant l'absence de Long? _____
_____

12. Qu'est-ce qui t'a semblé le plus invraisemblable dans cette histoire? _____
_____

Personnages

13. Quels sont les héros de cet extrait? _____

14. Nomme trois personnages secondaires. _____

15. Donne une preuve que...
    a) Hobson est un vrai chef: _____
    _____

    b) Paulina Barnett est énergique: _____
    _____

    c) Long est courageux: _____
    _____

16. Que penses-tu du rôle des femmes (en ne tenant pas compte de celui de Mrs. Barnett) dans ces aventures? _____
_____

17. Quel sentiment Mrs. Barnett semble-t-elle éprouver pour Hobson? _____
_____

18. Quel personnage admires-tu le plus? Pourquoi? _____
_____
_____

19. Quelle qualité commune semble avoir tous les personnages quand le chauffage baisse dangereusement? _____

198

Objet

20. À l'aide du texte, décris dans tes propres mots l'habitation du fort. _____

_____

_____

_____

21. Selon toi, pourquoi Jules Verne ne décrit-il pas les ours polaires? _____

_____

_____

Langue

22. Donne le sens des expressions suivantes.

a) **Nous n'avons plus que deux partis à prendre (partie ⑦):** _____

_____

b) **Il se prononça pour le sergent (partie ⑨):** _____

_____

c) **Gagner ce magasin (partie ⑧):** _____

_____

23. Relève dans la partie ⑥ les circonstances de manière exprimées par les adverbes et les compléments.

Adverbes: _____

Compléments: _____

24. Relève deux exclamations dans la partie ⑰ . _____

25. À quel(s) temps sont les verbes des deux premiers paragraphes de la partie ⑯ ? _____

_____

26. Écris les verbes du premier paragraphe de la partie ⑯ à l'imparfait. _____

_____

27. Dans le premier paragraphe de l'extrait, quels mots les pronoms suivants remplacent-ils?

Qui (permît): _____

Les (laver): _____

Dont (les volets): _____

28. Remplace les mots soulignés par un synonyme.

Kellet, chargé de l'observation: _____

Hobson et Long tinrent conseil: _____

En homme peu convaincu: _____

Sans que les assaillants...: _____

29. Dans la partie ⑫ , quelle forme de phrase utilise-t-on surtout dans les dialogues? _____

_____

30. Avec quels mots l'auteur complète-t-il les noms suivants dans la partie ③ ?

Question: _____ **Huile:** _____

Température: _____ **Coups:** _____

31. Dans la partie ⑪ , relève tous les mots employés pour traduire un sentiment. _____

_____

200

LIRE UN COURT ROMAN D'AVENTURES

Activité 3

LA DÉBÂCLE
LE PAYS DES FOURRURES

Présentation

Consulte la présentation de l'activité 1.

Les personnages du roman

Ce sont les mêmes personnages que lors des deux extraits précédents avec, en plus:
Thomas Black: Un savant très discret qui fait partie de l'expédition.
Sabine et Pond: Deux soldats comme le sont Marbre, Raë, Kellet, Long, Joliffe et Mac Nab.
Kalumah: Une jeune Inuk sauvée quelques semaines auparavant par Paulina Barnett. C'est un nouveau personnage.

Un résumé des chapitres précédents

L'explosion qui avait chassé les ours polaires était un tremblement de terre. Les membres de l'expédition réparèrent tant bien que mal les bâtiments du fort durant les semaines suivantes.

Au printemps, Jasper Hobson se rendit compte avec consternation que le tremblement de terre avait provoqué le détachement du cap Bathurst de la terre ferme. Sans s'en apercevoir, il avait construit son fort sur un champ de glace recouvert de quelques mètres de terre. Les aventuriers étaient maintenant prisonniers d'une île d'une soixantaine de kilomètres de circonférence. Cette île, selon les calculs de Thomas Black, était entraînée vers le détroit de Behring, vers la haute mer.

Lors d'une expédition sur cette île, Mrs. Barnett avait sauvé Kalumah, une jeune Inuk dont le kayak avait coulé près de la côte.

Le printemps et l'été furent occupés à la construction d'une embarcation et à la préparation des vivres pour l'hiver à venir. On occupa la saison des grands froids à terminer le petit bateau et on attendit avec impatience que les eaux soient libérées des glaces pour prendre la mer.

Alors que la température se réchauffait progressivement, des banquises firent leur apparition au large de l'île. Hobson et ses compagnons décidèrent d'attendre quelques jours supplémentaires pour que ces montagnes de glace flottantes puissent s'éloigner...

Directives

Lis l'extrait suivant avec soin et réfléchis sur certains de ses aspects en cherchant à répondre à quelques questions de la partie **Questions à te poser**. Ensuite, réponds au questionnaire et vérifie tes réponses en consultant le corrigé.

LA DÉBÂCLE

(1) Le lieutenant Hobson et le sergent Long, quittant le fort à neuf heures, se dirigèrent vers la portion du littoral comprise entre le port Barnett et le cap Michel.

Les deux explorateurs suivirent le rivage sur un espace de deux à trois milles[1]. Mais quel aspect présentait toujours le champ de glace! Quel bouleversement! quel chaos! Qu'on se figure une immense concrétion de cristaux capricieux, une mer subitement solidifiée au moment où elle est démontée par l'ouragan. — De plus, les glaces ne laissaient encore aucune passe libre entre elles, et une embarcation n'eût pu s'y aventurer.

Jasper Hobson et le sergent Long, causant et observant, demeurèrent sur le littoral jusqu'à minuit. Voyant que toutes choses demeuraient dans l'état, ils résolurent alors de retourner au fort Espérance, afin de prendre, eux aussi, quelques heures de repos.

Tous deux avaient fait une centaine de pas et se trouvaient déjà sur l'ancien lit desséché de la Paulina river, quand un bruit inattendu les arrêta. C'était comme un grondement lointain qui se serait produit dans la partie septentrionale du champ de glace. L'intensité de ce bruit s'accrut rapidement, et même il prit bientôt des proportions formidables. Quelque phénomène puissant s'accomplissait évidemment dans ces parages, et, particularité peu rassurante, le lieutenant Hobson crut sentir le sol de l'île trembler sous ses pieds.

(2) «Ce bruit-là vient du côté de la banquise! dit le sergent Long. Que se passe-t-il?...»

Jasper Hobson ne répondit pas, et, inquiet au plus haut point, il entraîna son compagnon vers le littoral.

«Au fort! Au fort! s'écria le lieutenant Hobson. Peut-être une dislocation des glaces se sera-t-elle produite, et pourrons-nous lancer notre embarcation à la mer!»

Et tous deux coururent à perte d'haleine par le plus court et dans la direction du fort Espérance.

Mille pensées assiégeaient leur esprit. Quel nouveau phénomène produisait ce bruit inattendu? Les habitants endormis du fort avaient-ils connaissance de cet incident? Oui, sans doute, car les détonations, dont l'intensité redoublait d'instant en instant, eussent suffi, suivant la vulgaire expression, «à réveiller un mort!»

En vingt minutes, Jasper Hobson et le sergent Long eurent franchi les deux milles[2] qui les séparaient du fort Espérance. Mais, avant même d'être arrivés à l'enceinte palissadée, ils avaient aperçu leurs compagnons, hommes, femmes, qui fuyaient en désordre, épouvantés, poussant des cris de désespoir.

(3) Le charpentier Mac Nap vint au lieutenant, tenant son petit enfant dans ses bras.

«Voyez! monsieur Hobson,» dit-il en entraînant le lieutenant vers un monticule qui s'élevait à quelques pas en arrière de l'enceinte.

Jasper Hobson regarda.

Les derniers restes de la banquise, qui, avant son départ, se trouvaient encore à deux milles[3] au large, s'étaient précipités sur le littoral. Le cap Bathurst n'existait plus, et sa masse de terre et de sable, balayée par les icebergs, recouvrait l'enceinte du fort. La maison principale et les bâtiments y attenant au nord avaient disparu sous l'énorme avalanche. Au milieu d'un bruit épouvantable, on voyait des glaçons monter les uns sur les autres et retomber en écrasant tout sur leur passage. C'était comme un assaut de blocs de glace qui marchait sur l'île.

Quant au bateau construit au pied du cap, il était anéanti. La dernière ressource des infortunés hiverneurs avait disparu!

En ce moment même, le bâtiment qu'occupaient naguère les soldats, les femmes, et dont tous avaient pu se tirer à temps, s'effondra sous la chute d'un énorme bloc de glace. Ces malheureux jetèrent au ciel un cri de désespoir.

«Et les autres!... nos compagnes!... s'écria le lieutenant avec l'accent de la plus effroyable épouvante.

— Là!» répondit Mac Nap, en montrant la masse de sable, de terre et de glaçons, sous laquelle avait entièrement disparu la maison principale.

Oui! sous cet entassement était enfouie Mrs. Paulina Barnett, et, avec elle, Madge, Kalumah, Thomas Black, que l'avalanche avait surpris dans leur sommeil!

---

[1] 3 à 4 kilomètres.
[2] 3 kilomètres.
[3] 3 kilomètres.

④ Un cataclysme épouvantable s'était produit. La banquise s'était jetée sur l'île errante! Enfoncée à une grande profondeur au-dessous du niveau de la mer, à une profondeur quintuple de la hauteur dont elle émergeait, elle n'avait pu résister à l'action des courants sous-marins. S'ouvrant un chemin à travers les glaces disjointes, elle s'était précipitée en grand sur l'île Victoria, qui, poussée par ce puissant moteur, dérivait rapidement vers le sud.

Au premier moment, avertis par les bruits de l'avalanche qui écrasait le chenil, l'étable et la maison principale de la factorerie, Mac Nap et ses compagnons avaient pu quitter leur logement menacé. Mais déjà l'oeuvre de destruction s'était accomplie. De ces demeures, il n'y avait plus trace! Et maintenant l'île entraînait ses habitants avec elle vers les abîmes de l'Océan! Mais peut-être, sous les débris de l'avalanche, leur vaillante compagne, Paulina Barnett, Madge, la jeune Esquimaude[4], l'astronome vivaient-ils encore! Il fallait arriver à eux, ne dût-on plus trouver que leurs cadavres.

Le lieutenant Hobson, d'abord atterré, reprit son sang-froid, et s'écria:

«Aux pioches et aux pics! La maison était solide! Elle a pu résister. À l'ouvrage!»

⑤ Les outils et les pics ne manquaient pas. Mais, en ce moment, on ne pouvait s'approcher de l'enceinte. Les glaçons y roulaient du sommet des icebergs découronnés, dont quelques-uns, parmi les restes de cette banquise, s'élevaient encore à deux cents pieds[5] au-dessus de l'île Victoria. Que l'on s'imagine dès lors la puissance d'écrasement de ces masses ébranlées qui semblaient surgir de toute la partie septentrionale de l'horizon. Le littoral, dans cette portion comprise entre l'ancien cap Bathurst et le cap Esquimau, était non seulement dominé, mais envahi par ces montagnes mouvantes. Irrésistiblement poussées, elles s'avançaient déjà d'un quart de mille[6] au-delà du rivage. À chaque instant, un tressaillement du sol et une détonation éclatante annonçaient qu'une de ces masses s'abattait. Conséquence effroyable, on pouvait craindre que l'île ne fût submergée sous un tel poids. Une dénivellation très sensible indiquait que toute cette partie du rivage s'enfonçait peu à peu, et déjà la mer s'avançait en longues nappes jusqu'aux approches du lagon.

La situation des hiverneurs était terrible, et, pendant tout le reste de la nuit, sans rien pouvoir tenter pour sauver leurs compagnons, repoussés de l'enceinte par les avalanches, incapables de lutter contre cet envahissement, incapables de le détourner, ils durent attendre, en proie au plus sombre désespoir.

⑥ Le jour parut enfin. Quel aspect offraient ces environs du cap Bathurst! Là où s'étendait le regard, l'horizon était maintenant fermé par la barrière de glace. Mais l'envahissement semblait être arrêté, au moins momentanément. Cependant, çà et là, quelques blocs s'écroulaient encore du sommet des icebergs mal équilibrés. Mais leur masse entière, profondément engagée sous les eaux, par sa base, communiquait maintenant à l'île toute la force de dérive qu'elle puisait dans les profondeurs du courant, et l'île s'en allait au sud, c'est-à-dire à l'abîme, avec une vitesse considérable.

Ceux qu'elle entraînait avec elle ne s'en apercevaient seulement pas. Ils avaient des victimes à sauver, et, parmi elles, cette courageuse et bien-aimée femme, pour laquelle ils auraient donné leur vie. C'était maintenant l'heure d'agir. On pouvait aborder l'enceinte. Il ne fallait pas perdre un instant. Depuis six heures déjà, les malheureux étaient enfouis sous les débris de l'avalanche.

On l'a dit, le cap Bathurst n'existait plus. Repoussé par un énorme iceberg, il s'était renversé en grand sur la factorerie, brisant l'embarcation, couvrant ensuite le chenil et l'étable, qu'il avait écrasés avec les animaux qu'ils renfermaient. Puis, la maison principale avait disparu sous la couche de sable et de terre, que des blocs amassés sur une hauteur de cinquante à soixante pieds[7] accablaient de leur poids. La cour du fort était comblée. De la palissade on ne voyait plus un seul poteau. C'était sous cette masse de glaçons, de terre et de sable, et au prix d'un travail effrayant, qu'il fallait chercher les victimes.

⑦ Avant de se remettre à l'oeuvre, le lieutenant Hobson appela le maître charpentier.

«Mac Nap, lui demanda-t-il, pensez-vous que la maison ait pu supporter le poids de l'avalanche?

— Je le crois, mon lieutenant, répondit Mac Nap, et je serais presque tenté de l'affirmer. Nous avions consolidé cette maison, vous le savez. Son toit était casematé, et les poutres placées verticalement entre les planchers et les plafonds ont dû résister. Remarquez aussi que la maison a été d'abord recouverte d'une couche de sable et de terre, qui a pu amortir le choc des blocs précipités du haut de la banquise.

— Dieu vous donne raison, Mac Nap! répondit Jasper Hobson, et qu'il nous épargne une telle douleur!»

Puis il fit venir Mrs. Joliffe.

«Madame, lui demanda-t-il, est-il resté des vivres dans la maison?

---

[4] Il faudrait lire **Inuk**.
[5] Environ 60 mètres.
[6] Environ 400 mètres.
[7] Environ 15 à 18 mètres.

— Oui, monsieur Jasper, répondit Mrs. Joliffe, l'office et la cuisine contenaient encore une certaine quantité de conserves.

— Et de l'eau?

— Oui, de l'eau et du brandevin, répondit Mrs. Joliffe.

— Bon, fit le lieutenant Hobson, ils ne périront ni par la faim ni par la soif! Mais l'air ne leur manquera-t-il pas?»

(8) À cette question, le maître charpentier ne put répondre. Si la maison avait résisté, comme il le croyait, le manque d'air était alors le plus grand danger qui menaçât les quatre victimes. Mais enfin, ce danger, on pouvait le conjurer en les délivrant rapidement, ou, tout au moins, en établissant aussi vite que possible une communication entre la maison ensevelie et l'air extérieur.

Tous, hommes et femmes s'étaient mis à la besogne, maniant le pic et la pioche. Tous s'étaient portés sur le massif de sable, de terre et de glaces, au risque de provoquer de nouveaux éboulements. Mac Nap avait pris la direction des travaux, et il les dirigea avec méthode.

Il lui parut convenable d'attaquer la masse par son sommet. De là, on put faire rouler du côté du lagon les blocs entassés. Le pic et les leviers aidant, on eut facilement raison des glaçons de médiocre grosseur, mais les énormes morceaux durent être brisés à coups de pioche. Quelques-uns même, dont la masse était très considérable, furent fondus au moyen d'un feu ardent, alimenté à grand renfort de bois résineux. Tout était employé à la fois pour détruire ou repousser la masse des glaçons dans le plus court laps de temps.

(9) Mais l'entassement était énorme, et, bien que ces courageux travailleurs eussent travaillé sans relâche et qu'ils ne se fussent reposés que pour prendre quelque nourriture, c'est à peine, lorsque le soleil disparut au-dessous de l'horizon, si l'entassement des glaçons semblait avoir diminué. Cependant, il commençait à se niveler à son sommet. On résolut donc de continuer ce travail de nivellement pendant toute la nuit; puis, cela fait, lorsque les éboulements ne seraient plus à craindre, le maître charpentier comptait creuser un puits vertical à travers la masse compacte, ce qui permettrait d'arriver plus directement et plus rapidement au but, et de donner accès à l'air extérieur.

Donc, toute la nuit, le lieutenant Hobson et ses compagnons s'occupèrent de ce déblaiement indispensable. Le feu et le fer ne cessèrent d'attaquer et de réduire cette matière incohérente des glaçons. Les hommes maniaient le pic et la pioche. Les femmes entretenaient les feux. Tous n'avaient qu'une pensée: sauver Mrs. Paulina Barnett, Madge, Kalumah, Thomas Black!

Mais quand le matin reparut, il y avait déjà trente heures que ces infortunés étaient ensevelis, au milieu d'un air nécessairement raréfié sous l'épaisse couche.

(10) Le charpentier, après les travaux accomplis dans la nuit, songea à creuser le puits vertical, qui devait aboutir directement au faîte de la maison. Ce puits, suivant son calcul, ne devait pas mesurer moins de cinquante pieds[8]. Le travail serait facile, sans doute, dans la glace, c'est-à-dire pendant une vingtaine de pieds[9]; mais ensuite les difficultés seraient grandes pour creuser la couche de terre et de sable, nécessairement très friable, et qu'il serait nécessaire d'étayer sur une épaisseur de trente pieds[10] au moins. De longues pièces de bois furent donc préparées à cet effet, et le forage du puits commença. Trois hommes seulement y pouvaient travailler ensemble. Les soldats eurent donc la possibilité de se relayer souvent, et l'on put espérer que le creusement se ferait vite.

Comme il arrive en ces terribles circonstances, ces pauvres gens passaient par toutes les alternatives de l'espoir et du désespoir. Lorsque quelque difficulté les retardait, lorsque quelque éboulement survenait et détruisait une partie du travail accompli, ils sentaient le découragement les prendre, et il fallait que la voix ferme et confiante du maître charpentier les ranimât. Pendant qu'ils creusaient à tour de rôle, les trois femmes, Mrs. Raë, Joliffe et Mac Nap, groupées au pied d'un monticule, attendaient, parlant à peine, priant quelquefois. Elles n'avaient d'autre occupation que de préparer les aliments que leurs compagnons dévoraient aux instants de repos.

(11) Cependant, le puits se forait sans grandes difficultés, mais la glace était extrêmement dure et le forage ne s'accomplissait pas très rapidement. À la fin de cette journée, Mac Nap avait seulement atteint la couche de terre et de sable, et il ne pouvait pas espérer qu'elle fût entièrement percée avant la fin du jour suivant.

---

8 Environ 15 mètres.
9 Environ 6 mètres.
10 Environ 9 mètres.

La nuit vint. Le creusement ne devait pas être suspendu. Il fut convenu que l'on travaillerait à la lueur des résines. On creusa à la hâte une sorte de maison de glace dans un des hummocks du littoral pour servir d'abri aux femmes et au petit enfant. Le vent avait passé au sud-ouest, et il tombait une pluie assez froide, à laquelle se mêlaient parfois de grandes rafales. Ni le lieutenant Hobson, ni ses compagnons ne songèrent à suspendre leur travail.

En ce moment commencèrent les grandes difficultés. En effet, on ne pouvait forer dans cette matière mouvante. Il devint donc indispensable d'établir une sorte de cuvelage en bois afin de maintenir ces terres meubles à l'intérieur du puits. Puis, avec un seau suspendu à une corde, les hommes, placés à l'orifice du puits, enlevaient les terres dégagées. Dans ces conditions, on le comprend, le travail ne pouvait être rapide. Les éboulements étaient toujours à craindre, et il fallait prendre des précautions minutieuses, pour que les foreurs ne fussent pas enfouis à leur tour.

⑫ Le plus souvent, le maître charpentier se tenait lui-même au fond de l'étroit boyau, dirigeant le creusement et sondant fréquemment avec un long pic. Mais il ne sentait aucune résistance qui prouvât qu'il eût atteint le toit de la maison.

D'ailleurs, le matin venu, dix pieds[11] seulement avaient été creusés dans la masse de terre et de sable, et il s'en fallait de vingt pieds[12] encore qu'on fût arrivé à la hauteur que le faîte occupait avant l'avalanche, en admettant qu'il n'eût pas cédé.

Il y avait cinquante-quatre heures que Mrs. Paulina Barnett, les deux femmes et l'astronome étaient ensevelis!

Plusieurs fois, le lieutenant et Mac Nap se demandèrent si les victimes ne tentaient pas ou n'avaient pas tenté de leur côté d'ouvrir une communication avec l'extérieur. Avec le caractère intrépide, le sang-froid qu'on lui connaissait, il n'était pas douteux que Mrs. Paulina Barnett, si elle avait ses mouvements libres, n'eût essayé de se frayer un passage au dehors. Quelques outils étaient restés dans la maison, et l'un des hommes du charpentier, Kellet, se rappelait parfaitement avoir laissé sa pioche dans la cuisine. Les prisonniers n'avaient-ils donc point brisé une des portes, et commencé le percement d'une galerie à travers la couche de terre? Mais cette galerie, ils ne pouvaient la mener que dans une direction horizontale, et c'était un travail bien autrement long que le forage du puits entrepris par Mac Nap, car l'amoncellement produit par l'avalanche, qui ne mesurait qu'une soixantaine de pieds[13] en hauteur, couvrait un espace de plus de cinq cents pieds[14] de diamètre. Les prisonniers ignoraient nécessairement cette disposition, et en admettant qu'ils eussent réussi à creuser leur galerie horizontale, ils n'auraient pu crever la dernière croûte de glace avant huit jours au moins. Et d'ici là, sinon les vivres, l'air, du moins, leur aurait absolument manqué.

⑬ Cependant, Jasper Hobson surveillait lui-même toutes les parties du massif, écoutant si quelque bruit ne décèlerait pas un travail souterrain. Mais rien ne se fit entendre.

Les travailleurs avaient repris avec plus d'activité leur rude besogne avec la venue du jour. La terre et le sable remontaient incessamment à l'orifice du puits, qui se creusait régulièrement. Le grossier cuvelage maintenait suffisamment la matière friable. Quelques éboulements se produisirent, cependant, qui furent rapidement contenus, et, pendant cette journée, on n'eut aucun nouveau malheur à déplorer. Le soldat Garry fut seulement blessé à la tête par la chute d'un bloc, mais sa blessure n'était pas grave, et il ne voulut même pas abandonner sa besogne.

À quatre heures, le puits avait atteint une profondeur totale de cinquante pieds[15], soit vingt pieds[16] creusés dans la glace, et trente pieds[17] dans la terre et le sable.

C'était à cette profondeur que Mac Nap avait compté atteindre le faîte de la maison, si le toit avait tenu solidement contre la pression de l'avalanche.

Il était en ce moment au fond du puits. Que l'on juge de son désappointement, de son désespoir, quand le pic, profondément enfoncé, ne rencontra aucune résistance.

Il resta un instant les bras croisés, regardant Sabine, qui se trouvait avec lui.

---

[11] Environ 3 mètres.
[12] Environ 6 mètres.
[13] Environ 18 mètres.
[14] Environ 153 mètres.
[15] Environ 15 mètres.
[16] Environ 6 mètres.
[17] Environ 9 mètres.

(14)   «Rien? dit le chasseur.

— Rien, répondit le charpentier. Rien. Continuons. Le toit aura fléchi sans doute, mais il est impossible que le plancher du grenier n'ait pas résisté! Avant dix pieds[18], nous devons rencontrer ce plancher lui-même... ou bien...»

Mac Nap n'acheva pas sa pensée, et, Sabine l'aidant, il reprit son travail avec l'ardeur d'un désespéré.

À six heures du soir, une nouvelle profondeur de dix à douze pieds[19] avait été atteinte.

Mac Nap sonda de nouveau. Rien encore. Son pic s'enfonçait toujours dans la terre meuble.

Le charpentier, abandonnant un instant son outil, se prit la tête à deux mains.

«Les malheureux!» murmura-t-il.

Puis, s'élevant sur les étrésillons qui maintenaient le cuvelage de bois, il remonta jusqu'à l'orifice du puits.

Là, il trouva le lieutenant Hobson et le sergent plus anxieux que jamais, et, les prenant à l'écart, il leur fit connaître l'horrible désappointement qu'il venait d'éprouver.

«Mais alors, demanda Jasper Hobson, alors la maison a été écrasée par l'avalanche, et ces infortunés...

— Non, répondit le maître charpentier d'un ton d'inébranlable conviction. Non! la maison n'a pas été écrasée! Elle a dû résister, renforcée comme elle l'était! Non! elle n'a pas été écrasée! Ce n'est pas possible!

— Mais alors qu'est-il arrivé, Mac Nap? demanda le lieutenant, dont les yeux laissaient échapper deux grosses larmes.

(15)   — Ceci, évidemment, répondit le charpentier Mac Nap. La maison a résisté, elle, mais le sol sur lequel elle reposait a fléchi. Elle s'est enfoncée tout d'une pièce! Elle a passé au travers de cette croûte de glace qui forme la base de l'île! elle n'est pas écrasée, mais engloutie... Et les malheureuses victimes...

— Noyées! s'écria le sergent Long.

— Oui! sergent! noyées avant d'avoir pu faire un mouvement! noyées comme les passagers d'un navire qui sombre!»

Pendant quelques instants, ces trois hommes demeurèrent sans parler. L'hypothèse de Mac Nap devait toucher de bien près à la réalité. Rien de plus logique que de supposer un fléchissement en cet endroit, et sous une telle pression, du banc de glace qui formait la base de l'île. La maison, grâce aux étais verticaux qui soutenaient les poutres du plafond en s'appuyant sur celles du plancher, avait dû crever le sol de glace et s'enfoncer dans l'abîme.

«Eh bien, Mac Nap, dit le lieutenant Hobson, si nous ne pouvons les retrouver vivants...

— Oui, répondit le maître charpentier, il faut au moins les retrouver morts!»

(16)   Cela dit, Mac Nap, sans rien faire connaître à ses compagnons de cette terrible hypothèse, reprit au fond du puits son travail interrompu. Le lieutenant Hobson y était descendu avec lui.

Pendant toute la nuit, le forage fut continué, les hommes se relayant d'heure en heure; mais tout ce temps, pendant que deux soldats creusaient la terre et le sable, Mac Nap et Jasper Hobson se tenaient au-dessus d'eux suspendus à un des étrésillons.

À trois heures du matin, le pic de Kellet, en s'arrêtant subitement sur un corps dur, rendit un son sec. Le maître charpentier le sentit plutôt qu'il ne l'entendit.

«Nous y sommes, s'était écrié le soldat. Sauvés!

— Tais-toi, et continue!» répondit le lieutenant Hobson d'une voix sourde.

Il y avait en ce moment près de soixante-seize heures que l'avalanche s'était abattue sur la maison.

Kellet et son compagnon, le soldat Pond, avaient repris leur travail. La profondeur du puits devait presque avoir atteint le niveau de la mer, et, par conséquent, Mac Nap ne pouvait conserver aucun espoir.

En moins de vingt minutes, le corps dur, heurté par le pic, était à découvert. C'était un des chevrons du toit. Le charpentier, s'élançant au fond du puits, saisit une pioche et fit voler les lattes du faîtage. En quelques instants, une large ouverture fut pratiquée...

[18] Environ 3 mètres.

[19] De 3 à 4 mètres.

(17) À cette ouverture, apparut une figure à peine reconnaissable dans l'ombre.

C'était la figure de Kalumah!

«À nous! à nous!» murmura faiblement la pauvre Esquimaude[20].

Jasper Hobson se laissa glisser par l'ouverture. Un froid très vif le saisit. L'eau lui montait à la ceinture. Contrairement à ce qu'on croyait, le toit n'avait point été écrasé, mais aussi, comme l'avait supposé Mac Nap, la maison s'était enfoncée à travers le sol, et l'eau était là. Mais cette eau ne remplissait pas le grenier, elle ne s'élevait que d'un pied[21] à peine au-dessus du plancher. Il y avait encore un espoir!...

Le lieutenant, s'avançant dans l'obscurité, rencontra un corps sans mouvement! Il le traîna jusqu'à l'ouverture, à travers laquelle Pond et Kellet le saisirent et l'enlevèrent. C'était Thomas Black.

Un autre corps fut amené, celui de Madge. Des cordes avaient été jetées de l'orifice du puits. Thomas Black et Madge, enlevés par leurs compagnons, reprenaient peu à peu leurs sens à l'air extérieur.

(18) Restait Mrs. Paulina Barnett à sauver. Jasper Hobson, conduit par Kalumah, avait dû gagner l'extrémité du grenier, et, là, il avait enfin trouvé celle qu'il cherchait, sans mouvement, la tête à peine hors de l'eau. La voyageuse était comme morte.

Le lieutenant Hobson la prit dans ses bras, il la porta près de l'ouverture, et, peu d'instants après, elle et lui, Kalumah et Mac Nap apparaissaient à l'orifice du puits.

Tous les compagnons de la courageuse femme étaient là, ne prononçant pas une parole, désespérés. La jeune Esquimaude[22], si faible elle-même, s'était jetée sur le corps de son amie.

Mrs. Paulina Barnett respirait encore, et son coeur battait. L'air pur, aspiré par ses poumons desséchés, ramena peu à peu la vie en elle. Elle ouvrit enfin les yeux.

Un cri de joie s'échappa de toutes les poitrines, un cri de reconnaissance qui monta vers le ciel, et qui certainement fut entendu là-haut.

En ce moment, le jour se faisait, le soleil débordait de l'horizon et jetait ses premiers rayons dans l'espace.

Mrs. Paulina Barnett, par un suprême effort, se redressa. Du haut de cette montagne, formée par l'avalanche, et qui dominait toute l'île, elle regarda. Puis, avec un étrange accent:

«La mer! la mer!» murmura-t-elle.

Et en effet, sur les deux côtés de l'horizon, à l'est, à l'ouest, la mer, dégagée de glaces, la mer entourait l'île errante!

(19) Ainsi, l'île, poussée par la banquise, avait, sous une vitesse excessive, reculé jusque dans les eaux de la mer de Behring, après avoir passé le détroit sans se fixer à ses bords! Elle dérivait, pressée par cette irrésistible barrière qui prenait sa force dans les profondeurs du courant sous-marin, et la banquise la repoussait toujours vers ces eaux plus chaudes qui ne pouvaient tarder à se changer en abîme pour elle! Et l'embarcation, écrasée, était hors d'usage!

Lorsque Mrs. Paulina Barnett eut entièrement repris l'usage de ses sens, elle put en quelques mots raconter l'histoire de ces soixante-quatorze heures passées dans les profondeurs de la maison engloutie. Thomas Black, Madge, la jeune Esquimaude[23] avaient été surpris par la brusquerie de l'avalanche. Tous s'étaient précipités à la porte, aux fenêtres. Plus d'issue, la couche de terre ou de sable, qui s'appelait un instant auparavant le cap Bathurst, recouvrait la maison entière. Presque aussitôt, les prisonniers purent entendre le choc des glaçons énormes que la banquise projetait sur la factorerie.

Un quart d'heure ne s'était pas écoulé, et déjà Mrs. Paulina Barnett, son compagnon, ses deux compagnes sentaient la maison, qui résistait à cette épouvantable pression, s'enfoncer dans le sol de l'île. La base de glace s'effondrait. L'eau de la mer apparaissait.

S'emparer de quelques provisions demeurées dans l'office, se réfugier dans le grenier, ce fut l'affaire d'un instant. Cela se fit par un vague instinct de conservation. Et cependant, ces infortunés pouvaient-ils garder une lueur d'espoir! En tout cas, le grenier semblait devoir résister, et il était probable que deux blocs de glace, s'arc-boutant au-dessus du faîte, l'avaient sauvé d'un écrasement immédiat.

Jules Verne
Le pays des fourrures
Les intégrales Jules Verne
Hachette, 1979

---

[20] Il faudrait lire **Inuk**.
[21] Environ 30 centimètres.
[22] Il faudrait lire **Inuk**.
[23] Il faudrait lire **Inuk**.

Questions à te poser

Cet extrait te rappelle-t-il un roman que tu as déjà lu? Que penses-tu du comportement des principaux personnages? Ce comportement ressemble-t-il à celui que l'on constate dans la réalité lors de grandes catastrophes? En quoi? Pourquoi, selon toi? Grâce à tes lectures et à la télévision, tu as certaines connaissances sur les régions arctiques. Qu'est-ce qui te semble invraisemblable dans le récit de Jules Verne? Pourquoi?

Questionnaire

Événements

1. Quel a été l'événement déclencheur dans cet extrait? _____
_____

2. Relève trois conséquences de la collision avec la banquise. _____
_____
_____

3. De quelle manière les personnages ont-ils réagi face aux périls suivants et quel sentiment ressentaient-ils?

   a) **La collision avec la banquise:** _____
   _____

   b) **Les avalanches de glaçons empêchant de rechercher les disparus:** _____
   _____

   c) **La recherche de la maison disparue:** _____
   _____

   d) **Les difficultés de forage:** _____
   _____

   e) **Lorsque l'on se rend compte que la maison n'est pas à la profondeur prévue:** _____
   _____

4. Quel est le plus grand danger qui guette les habitants de la maison? _____
_____

5. Quel péril présente la banquise si elle demeure rivée à l'île? _____
_____

6. Combien de temps ont duré les événements de cet extrait? _____
_____

7. Relève deux informants (voir **connaissances**, au début du chapitre) dans les deux premiers paragraphes. _____

_____

8. Selon toi, les événements suivants sont-ils vraisemblables ou invraisemblables? Dis pourquoi.

a) **La banquise heurtant l'île:** _____

_____

b) **La maison résiste à l'avalanche:** _____

_____

c) **Le creusage d'un puits de 60 pieds (18 mètres):** _____

_____

9. Qu'est-ce que cette banquise à la dérive te rappelle? _____

_____

_____

10. Résume en quelques phrases l'extrait que tu viens de lire. _____

_____

_____

_____

_____

11. Quel événement t'a le plus captivé(e)? _____

_____

12. Dans la seconde moitié de l'extrait, qu'est-ce qui crée le climat de tension? _____

_____

_____

_____

13. Quelle est la situation finale? _____

14. Est-ce celle que tu aurais choisie si tu avais écrit ce roman? Pourquoi? _____

_____

_____

_____

Personnages

15. Quels sont les deux personnages principaux de cet extrait? _____
_____

16. Pourquoi Mac Nap prend-il une si grande place dans la seconde moitié du récit? _____
_____

17. Identifie trois personnages secondaires. _____

18. Au début du récit, quelle a été la réaction de Hobson quand il s'est rendu compte de ce qui arrivait?
_____

19. Durant le forage, quel est le rôle de...
   • Mac Nap? _____
   • des femmes? _____

20. Quelles qualités les membres de l'expédition reconnaissent-ils à Mrs. Barnett? _____
_____

21. Quelle a été la réaction des gens quand ils ont vu le corps inanimé de Mrs. Barnett? _____
_____

22. Quelle caractéristique donnerais-tu à...
   • Jasper Hobson? _____
   • Mac Nap? _____

23. Quel personnage aurais-tu aimé être? Pourquoi? _____
_____
_____
_____

24. Relève trois manières de désigner les membres de l'expédition dans les parties ② et ③ .
_____

Objets

25. Donne quelques précisions sur la banquise qui a heurté l'île. _____
_____
_____

26. Décris en quelques mots le puits creusé par Mac Nap et ses hommes. _____
_____
_____

Langue

27. Comment Jules Verne rend-il l'émotion de Hobson et de Long dans la partie ① ? _____
_____

28. Donne le sens des expressions suivantes.

    a) **Là où s'étendait le regard (partie ⑥):** _____
    _____

    b) **Mille pensées assiégeaient leur esprit (partie ②):** _____
    _____

    c) **La partie septentrionale (partie ⑤):** _____

    d) **Accablaient de leur poids (partie ⑥):** _____

29. À l'aide d'un dictionnaire, trouve la signification des mots suivants.

    Faîte (partie ⑩): _____

    Forage (partie ⑩): _____

    Cuvelage (partie ⑪): _____

    Étrésillon (partie ⑭): _____
    _____

30. Relève des indices (mots exprimant un sentiment) dans la partie ② . _____
_____

31. Quels personnages l'auteur fait-il parler dans la partie ③ ? _____
_____

32. Comment Jules Verne communique-t-il l'inquiétude de Hobson dans la partie ② ? _____
_____

33. Quel temps du verbe Verne choisit-il pour raconter? _____
_____

34. Dans la partie ⑤ , relève les adjectifs qualificatifs et les mots qu'ils caractérisent. _____
_____
_____
_____
_____
_____
_____

35. Relève dans le premier paragraphe de la partie ⑥ les circonstances...
   - de lieu : _____
   - de manière : _____

36. Dans les phrases suivantes, identifie le mot ou le groupe de mots qui fait l'action.
   a) **Ainsi, l'île, poussée par la banquise...** : _____
   b) **Tous deux avaient fait une centaine de pas** : _____
   c) **En ce moment même, le bâtiment qu'occupaient naguère les soldats et les femmes...** :
   _____

37. Dans le troisième paragraphe de la partie ⑥ , quels mots les pronoms suivants remplacent-ils?
   Il (s'était renversé) : _____
   Qu' (il avait écrasés) : _____
   Qu' (ils renfermaient) : _____

38. Dans la partie ⑬ , quels possesseurs sont désignés par les adjectifs suivants?
   Leur (rude besogne) : _____
   Son (désappointement) : _____
   Sa (blessure) : _____

39. Quelle(s) forme(s) de phrases utilise-t-on dans le dialogue de la partie ⑮ ? _____
   _____

40. Dans la partie ⑩ , relève tous les mots qui servent à exprimer un sentiment et classe-les.

Noms	Adjectifs	Adverbes	Verbes

ÉCRIRE UN RÉCIT D'AVENTURES À PLUSIEURS ACTIONS

Activité 1

TROUVERONT-ILS?

Présentation

Les différents récits d'aventures que tu as lus dans le cadre de ton cours de français t'ont probablement donné le goût d'écrire à ton tour des aventures vécues par des personnages de ta création. Alors, laisse parler ton imagination et tu éprouveras, comme tous les écrivains, l'intense plaisir de faire vivre sous ton crayon un monde qui est en toi.

Dans cette première activité de production, nous te suggérons de lancer trois adolescents dans des aventures palpitantes. Pour t'aider, nous t'offrons la situation initiale. À toi d'imaginer les péripéties, les menaces et la situation finale.

Situation initiale

Andrée est une passionnée de radio amateur. Chaque soir, elle passe de longues minutes à manipuler les sélecteurs de fréquence pour écouter des communications entre inconnus. Or, ce soir, elle a intercepté un échange plutôt étrange entre deux hommes. Une voix disait:

«Patron, on n'a plus à s'inquiéter. La toile est bien cachée. Ils ne la trouveront certainement pas là où on l'a mise.

— Je l'espère pour toi et pour René! Il s'agit de deux cent mille dollars! Si vous échouez, vous savez ce qui vous attend...

— Il n'y a pas de problème, patron. Vous souvenez-vous de la vieille maison grise abandonnée de la rue Des Trembles? Nous y sommes allés la nuit passée et...»

Andrée a perdu le contact radio! Elle a beau chercher à le rétablir, elle n'entend que des parasites. Son excitation s'explique. Dès les premiers mots, elle s'est rendue compte qu'on parlait d'une toile d'une très grande valeur, volée deux jours auparavant au musée municipal. Elle sait que les policiers fouillent partout et elle ne croit pas que ses parents la prendront au sérieux si elle leur parle de la piste qu'elle vient de découvrir. Selon elle, le mieux est de se glisser hors de chez elle et d'aller en parler à Michel et à Claude, deux amis qui partagent son enthousiasme pour la radio amateur.

Maintenant, il t'appartient d'imaginer comme tu l'entends les aventures que vont vivre ces trois adolescents. Ton récit débute au moment où Andrée quitte sa chambre...

Directives

1. Réfléchis d'abord à ton récit et à tes personnages en remplissant la grille **Mon récit**. Ne commence pas à rédiger ton brouillon tant que tu n'auras pas en tête toutes les péripéties que vont vivre tes personnages.

2. Quand tu seras prêt (e), écris ton brouillon...
   - en employant des phrases courtes;
   - en utilisant, de préférence, l'imparfait pour raconter et l'indicatif présent pour tes dialogues;
   - en respectant le sens des mots;
   - en faisant des paragraphes qui ne contiennent qu'une idée importante;
   - en construisant des dialogues qui font avancer l'action (pas de bavardage inutile);
   - en utilisant les bons pronoms;
   - en faisant varier la forme de tes phrases.

3. Quand ton brouillon sera totalement rédigé, relis-le et vois si tu ne peux pas...
   - ajouter des caractéristiques aux lieux, aux personnages et aux objets en te servant d'adjectifs, d'adverbes et de compléments;
   - améliorer la clarté et la précision de certaines phrases.
4. Vérifie soigneusement l'accord des mots et la ponctuation (voir **Les activités grammaticales et orthographiques** à la fin du cahier).
5. Avant d'écrire la version finale de ton récit, remplis avec soin la fiche **Dernière vérification**. Cette démarche pourrait te permettre d'identifier un oubli important dans ton texte.
6. Rédige ta version finale de ta plus belle écriture.
7. Relis ton récit pour faire les dernières corrections.
8. Remets ton texte et la fiche **Dernière vérification** à ton professeur.
9. Quand tu recevras ton récit corrigé, lis avec soin les remarques de ton professeur et prends le temps de faire les corrections suggérées.

MON RÉCIT

Tes personnages

Imagine d'abord tes personnages: leur apparence, leurs qualités et leurs défauts.

Andrée: _____

_____

Claude: _____

Michel: _____

Les lieux

Décris avec précision les lieux où les événements se dérouleront.

La maison abandonnée: _____

_____

_____

_____

Le temps

À quel moment de la journée? Quelle est la température? _____

_____

Les événements

Premier événement: _____

La menace: _____

Comment les personnages s'en sortent: _____

_____

Deuxième événement: _____

La menace: _____

Comment les personnages s'en sortent: _____

_____

Troisième événement: _____

La menace: _____

Comment les personnages s'en sortent: _____

_____

La situation finale: _____

_____

Quelle(s) qualité(s) ou quel(s) défaut(s) les événements mettront-ils en valeur chez les personnages?

_____

_____

_____

DERNIÈRE VÉRIFICATION

Tes personnages
Quelle apparence as-tu donnée à chacun? Quelle est la principale caractéristique de chacun?

Andrée: _____

_____

Claude: _____

_____

Michel: _____

_____

Les lieux
Où l'action se déroule-t-elle? _____

_____

Le temps
Quand l'action se passe-t-elle? _____

_____

Les événements
Qu'est-ce qui menace tes personnages? _____

_____

_____

Comment tes personnages y échappent-ils? _____

_____

_____

Quelle est la situation finale? _____

_____

- Est-elle bien expliquée? _____

- Est-elle logique? _____

Qu'est-ce qui fait le suspense de ton récit? _____

_____

Selon toi, quel est l'aspect le plus faible de ton récit d'aventures?

Partie faible	**Comment l'améliorer?**
Les menaces _____	En expliquant mieux le danger...
Les péripéties _____	En étant plus précis(e) et plus clair(e)...
La description des lieux _____	En étant plus précis(e)...
La description des personnages _____	En étant plus précis(e)...
La description des objets _____	En étant plus précis(e)...
La situation finale _____	Un peu plus d'imagination...
Le suspense _____	En utilisant des adjectifs et des adverbes plus frappants, des phrases plus courtes et plus variées...
L'orthographe _____	En vérifiant les accords et en consultant le dictionnaire...
La ponctuation _____	En consultant **Les activités grammaticales et orthographiques** à la fin du cahier.

Quel aspect de ton récit as-tu le plus travaillé? _____

Activité 2

PERDUS!

Présentation

Tu viens d'écrire un récit d'aventures et tu sais maintenant, grâce aux remarques de ton professeur, que tu parviendras à maîtriser ce type de discours si tu es capable d'éliminer certaines faiblesses.

Dans cette dernière activité, nous t'invitons à écrire un second récit d'aventures dont la présentation sera vraiment très spéciale. Ce sera pour toi l'occasion rêvée de faire preuve d'imagination et de talent.

Nous te proposons d'écrire un texte illustré ou, si tu le préfères, de créer une bande dessinée. Tu peux présenter ton récit sur de grands cartons ou dans un petit livre. En d'autres mots, tu peux rendre ta production encore plus attirante grâce aux dessins, aux couleurs ou à l'originalité de la présentation. Cet ouvrage pourrait devenir un beau cadeau pour une personne que tu apprécies particulièrement.

Le sujet

À la fin de l'automne, deux adolescents accompagnent leur vieil oncle dans une excursion de chasse sur la Côte-Nord. Pour ces deux citadins, il s'agit là d'une expérience tout à fait nouvelle. Dès le lever du soleil et malgré le froid, ils s'enfoncent tous les trois dans les bois à la recherche du gibier.

Ils marchent jusqu'au début de l'après-midi, de plus en plus déprimés de n'avoir aperçu aucun orignal. Quand les deux jeunes s'arrêtent pour préparer le dîner, le vieil homme leur suggère de se reposer une heure, le temps qu'il explore les alentours. Une heure passe puis une seconde sans que l'oncle ne se manifeste. Les adolescents sont inquiets. Il fait de plus en plus froid, et le soleil disparaît doucement.

Que feront-ils? Où est passé leur oncle? S'est-il perdu? S'est-il blessé? Comment le rechercher? Leur oncle sait se diriger dans la forêt, mais eux!

Imagine les aventures qu'ils vont vivre et les dangers qu'ils vont affronter...

Directives

1. Réfléchis aux péripéties de tes personnages en remplissant la grille **Mon récit**. Ne commence pas à écrire ton brouillon avant d'avoir construit toute ton histoire.

2. Avant même d'écrire, choisis, en tenant compte de tes talents en dessin, de quelle façon tu présenteras ton récit:
   - Un petit livre (15 cm X 20 cm) illustrant les meilleures péripéties;
   - Un livre de bandes dessinées;
   - Un ou des cartons de couleur sur lesquels ton récit d'aventures sera écrit et illustré.

3. Imagine bien tes personnages et leurs caractéristiques. Dessine-les si tu as choisi les bandes dessinées.

TEXTE ILLUSTRÉ	BANDE DESSINÉE
4. Écris ton brouillon en utilisant... • des phrases courtes; • des dialogues qui font avancer l'action; • des verbes à l'imparfait pour raconter et au présent de l'indicatif pour les dialogues; • des formes variées dans tes phrases; • des paragraphes courts; • des descriptions précises pour les lieux, les objets et les personnages.	4. Fais la même chose que pour le texte illustré.
5. Prépare ton petit livre ou, si tu as choisi d'utiliser des cartons, prépare la mise en pages. Dans les deux cas, tu peux déjà dessiner et colorier. N'oublie pas que tes dessins doivent rendre ton récit encore plus intéressant.	5. Divise tes pages en carrés égaux. (Ne les fais pas trop petits.) Garde certains carrés libres de tout dessin pour y écrire certaines explications, etc. Choisis, en lisant ton texte, quelles actions tu vas illustrer et quel dialogue tu vas écrire dans les bulles. Fais tous les dessins nécessaires pour rendre ton texte compréhensible et n'oublie pas les couleurs.
6. Retourne à ton brouillon et... • corrige la tournure des phrases, s'il y a lieu. • ajoute des adjectifs et des adverbes pour mieux caractériser tes personnages, les lieux et les objets. • améliore le suspense avec des mots mieux choisis. • vérifie le temps de tes verbes et leur accord. • corrige l'orthographe (attention aux accords). • vérifie soigneusement la ponctuation.	6. Fais la même chose que pour le texte illustré en t'assurant que le contenu de chaque bulle est clair.
7. Remplis ta grille **Dernière vérification** pour t'assurer que ton récit est correct.	7. Fais la même chose que pour le texte illustré.
8. En remplissant ta grille, si tu as découvert des faiblesses dans ton récit, corrige-les.	8. Fais la même chose que pour le texte illustré. N'hésite pas à sacrifier un dessin ou à en ajouter un si la clarté et la précision de ton récit en dépendent.
9. Écris ta version finale de ta plus belle écriture.	9. Écris très lisiblement et ne mets aucune couleur à l'intérieur de tes bulles.
10. Relis ton travail pour corriger les dernières erreurs.	10. Relis ton travail pour t'assurer que tu n'as pas oublié une bulle ou des explications.
11. Donne ton travail à ton professeur qui te le remettra corrigé.	11. Fais la même chose que pour le texte illustré.
12. Essaie de faire disparaître les erreurs qui ont été relevées dans ton récit.	12. Fais la même chose que pour le texte illustré. Si on te reproche un manque de dessins à certains endroits de ton récit, essaie de faire disparaître cette faiblesse en donnant plus d'explications dans les carrés libres.

MON RÉCIT

Tes personnages

Imagine d'abord tes personnages: leur apparence, leurs qualités et leurs défauts.

_____

_____

_____

_____

_____

Essaie de les dessiner comme tu les vois.

Les lieux

Décris avec précision les lieux où les événements se dérouleront.

_____

_____

_____

_____

Les événements

Premier événement: _____

La menace: _____

Comment les personnages s'en sortent: _____

_____

Deuxième événement: _____

La menace: _____

Comment les personnages s'en sortent: _____

_____

Troisième événement: _____

La menace: _____

Comment les personnages s'en sortent: _____

_____

La situation finale:_____

_____

Quelle(s) qualité(s) ou quel(s) défaut(s) les événements mettront-ils en valeur chez les personnages?

_____

_____

_____

_____

Mise en pages

Quel sera le format de ton livre? _____

Combien de dessins contiendra-t-il? _____

Quelles actions illustreront-ils? _____

_____

Combien de carrés ta bande dessinée aura-t-elle? _____

- Combien de carrés libres? _____

- Combien de carrés illustrés? _____

DERNIÈRE VÉRIFICATION

Quel est le titre de ton récit? _____

Tes personnages

Donne le nom, l'apparence et la caractéristique de chacun.

_____

_____

_____

_____

_____

_____

Les lieux

Quelles explications as-tu données sur les lieux de l'action?

Le temps

Quelles explications as-tu données sur le temps qu'il faisait et sur la période de la journée?

_____

_____

Les événements

Qu'est-ce qui menace tes personnages? _____

_____

_____

Comment tes personnages y échappent-ils? _____

_____

_____

Ta situation finale est-elle bien expliquée? _____

Est-elle logique? _____

Selon toi, quel est l'aspect le plus faible de ton récit d'aventures?

Partie faible	**Comment l'améliorer?**
Les menaces _____	En expliquant mieux le danger et en réfléchissant...
Les péripéties _____	En étant plus précis(e) et plus clair(e)...
La description des lieux _____	En étant plus précis(e), en utilisant des dessins explicatifs...
La description des personnages _____	En étant plus précis(e), en les concevant mieux...
La description des objets _____	En étant plus précis(e), en utilisant des dessins explicatifs...
La situation finale _____	Un peu plus d'imagination...
Le suspense _____	En utilisant des adjectifs et des adverbes plus frappants, des phrases plus courtes aux formes plus variées, en soignant la ponctuation...
L'orthographe _____	En vérifiant les accords et en consultant le dictionnaire...
La ponctuation _____	En consultant **Les activités grammaticales et orthographiques** à la fin du cahier.
L'illustration _____	En choisissant mieux les scènes à dessiner...
La mise en pages _____	En y pensant plus longuement avant de te mettre au travail.

Quel aspect de ton récit as-tu le plus travaillé? _____

_____

Sixième chapitre

LES ACTIVITÉS GRAMMATICALES ET ORTHOGRAPHIQUES

Les activités grammaticales et orthographiques

Dans les pages suivantes, tu trouveras une soixantaine d'activités courtes et variées qui ont pour but d'enrichir tes connaissances et de développer tes habiletés.

Tu n'auras probablement pas besoin de faire tous les exercices proposés, mais choisis ceux qui portent sur des points que tu maîtrises mal. Quand tu auras terminé une activité, corrige-la immédiatement à l'aide du corrigé.

Liste des activités

Grammaire

Orthographe d'usage

Orthographe grammaticale

Activité 48 :   L'accord du verbe avec le sujet **on**

Activité 49 :   L'accord du verbe avec un sujet dont il est séparé par plusieurs mots

Activité 50 :   L'accord des participes passés

Activité 51 :   Les verbes finissant par le son «é»

Activité 52 :   **Dû** et **du**

Activité 53 :   Les verbes finissant par le son «i»

Activité 54 :   Le pluriel des noms en «al», «au», «eu», «ou» et «ail»

Activité 55 :   L'accord de l'adjectif précédé d'un déterminant imprécis

Activité 56 :   Le pluriel des adjectifs en «al» et en «en»

Activité 57 :   **Sa** et **ça**

Activité 58 :   **Là, la** et **l'a**

Activité 59 :   **Où** et **ou**

Activité 60 :   **Peut, peux** et **peu**

Activité 61 :   **C'est, s'est, ses, sais, sait** et **ces**

Activité 62 :   **Sûr(e)** et **sur**

Les activités grammaticales

LA NATURE DES MOTS

Les déterminants

Connaissances

Un déterminant est un mot qui sert à préciser le genre et le nombre d'un nom ou d'un pronom.

Il y a plusieurs sortes de déterminants:

les articles: le, la, les, l', un, une, des, au, du et aux.
les adjectifs possessifs: mon, ma, mes, ton, ta, tes, son, sa, ses, notre, nos, votre, vos, leur, leurs.
les adjectifs démonstratifs: ce, cet, cette, ces.
les adjectifs numéraux: un, deux, trois,... premier, deuxième, troisième,...
les adjectifs indéfinis: chaque, tout, nul, tel, plusieurs, quelque, autre, certain, etc.
les adjectifs exclamatifs: quel!, quels!, quelle!, quelles!.
les adjectifs interrogatifs: quel?, quels?, quelle?, quelles?.

Activité 1

Encercle les déterminants et fais une flèche vers le mot déterminé. Vérifie tes réponses en consultant le corrigé.

LE RETOUR

Trois ans après son départ du pays, Richard revenait à Washington. Il avait quitté son poste sans aucune autorisation. Il avait pris l'avion à Paris sur un coup de tête parce qu'il désirait avoir quelques informations sur son mandat au consulat. En arrivant, il avait demandé une entrevue avec la responsable. Il voulait des éclaircissements. Il avait en mémoire toutes les rebuffades de ces dernières années. Il allait obliger la directrice des agents consulaires à lui fournir des explications, sinon il remettait sa démission. Plusieurs fois, au consulat, il avait demandé son retour au pays. La réponse des chefs n'avait jamais varié:«Attendez votre rappel.» Il n'avait reçu nul encouragement pour les six projets soumis, et on se conduisait avec lui comme s'il était le dernier sous-secrétaire.

Activité 2

Encercle les articles, encadre les adjectifs possessifs, trace un triangle autour des adjectifs démonstratifs, souligne les adjectifs indéfinis et mets un pointillé sous les autres déterminants. Fais toujours une flèche vers le mot déterminé. Vérifie tes réponses en consultant le corrigé.

LE RETOUR *(suite)*

Le lundi suivant, Richard Bourne reçut une convocation à se présenter devant son chef dès la première heure. Lorsqu'il entra au ministère, certains regards froids auraient dû lui faire prévoir le genre d'entretien qu'il aurait avec Lydia Cook, la responsable des secrétaires de consulat.

Sa supérieure lui indiqua sèchement un siège et commença immédiatement l'entrevue sans aucun préambule.

«Quelle raison aviez-vous de quitter votre poste avant votre rappel officiel?

— Je désirais quelques éclaircissements sur ma charge de travail et...

— M. Bourne, je crois que vous m'avez mal comprise. Cet entretien est probablement le dernier que vous aurez avec un membre de ce ministère. Vous avez laissé votre travail sans ma permission. Des explications, c'est moi qui vous en demande. Ce comportement est inacceptable et vous êtes allé contre toutes les directives qui vous ont été adressées.»

Activité 3

Donne aux huit noms tirés du texte tous les déterminants qui servent à les préciser. Vérifie tes réponses en consultant le corrigé.

LE RETOUR *(suite)*

«Madame, vous ne vous rendez pas compte que mon travail est impossible au consulat si vous ne m'accordez pas plus de liberté dans l'élaboration de mes projets.

— À quels projets faites-vous allusion?

— À la galerie d'art canadien, au concert invitation et à l'exposition de livres étrangers.

— Mais mon cher monsieur, votre travail dans ces domaines est inutile et même nuisible à nos intérêts. Dans toutes leurs directives, vos supérieurs immédiats vous ont clairement dit à plusieurs occasions que ces trois types d'activités ne vous concernaient pas.

— Oui, ils me l'ont dit, mais ce travail m'intéressait beaucoup et...

— Vous empiétez sur le domaine du chargé des affaires culturelles. Votre travail à vous consiste à vous occuper des échanges commerciaux. Vous êtes payé pour ça, pour les développer.»

Richard Bourne sortit de cette rencontre la tête basse. Il sentait qu'une décision importante allait se prendre au sujet de son avenir. En effet, trois jours plus tard, il était désigné à un poste inférieur dans un consulat de moindre importance.

Travail: _____ **Types:** _____

Domaine: _____ **Poste:** _____

Projets: _____ **Directives:** _____

Intérêts: _____ **Consulat:** _____

Les noms et les pronoms

Connaissances

Le nom

Le nom désigne une personne (Julie), un animal (lion), une chose (table), un sentiment (amour), une pensée (libéralisme),... Bref, il désigne presque tout ce qui existe.

On peut classer les noms de différentes manières:

> propres: quand ils ne désignent qu'un être (Paul);
> communs: quand ils désignent plusieurs êtres (les élèves);
>
> collectifs: quand ils désignent un groupe (la troupe);
> individuels: quand ils ne désignent qu'une unité (soldat);
>
> concrets: quand ils désignent ce qu'on peut voir ou toucher (chaise);
> abstraits: quand ils désignent ce qu'on ne peut ni voir ni toucher (une pensée).

Le pronom

Le pronom est un mot qui remplace le nom.

Il existe plusieurs sortes de pronoms:

les pronoms personnels: je, me, moi, nous, tu, te, toi, vous, il(s), elle(s), le(s), lui, se, soi, en, y, eux, la et leur.

les pronoms possessifs: le(s) mien(s), la mienne, le(s) tien(s), la tienne, le(s) sien(s), la sienne, le(s) nôtre(s), le(s) vôtre(s), le(s) leur(s), etc.

les pronoms démonstratifs: ce, c', celui, celle, celui-ci, celui-là, celle-ci, celle-là, ceux-ci, ceux-là, ça et cela.

les pronoms indéfinis: on, chacun, plusieurs, certains, tel, nul, tout, quelqu'un, l'un, l'autre, etc.

les pronoms relatifs: qui, que, quoi, dont, où, lequel, duquel, auquel, laquelle, de laquelle, à laquelle, etc.

les pronoms interrogatifs: qui?, que?, quoi?, auquel?, duquel?, lequel?, etc.

À REMARQUER

Les pronoms personnels et possessifs peuvent désigner les trois personnes. Les autres ne désignent que la troisième personne.

Activité 4

Souligne les noms et encadre les pronoms du texte. Vérifie tes réponses en consultant le corrigé.

UNE URGENCE

Minh est une infirmière expérimentée. Elle travaille depuis dix ans au service d'urgence de l'hôpital Bellevue cinq nuits par semaine. Jusqu'à lundi dernier, elle aurait pu se vanter d'avoir presque tout vu.

Il était près de trois heures quand on la demanda d'urgence à la salle numéro deux. C'était très pressant si on tient compte du ton avec lequel l'appel était lancé. Minh s'y rendit en courant et découvrit près d'une civière un homme dont les yeux affolés cherchaient les siens. C'était le jeune interne de service.

Elle appela immédiatement le chirurgien et elle fit entrer le blessé dans la salle d'opération. L'homme qui était inconscient sur la civière venait de perdre une jambe dans un accident de la circulation. On devait l'opérer d'urgence.

Activité 5

Souligne les pronoms personnels, encercle les pronoms relatifs, encadre les pronoms indéfinis et trace un pointillé sous tous les autres pronoms. Vérifie tes réponses en consultant le corrigé.

UNE URGENCE *(suite)*

Déjà, chacun s'affairait autour du patient et, de toute évidence, on allait tenter de lui greffer le membre qu'il venait de perdre.

Minh découvrit dans un bac à glace la jambe amputée. Elle jeta un coup d'oeil aux deux chirurgiens qui venaient de prendre place autour de la table d'opération. Les gestes de Pothier étaient vifs alors que ceux de Landry étaient lents et réfléchis. Ils firent signe à Minh de s'approcher et de leur tendre les instruments. Quelqu'un avait déshabillé le patient et un autre l'avait branché à divers appareils. Cela avait pris à peine quelques minutes. Puis, le silence se fit et on n'entendit plus que les demandes d'instruments que les chirurgiens adressaient à Minh. Ils raccordèrent les artères, les nerfs et les veines qui avaient été sectionnés. Ils réduisirent la cassure, et on les vit recoudre les muscles coupés.

Activité 6

Souligne les pronoms personnels, relatifs et possessifs. Indique, au-dessus de chacun, quel mot il remplace. Vérifie tes réponses en consultant le corrigé.

UNE URGENCE *(suite)*

Les chirurgiens prirent trois heures pour compléter leur travail. Quand ils eurent fini, ils laissèrent à leurs assistants le soin de préparer le transport du patient vers la salle de réanimation. Deux infirmiers le posèrent délicatement sur une civière et le conduisirent vers la salle. Minh les accompagna, car elle devait veiller l'opéré jusqu'à la relève du matin. L'infirmière qui la remplaçait à huit heures serait présente jusqu'à la visite du chirurgien qui viendrait constater les résultats de son intervention au début de l'après-midi.

Ce soir-là, lorsque Minh reprit son travail, elle se rendit compte que son patient avait été transporté sur un autre étage. Impatiente d'avoir des nouvelles, elle monta au poste de garde qui régissait les soins donnés aux patients. Elle consulta le dossier du malade et parla à l'infirmière responsable. Celle-ci lui dit que le chirurgien était passé et qu'il avait jugé ses premiers examens très satisfaisants. Selon lui, le patient commencerait, dans quelques semaines, les cours de rééducation que l'hôpital donne et pourrait se servir de sa jambe à nouveau. En d'autres mots, l'intervention avait été un succès. Minh était fière d'elle parce qu'elle avait sa part dans ce succès.

L'adjectif qualificatif et l'adverbe

Connaissances

L'adjectif qualificatif

L'adjectif qualificatif donne une qualité ou un défaut à un nom (ou à un pronom). **Ex.:** Un accident grave. (*Grave* qualifie *accident*.)

Il existe différents degrés dans la qualité:

- Le comparatif est utilisé pour comparer un être avec un autre (plus, moins, aussi, mieux, pire,...). **Ex.:** Paula est plus grande que sa soeur.
- Le superlatif est utilisé pour exprimer la qualité à un très haut degré (le plus, le moins, très,...).

L'adverbe

L'adverbe change ou complète un verbe, un adjectif ou un autre adverbe. **Ex.:** Il parle... Il *ne* parle *plus*. Des notes *trop* fortes. Elle arrive *trop* rapidement.

Il existe des adverbes...

- de temps: hier, aujourd'hui, demain, tôt, tard, maintenant, etc.
- de lieu: ici, là, derrière, devant, dessus, dessous, etc.
- de manière: si, lentement, gravement, doucement, etc.
- d'affirmation: oui, certes, volontiers, etc.
- de négation: ne...pas, ne...plus, ne...rien, ne...jamais, ne, non, etc.
- de quantité: peu, assez, beaucoup, plus, très, moins, autant, aussi, etc.

Activité 7

Souligne les adjectifs qualificatifs et fais une flèche vers le mot qualifié. Encercle les adverbes et fais une flèche vers le mot complété ou changé. Vérifie tes réponses en consultant le corrigé.

PÉKIN

Pékin est une ville remarquable qui ne peut laisser insensible le touriste. La capitale de la Chine offre un spectacle inoubliable. Dès votre descente d'avion, vous vous retrouverez brusquement dans un aéroport très moderne d'une propreté méticuleuse. Les douaniers seront probablement polis, mais assez suspicieux, et vous devrez obligatoirement soumettre vos bagages à une fouille avant d'obtenir la permission d'aller vous asseoir dans l'un des autobus qui attendent le voyageur à la porte de l'aéroport.

Le véhicule, assez inconfortable, vous conduira à votre hôtel en utilisant de larges boulevards qui seront encombrés par une multitude de cyclistes disciplinés. À votre arrivée, on vous assignera rapidement une chambre, habituellement une petite pièce très sobre ne contenant que le mobilier strictement nécessaire. Vous devrez aussi vous attendre à des portes qui ferment mal et à des ascenseurs assez capricieux.

Activité 8

Suis les directives de l'activité 7 et vérifie tes réponses en consultant le corrigé.

PÉKIN *(suite)*

Le plus bel endroit à visiter est certainement la place T'ien an Men. Un autobus poussif vous y conduira. Cette place immense vous coupera le souffle. Des dizaines de milliers de personnes peuvent s'y promener sans ressentir aucune gêne. Elle est dominée par deux grandes pagodes soutenues par de très grandes colonnes, au sommet de plusieurs volées de marches. Si vous voulez visiter, vous devrez nécessairement prendre place dans une longue file d'attente et vous finirez par franchir les portes du mausolée consacré à Mao. En entrant, vous serez peut-être saisis par l'apparition d'un Mao de marbre assis et si majestueux. Ce sauveur du peuple chinois trône au milieu d'un hall soutenu par des piliers de marbre translucide.

Dans une seconde salle très vaste, on a déposé au centre un cercueil de cristal contenant le corps du grand homme. Habituellement, un silence religieux remplit cette pièce. Vous serez impressionnés par ce corps embaumé pour un repos éternel. Des soldats montent une garde vigilante autour du sarcophage.

Activité 9

Voici des adjectifs et des adverbes tirés du texte précédent. Transforme les adjectifs en adverbes et vice versa. Vérifie tes réponses en consultant le corrigé.

Adjectifs

Bel: _____

Poussif: _____

Longue: _____

Majestueux: _____

Grand: _____

Immense: _____

Religieux: _____

Éternel: _____

Adverbes

Certainement: _____

Nécessairement: _____

Habituellement: _____

Le verbe

Connaissances

Les temps

Un verbe conjugué présente une action présente, passée ou future. Pour le présent, on utilise le temps présent; pour le futur, on se sert du futur simple ou du futur antérieur.

Quand il s'agit du passé, cela devient un peu plus compliqué. Pour un passé lointain, on utilise le passé simple ou l'imparfait; le passé composé est surtout employé pour rendre un passé près du présent. **Ex.:** En 1867, on fit (faisait) accepter la Confédération. Hier, j'ai soupé tôt.

Les modes

Les modes servent à indiquer la manière de présenter l'action.
- L'indicatif présente une action comme réelle.
- L'impératif présente un ordre.
- Le conditionnel présente l'action comme une possibilité.
- Le subjonctif présente l'action comme un souhait.

Ex.: Je prends ça... Prends ça... Je prendrais ça si... Que je prenne ça.

Il faut ajouter à ces modes l'infinitif qui sert à donner une idée de l'action et le participe qui présente l'action comme étant un adjectif. Ils ne se conjuguent pas. **Ex.:** Prendre ça... Prenant ça.

INDICATIF (1re personne du singulier)

Présent:	ai	suis	aime	finis	prends
Passé composé:	ai eu	ai été	ai aimé	ai fini	ai pris
Imparfait:	avais	étais	aimais	finissais	prenais
Plus-que-parfait:	avais eu	avais été	avais aimé	avais fini	avais pris
Passé simple:	eus	fus	aimai	finis	pris
Futur simple:	aurai	serai	aimerai	finirai	prendrai
Futur antérieur:	aurai eu	aurai été	aurai aimé	aurai fini	aurai pris
Passé antérieur:	eus eu	eus été	eus aimé	eus fini	eus pris

SUBJONCTIF (1re personne du singulier)

Présent:	aie	sois	aime	finisse	prenne
Passé:	aie eu	aie été	aie aimé	aie fini	aie pris

IMPÉRATIF (2e personne du singulier)

Présent:	aie	sois	aime	finis	prends

CONDITIONNEL (1re et 2e personne du singulier)

Présent:	aurais	serais	aimerais	finirais	prendrais
Passé:	aurais eu	aurais été	aurais aimé	aurais fini	aurais pris

PARTICIPE

Présent:	ayant	étant	aimant	finissant	prenant
Passé:	eu	été	aimé	fini	pris

INFINITIF

Présent:	avoir	être	aimer	finir	prendre
Passé:	avoir eu	avoir été	avoir aimé	avoir fini	avoir pris

Activité 10

Précise le temps et le mode de chaque verbe. Vérifie tes réponses en consultant le corrigé.

HONG-KONG

Quand l'avion se pose (_____) à Kai-Tak, l'aéroport de Hong-kong, nous arrivons (_____) dans un monde inconnu: l'Orient. Après être passés (_____) par les douanes, les voyageurs feront (_____) connaissance avec une forme de vie qu'ils n'avaient jamais imaginée (_____). Ici, tout se déroule (_____) avec la rapidité de l'éclair. Les couleurs et les bruits les surprendront (_____). On pourrait (_____) penser (_____) que les gens sont (_____) en proie au délire s'ils n'avaient (_____) pas l'air aussi occupés. C'est (_____) incroyable et frénétique. Un porteur s'emparera (_____) d'autorité des bagages qui seront lancés (_____) sans ménagement sur la banquette arrière d'un taxi. Dépêchez-vous (_____) de prendre (_____) place dans la voiture sinon... D'ailleurs, le conducteur conduit (_____) comme si son plus cher désir était (_____) de vous tuer (_____) le plus rapidement possible. Ne vous inquiétez (_____) pas, sa course-suicide prendra (_____) fin dès l'approche des faubourgs. Là, la circulation devient (_____) de la folie. L'embouteillage chronique qui y sévit (_____) durerait (_____) une éternité si des policiers ne s'en mêlaient (_____). En criant (_____), ils obligeront (_____) les conducteurs à avancer (_____). Bien assis (_____), vous aurez (_____) tout le temps nécessaire pour regarder (_____) et entendre (_____) les marchands qui hurlent (_____) pour attirer (_____) la clientèle.

Activité 11

Mets les verbes suivants aux temps et aux modes demandés. Vérifie tes réponses en consultant le corrigé.

1. Le conducteur _____ (risquer, passé simple) la manoeuvre _____ (proposer, participe passé) par le client.

2. Elle _____ (prévoir, plus-que-parfait de l'indicatif) un voyage.

3. Tu _____ (comprendre, passé composé) sa demande.

4. Demain, nous _____ (revenir, futur simple) au parc.

5. Ils _____ (pouvoir, futur simple) _____ (jouer, infinitif présent) dans notre équipe.

6. _____ (respecter, impératif présent) tes parents. C'_____ (être, indicatif présent) un devoir.

7. Ils _____ (détester, conditionnel présent) qu'on les _____ (faire, subjonctif présent) _____ (attendre, infinitif présent).

8. Les clients de l'hôtel _____ (venir, futur simple) à la réception quand on le leur _____ (demander, futur antérieur).

9. Il ne _____ (faire, indicatif présent) aucun doute que cela ne _____ (être, subjonctif présent).

10. Anne Hébert _____ (recevoir, passé simple) un prix littéraire bien _____ (mériter, participe passé) pour un recueil de poèmes qu'elle _____ (écrire, plus-que-parfait de l'indicatif).

11. _____ (prendre, participe présent) sa retraite, la comptable _____ (préparer, passé composé) son bilan.

12. Je _____ (partir, conditionnel présent) si je n'_____ (être, imparfait de l'indicatif) si malade.

Activité 12

Mets les verbes au passé simple. Vérifie tes réponses en consultant le corrigé.

HONG-KONG *(suite)*

Quand le touriste arrive (_____) à Kowloon, il est (_____) au centre de la vie de Hong-kong. Il y trouve (_____) les plus grands hôtels internationaux et les meilleurs restaurants. Des dizaines de banques sont (_____) à la disposition des gens d'affaires qui désirent (_____) utiliser leurs services. Par ailleurs, dans ce quartier, les petits commerçants envahissent (_____) les trottoirs et proposent (_____) des marchandises qui ne sont (_____) souvent que des imitations.

Si vous avez (_____) le goût de trouver un peu de paix, vous devez (_____) vous rendre au Victoria Peak, une hauteur qui vous offrira (_____) une vue absolument superbe de la ville et de sa baie. Par contre, pour un bain de foule, il n'y a (_____) rien comme le traversier. Ceux qui aiment (_____) être poussés par une foule en délire, nous vous le conseillons (_____) vivement. Vous aurez (_____) ainsi l'occasion d'entendre des dizaines de dialectes. Pour prendre place à bord, les gens hurlent (_____) et se bousculent (_____). Vous descendrez (_____) à Pen Mum ou ailleurs complètement abasourdis. Pour reprendre vos esprits, nous vous suggérons (_____) de boire une tasse de thé fort qu'un commerçant ambulant vous proposera (_____). Ensuite, vous devriez (_____) aller au port qui est (_____) l'un des plus actifs du monde.

234

LA NATURE DES MOTS

La préposition et la conjonction

Connaissances

La préposition est un mot qui sert à unir...

- le complément du nom au nom. **Ex.:** Elle a un sac *de* cuir.
- le complément du verbe au verbe. **Ex.:** Paul ira *à* Berlin.
- le complément de l'adjectif à l'adjectif. **Ex.:** Il est fier *de* sa soeur.

Les principales prépositions sont: à, de, pour, avec, dans, sans, parmi, entre, contre, près, sauf, depuis, avant, après, derrière, devant,...

La conjonction de coordination sert à unir deux mots ou deux propositions de même nature ou de même fonction. **Ex.:** Ses devoirs *et* ses leçons sont faits. Elle écrit son journal *et* elle le corrige.

Les principales conjonctions de coordination sont: et, ou, ni, mais, car, or, donc, puis, comme,...

La conjonction de subordination est utilisée pour unir une proposition principale à une proposition subordonnée. **Ex.:** Il s'ennuie *quand* elle part.

Les principales conjonctions de subordination sont: quand, si, lorsque, parce que, après que, que, dès que, puisque, pourvu que, aussitôt que,...

Activité 13

Souligne les prépositions et encercle les conjonctions. Vérifie tes réponses en consultant le corrigé.

LE FAKIR

Paul Abbott avait trente-cinq ans et il vivait en Inde depuis cinq ans. Cet homme grand et solide dirigeait une exploitation dans la banlieue de Calcutta. Son père la lui avait léguée à sa mort. Paul était considéré par les jeunes Anglaises de la colonie comme un bon parti en cette année 1938, malgré son penchant pour l'alcool. Il préférait sortir avec de mauvais garçons plutôt que d'assister aux soirées offertes par des parents soucieux de marier leurs filles.

Un soir de novembre, Paul, un peu ivre, quitta bruyamment son club avec deux amis pour aller assister à un spectacle. À sa sortie, il aperçut un fakir, un vieillard malingre, qui était assis sur le trottoir. Sans raison, il l'injuria et se laissa aller à le frapper. Ses deux camarades eurent toutes les peines du monde à l'entraîner vers une voiture.

Activité 14

Souligne les prépositions et fais des flèches vers les mots qu'elles unissent. Vérifie tes réponses en consultant le corrigé.

LE FAKIR *(suite)*

Une semaine passa sans nouvelles de Paul Abbott. Myriam Smith, une amie, le crut malade et vint prendre de ses nouvelles chez lui. À sa grande surprise, un serviteur inconnu entrouvrit la porte et lui répondit que son maître allait bien, mais qu'il désirait ne pas être dérangé. La nouvelle fit le tour de la colonie anglaise. Qu'arrivait-il à Paul? Avait-il enfin décidé de s'assagir?

Les jours et les semaines passèrent et Paul Abbott ne réapparaissait pas. Toutes les demandes d'informations se heurtaient au mutisme de ses deux nouveaux serviteurs. L'ancienne cuisinière répéta partout qu'on l'avait chassée pour installer dans sa cuisine un vieux monsieur tout maigre qui ne semblait pas connaître grand-chose en art culinaire. Enfin, deux officiers de police, alertés par des amis de Paul, se présentèrent à son domicile et exigèrent de lui parler. La porte se referma brutalement à leur nez. Quand ils purent entrer avec un mandat le lendemain, ils découvrirent un Paul Abbott méconnaissable. En un mois, il était devenu un vieillard aux cheveux blancs, incapable de marcher et de parler. On parla d'un sort jeté par un fakir qui ne prendrait fin qu'à sa mort. On l'hospitalisa, mais ce fut inutile. Paul Abbott ne reparla jamais.

Activité 15

Souligne les conjonctions de coordination et encercle les conjonctions de subordination. Vérifie tes réponses en consultant le corrigé.

LE FANTÔME DE BENNING

Ce soir-là, lorsque le pasteur Sullivan descendit d'autobus sur la place du village, il jeta un regard vers son temple situé au sommet de la colline, à côté du petit cimetière paroissial. La pluie et le vent le détremperaient sûrement avant qu'il ait eu le temps de monter là-haut. Il ouvrit son parapluie, salua quelques connaissances et se mit en route. Il faisait noir et assez froid. Quand il arriva enfin à destination, il regarda distraitement le cimetière en passant devant. Il sursauta en apercevant un gros homme assis sur une tombe au fond du cimetière. L'homme lui tournait le dos. Le pasteur ouvrit la grille et pénétra dans les lieux tout en demandant: «Que cherchez-vous, monsieur? Si vous restez sous la pluie, vous allez être malade...» L'homme se leva brusquement, le regarda sans rien dire et disparut dans l'obscurité. Le pauvre pasteur regagna son presbytère tout en se demandant s'il n'avait pas rêvé.

Durant les semaines suivantes, le pasteur crut apercevoir le même homme, à la même place. Quand il tentait de s'en approcher, il s'enfuyait. Il semblait qu'il eût adopté le tombeau des Benning. Le pasteur se souvenait d'avoir enterré le dernier des Benning une dizaine d'années auparavant. Si sa mémoire était fidèle, il s'agissait d'un gros homme décédé à cause de son penchant immodéré pour l'alcool.

Activité 16

Quels mots ces conjonctions tirées du texte de l'activité 15 unissent-elles?

Lorsque: _____

Et: _____

Avant qu': _____

Et: _____

Et: _____

Quand: _____

Et: _____

Si: _____

Et: _____

S': _____

Quand: _____

Qu': _____

Si: _____

Activité 17

Voici une activité qui te permettra de vérifier si tu reconnais la nature des mots utilisés dans une phrase. Donne la nature de chacun des mots en inscrivant au-dessus le chiffre correspondant à la bonne réponse. Consulte le corrigé et inscris sur le filet le nombre de bonnes réponses que tu as trouvées.

- Avec un tel passé, on ne l'admettra jamais là.

  _____

- Tous en parlent beaucoup, mais chacun évite de le faire.

  _____

- Demain, tu te présenteras tôt à cette caissière expérimentée.

  _____

- Nous rendre là nous causera sûrement de très graves problèmes.

  _____

- Ton salaire est minable, mais le mien est encore plus lamentable.

  _____

- L'arbre et l'écorce sont aussi inséparables que nous.

  _____

1. Article
2. Adjectif possessif
3. Adjectif démonstratif
4. Adjectif numéral
5. Adjectif indéfini
6. Adjectif interrogatif
7. Adjectif exclamatif
8. Nom
9. Pronom personnel
10. Pronom possessif
11. Pronom démonstratif
12. Pronom indéfini
13. Pronom relatif
14. Adjectif qualificatif
15. Adverbe
16. Préposition
17. Conjonction de coordination
18. Conjonction de subordination
19. Verbe

- La région d'où je viens est agréable et populeuse.

  _____

- Puisqu'il y croyait, il en avait certes le droit.

  _____

- Trois règles sévères s'appliquent dans un cas aussi grave.

  _____

- Les quelques cartes d'invitation qu'elle envoya étaient belles.

  _____

LA FONCTION DES MOTS

Le complément du nom, le mot mis en apposition et le mot mis en apostrophe

---

Connaissances

Le complément du nom

Le complément du nom est un mot qui complète le sens du nom. Pour le trouver, tu peux habituellement poser les questions **de quoi?** ou **de qui?** immédiatement après le nom. **Ex.:** Prendre une tasse de *café*. (*Café* complète *tasse*.)

Le mot mis en apposition

Le mot mis en apposition est un mot qui explique le mot précédent. Habituellement, il est placé entre deux virgules. **Ex.:** Mme Gemme, la *directrice*, le salue.

Le mot mis en apostrophe

Le mot mis en apostrophe est un nom ou pronom désignant un être à qui on s'adresse directement. **Ex.:** *Henri*, tu ne respectes rien.

Activité 18

Souligne les compléments du nom et fais une flèche vers le nom complété. Vérifie tes réponses en consultant le corrigé.

LE FANTÔME DE BENNING *(suite)*

Un samedi après-midi, alors que le pasteur Sullivan était confortablement installé dans son bureau du presbytère, il sursauta violemment en voyant la figure pâle d'un inconnu plaquée contre la vitre de la fenêtre. C'était sans aucun doute possible la figure de l'homme aperçu à plusieurs reprises près de la tombe de Benning. Il se précipita vers la porte et fit le tour du presbytère pour attraper son étrange visiteur. Il ne vit personne.

Le soir même, il en parla au maire du village et à sa soeur qu'il recevait à souper. Tout en parlant, il jeta un coup d'oeil vers la fenêtre et il vit à nouveau son visiteur se déplaçant entre les tombes du cimetière. Il le montra à ses deux invités et, à trois, on tenta de le cerner. Ce fut inutile.

Un début de réponse fut offert au pasteur de la paroisse quelques années plus tard. Les membres du conseil avaient cédé à la municipalité une bande du terrain du cimetière pour élargir la route. On déplaça des sépultures parmi lesquelles se trouvait celle de Benning. Lorsque les fossoyeurs voulurent exhumer le cercueil de Benning, ce dernier, mal conservé, se brisa, ne révélant aux yeux des rares spectateurs qu'un tas de pierres. Où était passé le corps de Benning? On ne le sut jamais...

Activité 19

Souligne les compléments du nom, encercle les mots mis en apposition et encadre les mots mis en apostrophe. Vérifie tes réponses en consultant le corrigé.

RÊVE

Dans une chambre de l'hôtel Adriana à Puerto Oro, ville du Mexique, se déroula une étrange histoire. Jean Leduc, notaire à Reims, dort profondément. Il est venu se reposer avec son épouse, Lucie, et jouir de quinze jours de vacances bien méritées. Brusquement, sa femme se met à hurler dans son sommeil:

«Non! Non! Monsieur, laissez-moi partir, je ne dirai rien. Au secours!

— Lucie, que se passe-t-il? Réveille-toi, tu fais un cauchemar.»

Lucie sort de son rêve toute tremblante. Elle raconte avec des frissons d'horreur qu'elle s'est vue roulée dans le tapis de la chambre et transportée sur le sable de la plage. Un homme la déposait au fond d'un trou malgré ses appels à la clémence.

«Ce n'est qu'un rêve, Lucie. Tu as probablement trop mangé au souper.»

Pourtant, durant la semaine suivante, le même cauchemar revient à trois reprises, laissant l'épouse de Leduc angoissée. Lucie apprend par Anna, leur femme de chambre, que leur appartement de l'hôtel a été la scène d'une disparition quelques semaines auparavant. Elle exige alors de M. Benitez, le gérant de l'hôtel, le récit de cette histoire.

«Madame, une jeune Américaine est disparue de sa chambre. C'est tout ce qu'il y a à raconter.»

Activité 20

Suis les directives de l'activité 19.

RÊVE *(suite)*

Comme les chauchemars de Lucie ne prennent pas fin, son mari finit par contacter Jose Cordones, un ami mexicain, pour lui raconter l'histoire. Superstitieux, Cordones amène le couple chez le chef de police de Puerto Oro qui écoute avec un sourire sceptique. Cependant, comme il ne possède aucune piste dans cette affaire et parce qu'il doit faire face aux pressions de l'ambassade américaine, il envoie un petit groupe de policiers sonder la plage derrière l'hôtel. Quelques heures plus tard, on retrouve un corps de femme enfoui dans le sable, enroulé dans un tapis. L'autopsie révèle que l'inconnue de la plage est décédée étouffée par le sable et non à la suite de ses blessures.

Pour sa part, Lucie Leduc ne fit jamais plus ce rêve. Retournée dans sa ville, Reims, certaines connaissances auraient aimé qu'elle tente de prédire l'avenir ou qu'elle essaie d'entrer en contact avec des disparus. Elle s'y refusa absolument. Les questions de ses amies sur son aventure demeurèrent aussi sans réponses.

LA FONCTION DES MOTS

Le sujet

> ## Connaissances
>
> Le sujet est le mot qui fait l'action dans la phrase. C'est très souvent un nom ou un pronom. Pour le trouver, pose la question **qui est-ce qui?** immédiatement avant le verbe conjugué. **Ex.:** *L'histoire* lui plaisait. (Qu'est-ce qui lui plaisait?) Les *camions* étaient interdits. (Qu'est-ce qui était interdit?)
>
> Souviens-toi que le verbe s'accorde toujours avec son ou ses sujets.

Activité 21

Souligne chaque sujet et fais une flèche vers le verbe auquel il se rapporte. Vérifie tes réponses en consultant le corrigé.

RODOLPHE

Rodolphe a 13 ans et il est orphelin. Sa mère est décédée en lui donnant naissance. Son père, le baron Rutter, s'en occupe très peu, comme s'il lui reprochait d'être responsable de la mort de sa mère. Ils vivent ensemble dans un petit château autrichien, mais la tâche d'éduquer Rodolphe revient à M. Fitz, son précepteur. Selon le baron, un Rutter doit savoir monter un cheval. Alors, même si Rodolphe n'aime pas l'équitation, il doit monter deux heures chaque jour. Son unique consolation est qu'il utilise Burh, un alezan qu'il possède depuis sa naissance. C'est l'unique amour de la vie de Rodolphe.

Une sorte d'intimité s'est tissée entre l'adolescent et le cheval. On les voit rarement l'un sans l'autre durant l'après-midi.

Activité 22

Souligne les sujets. Si le sujet est un pronom, indique au-dessus quel mot il remplace. Vérifie tes réponses en consultant le corrigé.

RODOLPHE *(suite)*

Par un beau samedi après-midi d'octobre, le baron Rutter fait venir son fils au salon et le présente à une jeune dame en disant: «Dis bonjour à ta future mère et va préparer ta monture. Je veux qu'elle puisse juger de tes talents de cavalier.» Bouleversé, Rodolphe salue et sort. Il évolue durant une demi-heure devant le couple avec beaucoup de mauvaise grâce. Il rentre enfin à l'écurie où il se met à soigner sa bête. Quelques instants plus tard, le couple s'arrête derrière le cheval. Burh est calme comme à son habitude et il se laisse nettoyer.

«Quand vous serez devenue ma femme, dit le baron, je vous donnerai cette bête. Elle sera parfaite pour vous.»

En entendant ces mots, Rodolphe sent la haine l'envahir. Il lui vole son unique ami. Il parle à l'oreille de Burh. Sans aucune raison, le cheval fait alors une ruade qui vient frapper la visiteuse en pleine tête. Elle s'écroule sans un cri. Le baron crie à l'aide. Le médecin ne peut que constater le décès. Hors de lui, Rutter veut abattre sans tarder la bête et corriger son fils qu'il accuse d'avoir provoqué l'accident. Quand il revient à l'écurie avec une arme, le garçon et le cheval sont partis. On ne les retrouve qu'une semaine plus tard. La bête est abattue et l'adolescent est confié à un collège.

L'attribut du sujet

Connaissances

L'attribut du sujet est habituellement un adjectif qualificatif qui donne une qualité ou un défaut au sujet en utilisant le verbe. **Ex.:** La ruade fut *mortelle*.

L'attribut peut aussi être un nom ou un pronom. Cependant, nous te suggérons de retenir surtout l'adjectif qualificatif parce que le cas est plus courant.

Activité 23

Souligne les attributs et fais une flèche vers le sujet qu'ils qualifient. Vérifie tes réponses en consultant le corrigé.

UNE MAISON HANTÉE

Le conseil municipal de Houster est impatient de régler le problème. Le maire a réuni ses conseillers pour voter un projet de démolition. La vieille maison Faber est inhabitée depuis un an et elle est dangereuse. La ville a besoin de nouveaux espaces et on est prêt à faire disparaître cette maison de trois étages; d'ailleurs, elle est mal entretenue, et sa réputation perturbe l'ordre public.

Cette maison est vieille de deux siècles, mais elle n'est célèbre que depuis une dizaine d'années. On se répète partout qu'elle est hantée, et son propriétaire actuel est incapable de la vendre ou de la louer. Personne ne veut l'habiter. Quand il l'a achetée au dernier survivant de la famille Faber, ce n'était qu'une ancienne maison qui avait un besoin pressant de réparations. Cependant, il fut facile de la louer. Puis, tout se gâta rapidement. Les premiers locataires semblaient terrifiés, et ils quittèrent bien avant la fin de leur bail. Ils se plaignaient que les meubles changeaient de place durant la nuit et qu'ils retrouvaient leurs vêtements dans les endroits les plus incroyables. Les autres locataires se succédèrent à un rythme accéléré, abandonnant la maison après seulement quelques jours.

Activité 24

Suis les directives de l'activité 23.

UNE MAISON HANTÉE *(suite)*

On répétait partout dans la petite ville que les habitants de la maison étaient terrorisés par ce qui se passait durant la nuit. Les vieux murs de la maison renfermaient des esprits qui s'amusaient à hurler, à déplacer des objets et même à projeter ces derniers à la tête de ceux qui osaient venir habiter la même maison qu'eux. M. Thompson, le nouveau propriétaire, fut stupéfait d'entendre dire que certains de ses anciens locataires avaient même fait exorciser la demeure par le curé de la paroisse pour en chasser les esprits qui, selon eux, étaient trop actifs ou trop bruyants. Certains voisins étaient incrédules et commençaient à dire que ce vieux bâtiment était insalubre et dangereux. De plus, il commençait à attirer un peu trop de visiteurs qui étaient curieux de le voir de plus près.

M. Thompson accepta avec le sourire la première offre d'achat du conseil. Elle était acceptable. Il était heureux de se défaire de cette source d'embêtements. Dix jours plus tard, quand on commença à jeter bas les murs, les spectateurs furent horrifiés en entendant des cris de colère venir de la vieille maison.

Les compléments du verbe

Connaissances

Les compléments du verbe sont des mots qui complètent le sens du verbe. Pour les découvrir, il est donc normal que tu poses les questions immédiatement après le verbe.

Il existe trois sortes de compléments du verbe.

Les compléments d'objet

- Le complément d'objet direct (**qui?, quoi?**). **Ex.:** Le brouillard couvrait (**quoi?**) la *ville*.
- Le complément d'objet indirect (**à qui?, à quoi?, de qui?, de quoi?**). **Ex.:** Elle l'emprunte (**à qui?**) à son *frère*.

Les compléments d'agent

Le complément d'agent fait l'action dans la phrase comme un sujet. Il est souvent précédé du mot **par**. Pour le trouver, pose les questions **par qui?, par quoi?**. **Ex.:** Cet homme fut écrasé (**par quoi?**) par un *camion*.

Les compléments circonstanciels

Les compléments circonstanciels apportent des précisions sur le lieu, le temps, la manière, la cause, le but, le moyen, etc. Il existe de nombreuses sortes de compléments circonstanciels, mais les principales sont les suivantes:

- Le complément circonstanciel de lieu (**où?**). **Ex.:** Loan va (**où?**) en *Thaïlande*.
- Le complément circonstanciel de temps (**quand?**). **Ex.:** Elle partira (**quand?**) à *sept heures*.
- Le complément circonstanciel de manière (**comment?**). **Ex.:** Elle voyagera (**comment?**) en *avion*.
- Le complément circonstanciel de cause (**pourquoi?**). **Ex.:** Jean accepte (**pourquoi?**) par *gentillesse*.
- Le complément circonstanciel de but (**dans quel but?**). **Ex.:** Jean accepte (**dans quel but?**) pour lui *plaire*.
- Le complément circonstanciel de moyen (**avec quoi?**). **Ex.:** Elle travaille (**avec quoi?**) avec une *règle*.
- Le complément circonstanciel d'accompagnement (**avec qui?**). **Ex.:** Andréa ira (**avec qui?**) avec sa *mère*.

Activité 25

Encercle les compléments d'objet, encadre les compléments d'agent et souligne tous les compléments circonstanciels. Vérifie tes réponses en consultant le corrigé.

LA FIN DU MONDE

En mars 1961, en Finlande, le commissaire général de la police d'Helsinki reçut un appel étrange. Un brigadier de la gendarmerie lui suggérait de venir à Oulu le soir même. Il ne donna pas plus d'explications. Il semblait qu'il était dépassé par d'étranges événements.

Avec deux policiers, le commissaire Brygmann prit la route et fit les 300 km qui le séparaient du village de Oulu. À son arrivée, il était de mauvaise humeur et il était préférable que le brigadier Rivvo ne l'ait pas dérangé inutilement. Rivvo l'accueillit au poste de gendarmerie et l'entraîna avec empressement vers une petite chapelle, au bout du village.

Les deux policiers trouvèrent deux chaises libres à l'arrière. La chapelle était remplie de gens. Une jeune fille parlait devant tous les villageois avec fièvre. Elle leur prédisait la fin du monde le 15 mars et les incitait à prier et à réparer leurs fautes passées.

Activité 26

Souligne les compléments d'objet direct et encadre les compléments d'objet indirect. Fais une flèche vers le verbe complété. Vérifie tes réponses en consultant le corrigé.

LA FIN DU MONDE *(suite)*

Quand la jeune fille, Paula Uri, se tut, le commissaire entendit des sanglots et des lamentations dans la foule. Puis, quelques personnes se levèrent et confessèrent leurs fautes devant tous. Certains offraient à leurs voisins leurs biens. Il régnait une espèce de folie dans la chapelle.

De retour au poste de gendarmerie, Brygmann posa des questions au brigadier. Paula Uri avait rêvé de la fin du monde et en avait parlé à des voisins. La nouvelle s'était répandue comme une traînée de poudre. Elle parlait avec de tels accents véridiques du bain de sang qui surviendrait bientôt qu'on se mit à l'écouter et à la croire. En peu de jours, la vie du village fut bouleversée. On se mit à quitter son travail pour se consacrer à son salut. Les commerçants donnaient leurs produits. Le cabaretier offrait gratuitement des consommations. Le boulanger ne cuisait plus le pain et le boucher ne vendait plus. Même le médecin refusait ses soins. L'anarchie s'établissait. Les gens ne se préoccupaient plus que de leur âme.

Activité 27

Souligne les compléments circonstanciels et fais une flèche vers le verbe qu'ils complètent. Vérifie tes réponses en consultant le corrigé.

LA FIN DU MONDE *(suite)*

Comme la fin du monde était prévue pour la semaine suivante, le commissaire rejeta une intervention immédiate et décida d'attendre. Il laissa sur place ses deux policiers et demanda au brigadier que l'on prenne le soir même des mesures pour éviter les excès. Il retourna à son bureau et attendit avec impatience le 15 mars.

Ce jour-là, tout le village se rassembla à la chapelle pour prier. La vie commerciale était arrêtée dans la petite communauté. On priait avec ferveur et on attendait la mort avec terreur.

Midi arriva. Rien ne se produisit. Des murmures commencèrent à s'élever dans la foule.

Activité 28

Voici une activité qui te permettra de vérifier si tu reconnais la fonction des mots utilisés dans une phrase. Donne la fonction de chacun des mots en inscrivant au-dessus le chiffre correspondant à la bonne réponse. Sur le filet, écris le nombre de bonnes réponses obtenues. Vérifie tes réponses en consultant le corrigé.

- C'est avec regret que tous nos employés partiront bientôt.

  _____

- La livre de beurre était coûteuse, mais elle l'acheta.

  _____

- Morin et Lévesque iront à la pêche le mois prochain.

  _____

- Avec douceur, elle le prévient du décès de son ami.

  _____

- Cette lettre de son frère lui parviendra dans une semaine.

  _____

- Dès qu'on recevra une réponse du procureur, on vous répondra.

  _____

- Hier, quelques agents de la paix manifestaient sur notre route.

  _____

- Je leur interdis parfois l'entrée de mon grand domaine.

  _____

- Quand on lui présente un plat appétissant, elle le refuse.

  _____

- Lucie, achète-nous de la crème glacée chez le dépanneur.

  _____

1. Détermine le nom.
2. Qualifie le nom.
3. Attribut du sujet.
4. Complément du nom.
5. Mot mis en apostrophe.
6. Mot mis en apposition.
7. Sujet du verbe.
8. Complément d'agent.
9. Complément d'objet direct.
10. Complément d'objet indirect.
11. Complément circonstanciel de temps.
12. Complément circonstanciel de lieu.
13. Complément circonstanciel de manière.
14. Complément circonstanciel de cause.
15. Complément circonstanciel de but.
16. Complément circonstanciel d'accompagnement.
17. Complément circonstanciel de moyen.
18. Unit le complément au mot complété.
19. Unit la proposition principale à la subordonnée.
20. Unit deux mots ou deux propositions semblables.
21. Change ou complète le verbe, l'adverbe ou l'adjectif.
22. C'est l'action (le verbe).

LES PROPOSITIONS ET LES PHRASES

La proposition

Connaissances

La proposition est un mot ou un groupe de mots qui contient habituellement un verbe conjugué. Si cela peut t'aider, tu peux te dire qu'une phrase contient autant de propositions qu'il y a de verbes conjugués.

Voici quelques-unes des sortes de propositions les plus courantes.

La proposition indépendante

La proposition indépendante est une proposition complète en elle-même. Elle ne dépend pas d'une autre proposition. **Ex.:** La victoire viendra // et elle sera fêtée.

La proposition principale

La proposition principale est une proposition dont dépend une (ou plusieurs) subordonnée qui complète son verbe ou un de ses mots. **Ex.:** *William désire* que tu répares sa voiture. (La subordonnée complète le verbe *désire*.)

La proposition subordonnée

La proposition subordonnée est une proposition qui dépend de la principale. Il existe des subordonnées relatives et des subordonnées complétives.

La subordonnée relative commence toujours par un pronom relatif; elle complète un nom ou un pronom de la principale. **Ex.:** Elle achète un livre *qui l'intéresse*. (La subordonnée complète le mot *livre*.)

La subordonnée complétive commence toujours par une conjonction de subordination; elle complète toujours le verbe de la principale. **Ex.:** On croyait *qu'il était malade*. (La subordonnée complète le verbe *croyait*.)

Activité 29

Identifie chacune des propositions du texte en écrivant au-dessus le code suivant: I pour indépendante, P pour principale et S pour subordonnée. Vérifie tes réponses en consultant le corrigé.

LA FIN DU MONDE *(suite)*

Le commissaire Brygmann avait prévu cette réaction s'il ne se passait rien ce midi-là. Aussi, le matin même, était-il arrivé à Oulu avec une cinquantaine de policiers qu'il avait placés autour de la chapelle. Quand la foule furieuse sortit, il l'attendait. Paula Uri était pâle lorsqu'elle apparut à la porte. Les gens voulaient de toute évidence lui faire un mauvais parti. Elle avait bouleversé leur vie et elle les avait ridiculisés. Elle paierait parce qu'elle les avait trompés. Mais le commissaire fit un signe à ses hommes. Quatre policiers entourèrent rapidement la jeune fille et ils l'escortèrent jusqu'à leur voiture. Ainsi, tout était fini. Les villageois ne reverraient jamais plus celle qui leur avait causé une si grande peur. Pourtant, durant des années, certains paieraient pour ces quelques jours de folie collective. Plusieurs avaient sacrifié leur réputation dans une confession publique et quelques-uns avaient donné tous leurs biens pour sauver leur âme.

LES PROPOSITIONS ET LES PHRASES

La coordination et la juxtaposition

Connaissances

On dit que deux phrases sont coordonnées quand un mot sert à les relier l'une à l'autre. **Ex.:** Jérôme perdit. *Cependant*, il devait faire bonne figure.

On dit que deux phrases sont juxtaposées quand elles sont posées l'une à côté de l'autre, sans aucun lien entre elles. **Ex.:** Jérôme perdit. Il devait faire bonne figure.

Activité 30

Reprends le texte de l'activité 29 et identifie par un C les phrases coordonnées et par un J les phrases juxtaposées. Vérifie tes réponses en consultant le corrigé.

Activité 31

Identifie par un I les propositions indépendantes, par un P les propositions principales et par un S les propositions subordonnées. Vérifie tes réponses en consultant le corrigé.

HÉLÈNE ET MICHEL

Hélène et Michel sont de jeunes parents très attentifs. Ils ont deux enfants qu'ils éduquent très bien. De plus, ils trouvent toujours le moyen de garder l'appartement parfaitement rangé. En somme, Hélène et Michel se partagent les tâches.

Ce jeune couple a de la chance. La voisine, une vieille dame, est une amie sur laquelle Michel et Hélène peuvent toujours compter pour garder leurs enfants. Madame Durocher est prévenante. Elle est toujours prête à se charger des emplettes ou à rendre de menus services. À la limite, Hélène et Michel la trouvent même un peu envahissante. En effet, ils peuvent à peine bouger sans que leur voisine vienne offrir de l'aide. Cela les agace un peu et ils ne comprennent pas cet attachement exagéré qu'on leur porte. Pourtant, ils devraient apprécier cette protection presque maternelle, d'autant plus que Michel n'a jamais connu sa mère.

Cependant, ils vivront près de dix ans auprès de madame Durocher avant qu'elle leur avoue la vérité au terme de sa vie. Elle était la mère de Michel. Ainsi, pendant dix ans, elle avait vécu près d'eux et elle n'avait jamais osé leur avouer son secret parce qu'un jour elle avait entendu Michel blâmer celle qui l'avait abandonné à sa naissance.

Les sortes de phrases

Connaissances

La phrase simple
La phrase simple ne contient qu'un seul verbe conjugué. **Ex.:** Paula annonça la fin de l'émission.

La phrase composée
La phrase composée contient deux ou plusieurs propositions indépendantes. **Ex.:** Des policiers l'entourèrent // et l'escortèrent.

La phrase complexe
La phrase complexe contient une ou plusieurs propositions subordonnées. **Ex.:** Le commissaire prend les précautions qui s'imposent.

Activité 32

Reprends le texte de l'activité 26 et indique la nature des phrases en utilisant le code suivant: S pour simple, C pour composée ou CO pour complexe. Vérifie tes réponses en consultant le corrigé.

Activité 33

Suis les mêmes directives avec le texte de l'activité 27.

LES PROPOSITIONS ET LES PHRASES

Les formes des phrases

Connaissances

Dans la forme déclarative, l'émetteur s'exprime par une affirmation (Tu m'écoutes.) ou par une négation (Tu ne m'écoutes pas.).

Dans la forme interrogative, l'émetteur pose une question directe (Que veux-tu?) ou une question indirecte (Je me demande ce que tu veux.).

Pour rédiger une question directe, tu dois placer le pronom personnel après le verbe et le joindre à ce verbe par un trait d'union. **Ex.:** Elle parlait... Parlait-elle? Il y a... Y a-t-il? Anderson respirait encore... Anderson respirait-il encore?

Dans la forme exclamative, l'émetteur exprime un sentiment par une exclamation marquée d'un point d'exclamation (!). **Ex.:** Je ne veux plus!

Activité 34

Identifie la forme des phrases du texte en utilisant le code suivant: DA pour déclarative affirmative, DN pour déclarative négative, I pour interrogative et E pour exclamative. Vérifie tes réponses en consultant le corrigé.

DE LA MAUVAISE VOLONTÉ

Igor est un éboueur retraité de soixante-huit ans. Il parvient difficilement à survivre avec une pauvre pension de deux cents dollars par mois. Ce n'est pas suffisant. À qui se plaindre? Personne ne l'écouterait. Alors, Igor mange peu. Il ne se paie pas de sorties. Il a travaillé toute sa vie pour obtenir si peu. C'est dégoûtant! Le seul moment heureux de sa vie, c'est le premier jeudi de chaque mois quand il reçoit son chèque.

En ce 3 juin 1984, Igor n'en croit pas ses yeux. Il a beau regarder encore une fois. Il ne se trompe pas. On a fait une erreur. On a ajouté deux zéros à son deux cents dollars. Qui a fait cela? À qui la faute? Igor ne le sait pas. La tête lui tourne un peu devant une pareille fortune: vingt mille dollars! Comment ne pas succomber à la tentation de tout garder? Alors, Igor décide de tout dépenser avant qu'on lui réclame le moindre sou. Pris d'une sorte de folie, il s'achète des costumes et quelques meubles. Il rembourse une vieille dette. Igor en profite même pour faire deux merveilleux voyages durant lesquels des hôtels luxueux le comptent parmi leurs clients. Quand deux inspecteurs se présentent trois mois plus tard à son domicile, un large sourire s'épanouit sur sa figure.

«Vous pouvez me faire condamner si vous le désirez. Vous n'aurez pas l'argent. Je l'ai dépensé et bien dépensé jusqu'au dernier sou. Je ne regrette rien. J'ai enfin vécu mes rêves.

Activité 35

Mets les phrases suivantes à la forme demandée. Vérifie tes réponses en consultant le corrigé.

Mets les phrases suivantes à la forme interrogative.

- **Igor dépensa tout:** _____
- **On le poursuivit:** _____
- **J'ai pu vivre:** _____
- **Le chèque est arrivé:** _____
- **Tu ne le savais pas:** _____

Mets les phrases suivantes à la forme déclarative négative.

- **La tempête est attendue:** _____
- **Ses amis l'ont reçu souvent:** _____
- **Existe-t-il un autre remède?:** _____
- **La porte est-elle fermée?:** _____

Mets les phrases suivantes à la forme déclarative affirmative.

- **Jacqueline ne mange plus:** _____
- **Craignait-elle la maladie?:** _____
- **On ne le sait pas:** _____
- **Personne ne l'a cru:** _____

Mets les phrases suivantes à la forme exclamative.

- **Va-t'en:** _____
- **Jamais je ne le lui pardonnerai:** _____
- **Malhonnête, moi:** _____
- **La solution, la voilà:** _____

LA PONCTUATION

Connaissances

Si tu es capable de maîtriser la ponctuation, tes productions seront plus claires.

Il existe de nombreux signes de ponctuation.

Le point (.) indique la fin...
- d'une phrase. **Ex.:** Elle revient tôt.
- d'une abréviation. **Ex.:** M. Leduc.

Le point-virgule (;) sert à séparer...
- les éléments d'une opposition. **Ex.:** Les uns chantent; d'autres prient.
- les parties d'une phrase déjà coupée par des virgules. **Ex.:** Depuis un an, sa popularité baisse un peu; on espère pourtant des changements.

Les deux points (:) se placent...
- devant une citation. **Ex.:** Il demanda: «Que me donnerez-vous?»
- avant une définition. **Ex.:** Un objectif: ce qu'on cherche à atteindre.
- avant une longue énumération. **Ex.:** Tous étaient là: Duclos, Larouche, Joron, Dumais et Lacombe.

Les points de suspension (...) indiquent une pensée incomplète. **Ex.:** Dans sa rage, elle lui crie d'aller au...

La virgule (,) se place...
- après un complément placé au début de la phrase. **Ex.:** Au Liban, tout éclate.
- après chaque élément d'une énumération. **Ex.:** Laura déteste l'histoire, le français et l'écologie.
- avant et après un mot mis en apposition. **Ex.:** L'auteur, Paul Claudel, était célèbre.
- après un mot mis en apostrophe. **Ex.:** Julien, apporte le journal.
- avant et après une proposition incise. **Ex.:** La grippe, disait le médecin, est contagieuse.
- entre les éléments d'une répétition. **Ex.:** Éteins, éteins vite.

Le point d'exclamation (!) se place après une exclamation. **Ex.:** Hélas! rien ne va plus.

Le tiret (—) indique un changement d'interlocuteur dans un dialogue.
Ex.: — Comment allez-vous?
   — Très bien.

Il se place avant et après une explication hors texte. **Ex.:** La guerre — celle de Corée — nous coûta cher.

Les guillemets («») se placent...
- avant et après une citation. **Ex.:** Sa mère conclut en disant: «Tu me décourages.»
- avant et après un mot ou une expression en langue étrangère. **Ex.:** C'était un «compadre».

Les parenthèses ( ) se placent avant et après une explication hors texte. **Ex.:** Lucien Girard (1902—1978) fut un bon président.

L'alinéa est un espace blanc laissé au début d'un paragraphe.

Le point d'interrogation (?) se place après une question directe. **Ex.:** Comprends-tu la ponctuation?

Activité 36

Emploie le tableau précédent pour expliquer l'utilisation de chaque signe de ponctuation souligné. Vérifie tes réponses en consultant le corrigé.

1. ___En 1938_, Mme Winchester_, la veuve du milliardaire, s'installa dans une espèce de _«bunker»_.

_____
_____
_____
_____

2. À la ville_, c'était le travail en usine_, le salaire minimum et le petit appartement_; à la campagne_, c'était l'air pur et l'abondance_.

_____
_____
_____
_____
_____

3. Reine Guzzi _—_ couturière de renom _—_ disait_: _«L'habit_: une enveloppe qui doit révéler la personnalité de la personne qui le porte.»

_____
_____
_____
_____

4. Paul_, disait parfois sa mère, tu es détestable parce que tu manques de_...

_____
_____

5. Wilfrid Laurier_, Premier ministre du Canada (1896—1911)_, était aimé des modérés.

_____
_____

Activité 37

Ponctue correctement ce court texte et vérifie ta ponctuation en consultant le corrigé.

Ce matin-là Paule et Marcel cherchent vainement leur petite Rachel Elle ne semble pas dans la maison Ils ont regardé dans le sous-sol dans le salon dans la cuisine et dans sa chambre Où peut-elle être

Elle est sûrement dans la cour dit Paule

Tous les deux s'y précipitent À leur grand étonnement Rachel est bien là assise sur la plus basse branche du vieux pommier Dans un drôle de jargon elle converse avec un merle comme si c'était tout à fait normal pour une fillette de huit ans Son père en colère lui ordonne Rachel Descends de cet arbre M'entends-tu Elle n'a aucune réaction Il se voit obligé d'aller la chercher Il la gronde la punit et lui défend de recommencer La petite ne répond pas On dirait qu'elle ne sait plus parler Elle regarde ses parents leur sourit puis retourne à l'arbre continuer sa conversation comme si de rien n'était Inquiets ses parents décident de l'amener chez le médecin qui avoue n'y rien comprendre Cependant cinq jours plus tard tout est fini Paule découvre sa fille dans la cuisine très tôt le matin Maman mon merle est parti Que mange-t-on pour déjeuner La parole lui était revenue.

Les activités orthographiques

L'ORTHOGRAPHE D'USAGE

Les noms propres de lieux

Connaissances

Les noms propres désignant des lieux prennent une majuscule quand ils désignent un pays, une ville, un cours d'eau, une montagne, etc. **Ex.:** Le mont Logan.

Souviens-toi que les noms de peuples prennent aussi une majuscule. Ils prennent une minuscule quand ils sont utilisés comme adjectifs. **Ex.:** Les Canadiens...un plat canadien.

Activité 38

Souligne la bonne manière d'écrire les mots en caractères gras. Vérifie tes réponses en consultant le corrigé.

La visite du **Canada/canada** ne peut être qu'enrichissante parce qu'elle permet de côtoyer des **Canadiens/canadiens** de toutes les origines et de voir des choses merveilleuses. Ton pays est peuplé de gens venus de **Pologne/pologne**, d'**Italie/italie**, de **France/france, d'Allemagne/allemagne** et de bien d'autres contrées. Ils ont peuplé le **Québec/québec** et l'**Ontario/ontario**, mais ils se sont surtout établis dans les **Provinces/provinces** de l'**Ouest/ouest** comme le **Manitoba/manitoba**, l'**Alberta/alberta** et la **Saskatchewan/saskatchewan**.

Un jour, tu auras probablement la chance d'aller visiter **Toronto/toronto**, la **Métropole/métropole** du **Canada/canada** établie sur les rives du lac **Ontario/ontario**, ou de traverser les immenses **Plaines/plaines** couvertes de blé. Tu seras fier (fière) de la beauté de ton pays en arrivant au pied des **Rocheuses/rocheuses** et en admirant le magnifique lac **Louise/louise**. Quand tu auras traversé ces **Montagnes/montagnes**, tu auras la joie de découvrir **Vancouver/vancouver**, surnommée la Perle du **Pacifique/pacifique**. Tu te rendras compte que les **Canadiens/canadiens** ont l'inestimable chance de vivre dans un immense pays aux richesses incalculables.

T — TT

Connaissances

En français, certains mots prennent un T et d'autres, deux T. Il n'existe pas de règle générale facile à retenir.

Quand tu doutes de la bonne orthographe d'un mot, vérifie dans ton dictionnaire.

Activité 39

Écris T ou TT dans les espaces libres. Vérifie tes réponses en consultant le corrigé.

1. A_____errir
2. Meno_____e
3. Aristocra_____e
4. Crava_____e
5. A_____ention
6. A_____entat
7. Sava_____e
8. Sona_____e
9. A_____endre
10. A_____irer

11. Pâ_____e
12. Manger des da_____es
13. Retenir une da_____e
14. Il se gra_____e
15. A_____risté
16. A_____hlète
17. A_____roce
18. S'a_____abler
19. Épaule_____e
20. Candida_____e

L — LL

Connaissances

On dit que la moitié des mots commençant par AL n'ont qu'un L et que la plupart des mots finissant par AL ne prennent qu'un L.

Comme tu peux t'en rendre compte, le redoublement ou non du L va susciter plusieurs règles. Le mieux est peut-être de te fier à ta mémoire et à ton dictionnaire.

Activité 40

Écris L ou LL dans les espaces libres. Vérifie tes réponses en consultant le corrigé.

1. A_____umer
2. Osci_____er
3. A_____éger
4. Imbéci_____e
5. Inte_____igence
6. Muse_____ière
7. A_____ourdir
8. Tranqui_____e
9. Pe_____er
10. Frê_____e
11. A_____iter
12. Exce_____ence
13. Embe_____ir
14. A_____ergie
15. Modè_____e
16. Para_____è_____e
17. A_____unir
18. Imbéci_____ité
19. Mê_____e
20. Une grande sa_____e
21. Une figure sa_____e
22. Ma_____e
23. Grê_____e

24. Ge_____er
25. A_____igner
26. A_____ouette
27. Zè_____e
28. Révé_____er
29. Va_____ée
30. A_____ibi
31. Tranqui_____ité
32. Mo_____aire
33. Bu_____e
34. Mo_____et
35. Fo_____ie
36. Un be_____ arbre
37. Enco_____ure
38. A_____usion
39. Do_____ar
40. Fo_____e
41. Du ba_____et
42. Co_____er
43. Un ba_____ai
44. Un châ_____e
45. Pâ_____e

L'ORTHOGRAPHE D'USAGE

R — RR

Connaissances

En français, certains mots s'écrivent avec un R et d'autres, avec deux R. Il est presque impossible de se fier aux règles tant elles sont nombreuses et pleines d'exceptions.

Il est plus facile de vérifier l'orthographe d'un mot dans ton dictionnaire quand tu as un doute.

Activité 41

Écris R ou RR dans les espaces libres. Vérifie tes réponses en consultant le corrigé.

1. Un ba_____il
2. Une a_____ivée
3. De l'i_____onie
4. La couleur ma_____on
5. Un cha_____iot
6. Une ca_____ière
7. Une na_____ation
8. Un ca_____é
9. Le tonne_____e
10. Une ca_____otte
11. Se déba_____asser

12. Un ca_____efour
13. Une ca_____ie
14. Une ca_____icature
15. Une ma_____aine
16. Une ca_____afe
17. Une ma_____e
18. Un pa_____ain
19. Co_____ompre
20. Une e_____eur
21. Un ve_____ou
22. Un ma_____i

23. Une se_____ure
24. Un pe_____on
25. Une pe_____uche
26. Une ho_____eur
27. Une ve_____ue
28. Un co_____idor
29. Un to_____ent
30. De_____ière
31. Le cou_____ier
32. Une è_____e
33. La résu_____ection

Le son «é»

Connaissances

Le son «**é**» à la fin d'un mot peut s'écrire é, ée, és, ées, er, ez, ers, ai, etc.

Tu peux comprendre la plupart des cas qui se présentent en faisant un effort pour compléter les règles placées à la fin de l'exercice suivant.

Quand il ne semble pas exister une règle pour expliquer la manière d'écrire un mot, il ne te reste qu'à consulter ton dictionnaire.

Activité 42

Dans les espaces libres, écris la bonne graphie du son «**é**»: é, ée, és, ées, ez, er, ers, ai, etc. Ensuite, en analysant les mots de l'exercice, essaie de compléter les quelques règles qui te sont présentées. Tu pourras vérifier tes réponses en consultant le corrigé.

1. Vous l'ignor_____.

2. En dout_____-vous?

3. Que préfér_____-vous?

4. Une grande duret_____.

5. Une générosit_____ inattendue.

6. Une belle honnêtet_____.

7. Une propret_____ obligatoire.

8. Cessez de cri_____.

9. Elle essaie de pass_____.

10. Il avait à protég_____ cela.

11. On ne peut accept_____.

12. Tu ne dois pas abandonn_____.

13. Il faut travaill_____.

14. Je pouss_____ la porte.

15. Je laiss_____ une chance.

16. Un grand banqui_____.

17. Un pauvre bouch_____.

18. Un menuisi_____ compétent.

19. La mar_____ montante.

20. Un planch_____ propre.

21. Une belle veill_____.

22. Une triste réalit_____.

23. Elle a pens_____ à tout.

24. Il est oblig_____.

25. Ils sont bless_____.

26. La malle, elles l'ont laiss_____.

27. Elles sont décid_____.

28. Un magnifique troph_____.

29. La moiti_____ de sa dette.

30. Une étrange sociét_____.

31. Un qu_____ d'embarquement.

32. Un mus_____.

33. Un bon dîn_____.

34. Il paiera volonti_____.

35. C'est une f_____.

36. Un excellent lanc_____.

Complète les règles suivantes en consultant l'exercice précédent.

a) J'écris EZ quand il s'agit de _____.

b) Quand un nom est formé à partir d'un adjectif (sûr / sûreté), le son «é» s'écrit _____.

c) Quand un verbe en ER est précédé d'une préposition, il s'écrit _____.

d) Quand deux verbes se suivent, le deuxième (s'il est du premier groupe) s'écrit _____.

e) Au passé simple, les verbes en ER conjugués à la première personne du singulier se terminent par _____.

f) Un verbe en ER précédé de AVOIR ou de ÊTRE s'écrit _____, _____, _____ ou _____.

L'ORTHOGRAPHE D'USAGE

Le son «i»

<table>
<tr><td>

Connaissances

À la fin d'un mot, le son «**i**» peut s'écrire i, ie, it, is, ix, etc.

En observant les mots de l'exercice suivant, tu pourras certainement déduire quelques règles qui te seront utiles. Dans les autres cas, consulte ton dictionnaire.

</td></tr>
</table>

Activité 43

Dans les espaces libres, écris la bonne graphie du son «**i**»: i, is, ie, it, ix, etc. Tente ensuite de compléter les quelques règles qui t'aideront à mieux écrire ce son. Vérifie tes réponses en consultant le corrigé.

1. Un l_____ d'hôpital.
2. Un grave dél_____.
3. Un av_____ important.
4. Un abr_____ temporaire.
5. Un hab_____ d'hiver.
6. De la m_____ de pain.
7. Un pr_____ élevé.
8. Un manque d'espr_____.
9. Une boucher_____ ouverte.
10. Une berger_____.
11. Une nouvelle librair_____.
12. Un br_____ de contrat.
13. Un rad_____ frais.
14. Il fait un par_____.

15. Elle a m_____ son collier.
16. Il a comm_____ un délit.
17. Elle a fin_____ son travail.
18. Elle a blêm_____.
19. Un taud_____ insalubre.
20. Il bén_____ l'édifice.
21. Je tord_____ le linge.
22. Ce r_____ est excellent.
23. Un part_____ politique.
24. Une part_____ inégale.
25. Un bon fus_____.
26. De bons prof_____.
27. Elle condu_____ très bien.
28. Une sc_____ circulaire.

Complète les règles suivantes en examinant l'exercice que tu viens de faire.

a) Les verbes en IR ont un participe passé qui finit par _____.

b) Les verbes en ETTRE ont un participe passé qui finit par _____.

c) Les verbes en IR à l'indicatif présent finissent par _____ à la 1re personne du singulier, par _____ à la 2e personne du singulier et par _____ à la 3e personne du singulier.

d) Les noms qui indiquent des endroits finissent par _____.

Le son «in»

Connaissances

Le son «**in**» peut s'écrire in, ain, ein, en, eint, eins, etc.

Il n'existe pas de règle qui précise exactement comment écrire ce son. Pour le savoir, tu dois faire appel à ton sens de l'observation ou à ton dictionnaire.

Quand le son «**in**» indique l'origine, il s'écrit EN ou AIN. **Ex.:** Canadien, Somalien...Américain, Mexicain.

Activité 44

Dans les espaces libres, écris la bonne graphie du son «**in**»: in, ain, en, eint, eins, etc. Vérifie tes réponses en consultant le corrigé.

1. Il était souver_____.
2. Un r_____ malade.
3. Un Norvégi_____.
4. Dans le loint_____.
5. Elle est s_____cère.
6. Une c_____ture dorée.
7. Un d_____don.
8. Il m_____tenait ses paroles.
9. Ils étaient v_____.
10. Un v_____ rouge.

11. P_____dre une toile.
12. Il f_____ la folie.
13. Un fél_____ dangereux.
14. Faire un g_____ intéressant.
15. Le froid p_____ce ses joues.
16. Les chréti_____.
17. Elle cherche en v_____.
18. Un mal_____ plaisir.
19. Un Rom_____ accueillant.
20. C'était un n_____.

L'ORTHOGRAPHE D'USAGE

Le son «anse»

Connaissances

Le son «**anse**» peut s'écrire anse, ance, ense, ence, etc.

Si tu as un doute en écrivant ce son, vérifie dans ton dictionnaire.

Activité 45

Dans les espaces libres, écris la bonne graphie du son «**anse**»: anse, ance, ense, ence, etc. Vérifie tes réponses en consultant le corrigé.

1. Une certaine élég_____.
2. Une expéri_____.
3. Une grande résist_____.
4. Une d_____ nouvelle.
5. Une enf_____ heureuse.
6. Elle p_____ beaucoup.
7. Une circulation d_____.
8. Une ch_____ incroyable.
9. L'indépend_____ du pays.
10. Déf_____ de fumer.

11. L'_____ de la tasse.
12. C'est de la dém_____.
13. Il p_____ une plaie.
14. Une petite av_____.
15. Une off_____.
16. Elle s'él_____.
17. Du beurre r_____.
18. Un sil_____ pesant.
19. Un espace imm_____.
20. Une longue dist_____.

Le son «sion»

Connaissances

Le son «**sion**» peut s'écrire sion, tion, ssion, xion, etc.

Si tu as un doute en écrivant ce son, vérifie dans ton dictionnaire.

Activité 46

Dans les espaces libres, écris la bonne graphie du son «**sion**»: sion, ssion, tion, xion, etc. Vérifie tes réponses en consultant le corrigé.

1. Prends cette posi_____.
2. Une nouvelle produc_____.
3. Écoute l'émi_____.
4. La génufle_____.
5. Une pre_____.
6. La démoli_____ de l'immeuble.
7. Une réfle_____.
8. La pul_____.
9. Une ges_____.
10. Une soumi_____.
11. La promo_____.
12. Une frac_____.
13. De la fic_____.
14. Une ac_____.
15. La dévo_____.
16. Une révolu_____.
17. Ma fonc_____.
18. Une se_____.
19. L'émul_____.
20. Notre proposi_____.

Les dérivés surprenants

Connaissances

Il est facile de créer un nom, un adjectif ou un adverbe à partir d'un mot, mais, dans certains cas, les différences dans l'écriture du mot sont assez surprenantes. **Ex.:** Naviguer...navigation.

Activité 47

Écris le nom que l'on peut faire à partir des mots suivants. Vérifie tes réponses en consultant le corrigé.

1. Tranquille: la _____
2. Imbécile: l' _____
3. Il travaille: le _____
4. Urbain: l' _____
5. Clair: la _____
6. Oublier: un _____
7. Folle: la _____
8. Long: une _____
9. Généreux: la _____
10. Gai: la _____
11. Maritime: la _____
12. Poser: la _____
13. Las: la _____
14. Boire: la _____

15. Paraître: la _____
16. Parler: la _____
17. Lever: le _____
18. Succéder: la _____
19. Rassembler: le _____
20. Provoquer: la _____
21. Partir: le _____
22. Refuser: le _____
23. Employer: l' _____
24. Nécessiter: la _____
25. Apprendre: l' _____
26. Attendre: l' _____
27. Consentir: le _____
28. Donner: le _____

L'ORTHOGRAPHE GRAMMATICALE

On

Activité 48

Accorde correctement les verbes. Vérifie tes réponses en consultant le corrigé.

Dans la région, on s'étonn_____ (imparfait de l'indicatif) beaucoup de la disparition du jeune notaire. On av_____ appris (plus-que-parfait de l'indicatif) cette nouvelle quelques jours auparavant. On pouv_____ (imparfait de l'indicatif) entendre chaque matin, sur la place du marché, certains commentaires désobligeants. On dis_____ (imparfait de l'indicatif) qu'il ét_____ parti (plus-que-parfait de l'indicatif) avec les fonds qu'on lui av_____ confiés (plus-que-parfait de l'indicatif) parce qu'on lui av_____ donné (plus-que-parfait de l'indicatif) l'occasion de le faire. D'autres affirmaient bien haut qu'on ne le reverr_____ (conditionnel présent) plus et qu'on pouv_____ (imparfait de l'indicatif) oublier les sommes qu'on av_____ déposées (plus-que-parfait de l'indicatif) dans son coffre.

Quelques amis du notaire Lavoie se tenaient à l'écart. On espér_____ (imparfait de l'indicatif) encore qu'il reviendrait. On n'arriv_____ (imparfait de l'indicatif) pas à croire qu'il était parti avec la caisse comme un malfaiteur. On ne s'ét_____ pas trompé (plus-que-parfait de l'indicatif) à ce point sur un homme qu'on estim_____ (imparfait de l'indicatif). On ét_____ (imparfait de l'indicatif) certain qu'il descendrait du train de cinq heures et qu'on aur_____ (conditionnel présent) une explication à son brusque départ.

267

L'ORTHOGRAPHE GRAMMATICALE

L'accord du verbe

Activité 49

Accorde correctement les verbes et vérifie tes réponses en consultant le corrigé.

En 1866, Sophie Schliemann et Henri Schliemann, docteur en philologie, _____ (décider, passé composé) de faire des fouilles sur le mont Hissarlik pour retrouver la ville de Troie. Les Turcs, qui n'_____ (apprécier, imparfait de l'indicatif) pas particulièrement les étrangers, n'_____ (accorder, imparfait de l'indicatif) que très peu d'autorisations de ce genre. Durant trois ans, Schliemann, persuadé de l'existence de la ville de Troie à cet endroit, _____ (envoyer, passé simple) des dizaines de lettres à toutes les autorités qui_____ (pouvoir, imparfait de l'indicatif) l'appuyer. Les jours et les mois _____ (passer, imparfait de l'indicatif) et le firman, l'autorisation turque, ne _____ (venir, imparfait de l'indicatif) pas. Exaspéré, le millionnaire _____ (demander, passé simple) aux ambassadeurs américains et britanniques qui _____ (être, imparfait de l'indicatif) à Istanbul d'intervenir. Après une très longue attente, le ministre de l'Éducation, un homme ouvert et cultivé, _____ (accepter, passé simple) de le recevoir et lui _____ (promettre, passé simple) son autorisation officielle.

Quand la nouvelle parvint au couple, leurs amis, qui _____ (vivre, imparfait de l'indicatif) à Athènes, _____ (organiser, passé simple) une fête pour célébrer l'événement. Henri Schliemann, un homme pondéré de 57 ans, _____ (danser, passé simple) de joie. Sophie, sa cadette de plus de trente ans, _____ (avoir, passé simple) toutes les peines du monde à l'empêcher de s'embarquer immédiatement pour la Turquie.

L'ORTHOGRAPHE GRAMMATICALE

Le participe passé

Connaissances

Le participe passé employé *sans auxiliaire* s'accorde comme un adjectif. **Ex.:** La poire coupée.

Le participe passé employé avec l'auxiliaire ÊTRE s'accorde avec le sujet du verbe. **Ex.:** La poire est coupée.

Le participe passé utilisé avec l'auxiliaire AVOIR s'accorde avec le complément d'objet direct si ce dernier est placé avant le participe; sinon, il reste invariable. **Ex.:** La poire, elle l'a coupée. Elle a coupé la poire.

Activité 50

Accorde les participes passés et vérifie tes réponses en consultant le corrigé.

Quand Schliemann et son épouse sont arrivé_____ à Hissarlik, ils apportaient avec eux des pelles et des pioches acheté_____ à la ville voisine. Ils se sont arrêtés le premier soir dans une petite auberge mal entretenu_____ du village où ils ont décidé_____ d'habiter jusqu'à la fin d'octobre. Dès le lendemain, ils ont rencontré_____ le chef du village et lui ont proposé_____ neuf piastres par ouvrier qu'il mettrait à leur disposition. Quand ce problème fut réglé_____, ils ont loué_____ des chevaux et ils sont allé_____ sur la colline. Durant une semaine, ils l'ont sillonné_____ dans tous les sens avant de décider où les premières fouilles seraient effectué_____.

Le lundi matin suivant, ils ont retrouvé_____ leurs ouvriers qui les attendaient dans la cour de l'auberge encombré_____ de leur matériel. Ils les ont amené_____ sur le site et leur ont expliqué_____ qu'ils désiraient une tranchée de quatre à huit mètres de profondeur creusé_____ sur la face est de la colline. Après un mois de travail, la quantité de terre rejeté_____ a posé_____ aux chercheurs un énorme problème. On s'était contenté_____ de lancer la terre au bas de la pente. Cependant, le terrain accidenté_____ ne permettait pas une solution semblable. Giannakis, le contremaître, fut obligé_____ d'arrêter les ouvriers le temps nécessaire pour que les Schliemann aient décidé_____ ce qu'il fallait faire. Malgré la perte de temps occasionné_____ par cette opération, les deux archéologues ont décidé_____ de faire transporter la terre dans des paniers, hors des sentiers tracé_____ au flanc de la colline. Les ouvriers furent étonné_____, mais ils ont obéi_____.

Quand les trois premiers mois furent écoulé_____, les résultats obtenu_____ étaient intéressants. On avait trouvé_____ des vestiges laissé_____ par plusieurs civilisations qui avaient vécu_____ sur la colline. Les Schliemann furent encouragé_____ et promirent, à la fin de la saison, de revenir l'année suivante pour continuer les fouilles.

L'ORTHOGRAPHE GRAMMATICALE
É — ER — EZ

> ## Connaissances
>
> Quand il s'agit d'un participe employé **seul**, avec **avoir** ou avec **être**, tu écris **É** et tu l'accordes selon le cas. **Ex.:** Une somme dépensée. La somme est dépensée. Elle a dépensé la somme.
>
> Quand deux verbes se suivent, le second se termine par **ER** s'il s'agit d'un verbe du premier groupe. Si un verbe du premier groupe est précédé d'une préposition, il se termine aussi par **ER**. **Ex.:** Il laisse compter. Il essaie de compter.
>
> **À REMARQUER: Avoir** et **être** sont des auxiliaires et ne sont pas considérés comme le premier verbe.
>
> Tu écris **EZ** quand le verbe est à la deuxième personne du pluriel. **Ex.:** Vous comptez.

Activité 51

Écris é, ée, ées, és, ez ou er dans les espaces libres. Vérifie tes réponses en consultant le corrigé.

Quand les pluies d'octobre sont arriv_____, les Schliemann ont décid_____ de cess_____ de creus_____. C'était inutile de continu_____. Les tranchées risquaient de s'écroul_____ et, en plus, les ouvriers avaient exprim_____ le désir de retourn_____ dans leur village. Schliemann fit donc venir ses contremaîtres et leur dit: «Transmett_____ aux ouvriers mes remerciements et vous leur dir_____ que je compte les retrouv_____ le printemps prochain pour continu_____ les fouilles. En plus, je vous ai prépar_____ une prime que vous vous partager_____.»

Après le départ des hommes, Sophie et Henri sont demeur_____ sur le site abandonn_____ pour inventori_____ ce qu'ils avaient trouv_____. La moisson était intéressante et devait être transport_____ à Athènes une fois que la partie qui revenait au gouvernement turc aurait été prélev_____. Après tant d'efforts, Henri et Sophie étaient épuis_____. Durant les trois mois écoul_____, ils avaient consomm_____ de fortes doses de quinine et ils avaient surtout mal mang_____. Ils étaient donc press_____ de retourn_____ auprès de leur fille, en Grèce, et de prépar_____ la prochaine saison. Ils avaient jur_____ d'érig_____ sur le mont Hissarlik une vraie maison et d'engag_____ un cuisinier capable de prépar_____ de vrais repas. Ainsi, ils seraient moins tortur_____ par le froid et par la faim.

L'ORTHOGRAPHE GRAMMATICALE

Dû — du

Connaissances

Dû est le participe passé du verbe devoir. On lui a ajouté un accent circonflexe sur le **u**, au masculin singulier, pour le distinguer de l'article **du**.

Quand **dû** est au féminin ou au pluriel, l'accent circonflexe disparaît.

Activité 52

Écris dut, du, dus, due, dues ou dû et vérifie tes réponses en consultant le corrigé.

1. Cette somme est d_____.

2. Elle a d_____ caractère.

3. Cette blessure est d_____ à la négligence.

4. Il veut d_____ tabac.

5. Tout lui est d_____.

6. Élise d_____ se soumettre.

7. Tu as d_____ tout vendre.

8. Elle a d_____ travailler.

9. Elle avait d_____ vendre.

10. As-tu d_____ coeur?

11. C'est d_____ papier.

12. Il a d_____ obéir.

13. Elle veut d_____ gâteau.

14. Je d_____ rembourser.

15. Nous avons d_____ y voir.

16. Ils ont d_____ le croire.

Le son «i» à la fin du verbe

Connaissances

Les verbes en IR et en ETTRE se terminent souvent par le son «**i**». Ce son peut s'écrire i, is, it, ie, ies, etc.

Observe bien en faisant l'exercice qui suit. Ainsi, tu pourras compléter toi-même certaines règles qui t'aideront.

Activité 53

Écris correctement le son «i» dans les espaces libres. Essaie ensuite de compléter les règles. Consulte le corrigé pour vérifier tes réponses.

1. Elle a prom_____ .

2. Le travail est fin_____ .

3. Il transm_____ le message.

4. Elle a transm_____ le message.

5. Je cr_____ parfois.

6. Tu pr_____ souvent.

7. Pl_____ cette serviette.

8. L'enfant gém_____ .

9. Elle a pr_____ une planche.

10. Il m_____ un tablier.

11. Des fruits pourr_____ .

12. Tu rem_____ la somme.

13. Il tr_____ le courrier.

14. Elle a été pun_____ .

15. Il se f_____ aux autres.

16. Le prisonnier s'enfu_____ .

17. Bén_____ ce pain.

18. Je l_____ ce texte.

19. Il comm_____ une erreur.

20. Les gens étaient part_____ .

Complète les règles suivantes.

a) Les participes passés des verbes en ETTRE finissent par _____ .

b) Les participes passés des verbes en IR finissent par _____ .

c) À l'indicatif présent, les verbes en IER finissent par _____ à la 1re personne du singulier, par _____ à la 2e personne du singulier et par _____ à la 3e personne du singulier.

d) À l'indicatif présent, les verbes en IR finissent par _____ à la 1re personne du singulier, par _____ à la 2e personne du singulier et par _____ à la 3e personne du singulier.

L'ORTHOGRAPHE GRAMMATICALE
Le pluriel des noms

Connaissances

Les noms en OU prennent un S au pluriel sauf pou, chou, genou, hibou, bijou, caillou et joujou qui prennent un X. **Ex.:** Les fous.

Les noms en EU et en AU prennent un X au pluriel, sauf landau, sarrau, bleu et pneu qui prennent un S. **Ex.:** Les poteaux.

Les noms en AIL prennent un S au pluriel, sauf bail, corail, fermail, soupirail, travail, vantail et vitrail qui font leur pluriel en AUX. **Ex.:** Les chandails.

Les noms en AL font AUX au pluriel, sauf bal, cal, carnaval, chacal, festival, récital, régal, etc. **Ex.:** Les fanaux.

Activité 54

Mets les noms suivants au pluriel et vérifie tes réponses en consultant le corrigé.

1. Journal: _____
2. Carnaval: _____
3. Château: _____
4. Bleu: _____
5. Original: _____
6. Neveu: _____
7. Travail: _____
8. Mal: _____
9. Hôpital: _____
10. Bourreau: _____
11. Émail: _____
12. Cheveu: _____
13. Régal: _____
14. Landau: _____
15. Feu: _____
16. Chacal: _____
17. Bal: _____
18. Joujou: _____
19. Éventail: _____
20. Genou: _____

21. Arbrisseau: _____
22. Fou: _____
23. Jeu: _____
24. Voyou: _____
25. Sou: _____
26. Bail: _____
27. Vitrail: _____
28. Cristal: _____
29. Cou: _____
30. Pneu: _____
31. Détail: _____
32. Festival: _____
33. Caillou: _____
34. Métal: _____
35. Hibou: _____
36. Corail: _____
37. Occidental: _____
38. Trou: _____
39. Aveu: _____
40. Rail: _____

L'accord de l'adjectif

Connaissances

Il arrive parfois que l'adjectif qualificatif soit précédé d'un article qui ne donne pas le genre ou le nombre du nom qu'il qualifie. Dans ce cas, vérifie avec soin le genre et le nombre de ce nom. **Ex.:** L'éternelle plainte.

Activité 55

Écris correctement l'adjectif qualificatif et vérifie tes réponses en consultant le corrigé.

1. L'après-midi ensoleillé_____

2. Chaque dur_____ expérience

3. L'amer_____ déception

4. L'autre cruel_____ échec

5. L'examen bâclé_____

6. L'accord réel_____

7. L'incendie majeur_____

8. L'eau usé_____

9. L'orthographe grammatical_____

10. Chaque nouvel_____ essai

11. L'exercice momentané_____

12. Chaque vieil_____ arbre

Le pluriel des adjectifs en AL et en EN

Connaissances

Le pluriel des adjectifs en AL et en EN est le même que celui des noms en AL et en EN: AL devient AUX (sauf banal, naval, fatal, bancal, final, etc., qui prennent un S au pluriel) et EN devient ENS.

Activité 56

Écris les adjectifs suivants au pluriel et vérifie tes réponses en consultant le corrigé.

1. Terminal: _____

2. Coréen: _____

3. Estival: _____

4. Théâtral: _____

5. Canadien: _____

6. Banal: _____

7. Glacial: _____

8. Génial: _____

9. Chrétien: _____

10. Final: _____

11. Fatal: _____

12. Chilien: _____

13. Italien: _____

14. Cordial: _____

15. Naval: _____

16. Vietnamien: _____

17. Légal: _____

L'ORTHOGRAPHE GRAMMATICALE

Sa — ça

Connaissances

Sa est un adjectif possessif au féminin singulier; il est toujours suivi d'un nom féminin et il indique la possession. **Ex.:** Sa chemise.

Ça est un pronom démonstratif que tu peux toujours remplacer par le mot **cela**. **Ex.:** Ça dépasse les bornes...Cela dépasse les bornes.

Activité 57

Écris **sa** ou **ça** et vérifie tes réponses en consultant le corrigé.

Duroc passa _____ colère sur Lucie, _____ secrétaire. Quand elle reprit place derrière son bureau, elle reprit _____ liste une autre fois. Cette fois-ci, _____ ne se passerait pas comme _____ . _____ n'avait plus de sens! Pour la troisième fois en un mois, _____ liste de clients disparaissait de son classeur. Il fallait que _____ cesse, sinon _____ pourrait se terminer par son renvoi. _____ camarade de travail lui jurait que _____ clef ne pouvait ouvrir son classeur et que, par conséquent, _____ ne pouvait être elle, la responsable de la disparition. Lucie n'y comprenait plus rien. Elle se souvenait très bien d'avoir placé _____ feuille à _____ place, dans le bon dossier. _____ ne pouvait être qu'une blague faite par un mauvais plaisant. Si c'était le cas, _____ ne pouvait être toléré.

276

L'ORTHOGRAPHE GRAMMATICALE

La — l'a — là

Connaissances

La peut être un article féminin placé devant un nom; il peut aussi s'agir d'un pronom personnel (à la troisième personne du singulier) placé devant le verbe pour remplacer un nom féminin. **Ex.:** La soirée est longue... Il la voit passer seconde par seconde.

L'a est le pronom personnel **l'** suivi de l'auxiliaire **avoir**. Habituellement, il est suivi d'un participe passé. **Ex.:** Il l'a frappé.

Là est un adverbe. Sa prononciation est différente de celle des deux autres à cause de l'accent. Le plus souvent, il est précédé d'un nom auquel il est joint par un trait d'union. **Ex.:** Cette année-là...

Activité 58

Écris **la**, **l'a** ou **là** et vérifie tes réponses en consultant le corrigé.

1. Il me faut _____ preuve.

2. Elle me _____ donnée.

3. Loan furète parfois dans _____ remise.

4. Ce jour _____, _____ vérité éclata.

5. Conduisez-_____ à _____ source.

6. Ce vagabond, on _____ souvent vu sur _____ route.

7. Que dites-vous _____ ?

8. Dans ces cas _____, il faut reculer.

9. Quand _____ guerre sera finie...

10. Donnez-moi celui _____.

11. Excusez-_____.

12. Maria _____ très bien décrite.

13. Cet homme _____ est sérieux.

14. La beauté du parc _____ frappé.

15. Elle _____ acheté sans discuter.

16. Ces fruits _____, je les prends.

17. Vous pouvez _____ poser ici.

18. Il _____ dénoncé hier.

Ou — où

Activité 59

Écris **ou** ou **où** et vérifie tes réponses en consultant le corrigé.

_____ devrais-je aller en vacances cette année? Au Maroc _____ au Portugal? Évidemment, je connais d'autres endroits _____ il serait intéressant d'aller se détendre. Je pourrais me rendre en Floride _____ en Californie et m'installer dans un hôtel _____ le service est impeccable. Mais ces endroits _____ vont trop de touristes offrent trop peu de dépaysement _____ trop de confort. Cette année, je désire visiter des lieux _____ le tourisme n'a pas imposé sa loi et _____ les gens sont naturels et amicaux. Le choix n'est pas aussi simple qu'il en a l'air. Je me souviens du Mexique _____ il fait si bon se reposer. Pourtant, dès ma descente d'avion, j'ai été assailli par des mendiants _____ par des marchands ambulants. Je n'ai pas eu une minute de paix. Sur la plage _____ au restaurant, on m'importunait sans arrêt. La croisière n'est pas une meilleure solution. Dans chaque port _____ vous descendez, on vous exploite honteusement _____ on vous ignore totalement.

L'ORTHOGRAPHE GRAMMATICALE

Peu — peux — peut

Connaissances

Peu est un adverbe qui signifie «pas beaucoup». **Ex.:** Il parle peu.

Peux et **peut** viennent du verbe POUVOIR. Si tu as tendance à les confondre avec l'adverbe, remplace-les par POUVAIT. **Ex.:** Elle peut encore marcher...Elle pouvait encore marcher.

Activité 60

Écris **peu**, **peux** ou **peut** et vérifie tes réponses en consultant le corrigé.

Centraide est une fédération d'organismes de charité que bien _____ de Québécois ne connaissent pas. Chaque année, Centraide _____ venir en aide aux pauvres grâce aux dons qu'elle _____ amasser durant sa campagne de financement. Souvent, la somme que tu _____ donner représente bien _____ pour toi, mais ton geste _____ permettre à des personnes démunies de connaître un _____ de bonheur.

Apporter un _____ de bonheur dans la vie des déshérités est un devoir auquel tu ne _____ échapper. Tu es gâté(e)? Tu as plus que le nécessaire? Alors, tu ne _____ faire la sourde oreille. Tu dois offrir un _____ de ton superflu à ceux qui n'ont rien. De plus, n'oublie pas qu'un jeune _____ offrir son aide comme bénévole. Il _____ ainsi contribuer plus activement à soulager la misère de ceux qui l'entourent.

L'ORTHOGRAPHE GRAMMATICALE

C'est — s'est — ses — ces — sais — sait

Activité 61

Écris **c'est**, **s'est**, **ces**, **ses**, **sais** ou **sait** et vérifie tes réponses en consultant le corrigé.

Wei _____ que _____ sa dernière chance de s'échapper de son pays. _____ parents, _____ frères et sa soeur sont déjà partis hier matin vers la frontière de la Thaïlande. _____ une longue route pleine de dangers, mais _____ la seule solution pour survivre. Évidemment, elle a souvent entendu parler qu'un fuyard _____ fait prendre par les soldats et _____ retrouvé dans un camp spécial, mais _____ un risque qu'elle _____ résignée à prendre.

Wei a seize ans. Elle _____ que _____ deux cousins risquent leur vie à l'attendre. Elle les entend encore lui dire: «Wei, _____ toi qu'on attend, tu _____. Ne t'en fais pas. On réussira.» Si _____ jambes blessées le lui permettent, elle partira avec eux dès l'aurore, demain. Elle marchera sur _____ sentiers qui longent la rivière et elle tournera le dos à cette falaise où elle _____ blessée deux jours auparavant. _____ parents l'ont confiée à _____ deux cousins; _____ évident qu'ils doivent l'attendre près de la frontière. Elle _____ qu'elle surmontera tous les dangers pour les rejoindre.

L'ORTHOGRAPHE GRAMMATICALE

Sur — sûr(e)

Connaissances

Sur, préposition, demeure invariable. **Ex.:** Le linge est sur la corde.

Sûr(e), adjectif qualificatif, signifie «certain». **Ex.:** Nous sommes sûrs des résultats.

Activité 62

Écris **sur**, **sûr(s)** ou **sûre(s)** et vérifie tes réponses en consultant le corrigé.

En 1896, Wilfrid Laurier était _____ de l'emporter sur Bowell, Premier ministre du Canada. Depuis quatre ans, il exposait ses opinions _____ tous les grands sujets de l'heure. Évidemment, certains Québécois n'étaient pas _____ de ce qu'il ferait avec les écoles séparées du Manitoba. _____ ce sujet, il s'était peu expliqué. Il avait plutôt exploité des valeurs _____ comme la relance économique et l'agriculture. Bien _____, il avait abondamment parlé, devant des amis _____, du sort des francophones dans le pays, mais peu d'entre eux avaient osé le relancer _____ ce sujet durant la campagne électorale. Bref, les Canadiens semblaient vouloir un changement, et il était presque _____ que Wilfrid Laurier serait élu. Le soir des élections, on se rendit compte qu'il l'emportait _____ son adversaire conservateur dans presque toutes les provinces. Ainsi, quand la première session s'ouvrirait au parlement, Laurier serait _____ de parler au nom de la majorité des Canadiens, et bien peu de conservateurs pourraient le contredire _____ ce point.

Achevé d'imprimer
en l'an mil neuf cent quatre-vingt-huit
sur les presses des ateliers Guérin,
Montréal, Québec.